W9-BNO-805

Del otro lado

Michael Connelly

DEL OTRO LADO

Traducido del inglés por Javier Guerrero Gimeno

 **AdN** Alianza de Novelas

Título original: *The Crossing*
Esta edición ha sido publicada por acuerdo
con Little, Brown & Company, New York,
NEW YORK, USA. Todos los derechos reservados

Diseño de colección: Estudio Pep Carrió

Copyright © 2015 by Hieronymus, Inc.
© de la traducción: Javier Guerrero Gimeno, 2016
© AdN Alianza de Novelas (Alianza Editorial, S. A.)
Madrid, 2016
Calle Juan Ignacio Luca de Tena, 15
28027 Madrid
www.AdNovelas.com

ISBN: 978-84-9104-466-6
Depósito legal: M. 28.453-2016
Printed in Spain

En memoria de Simon Christenson

Día de los Inocentes

Ellis y Long circulaban a unos veinte metros de distancia de la motocicleta por Ventura Boulevard. Se dirigían al este y estaban acercándose a la gran curva donde la avenida viraba hacia el sur y enfilaba el paso de Cahuenga hacia Hollywood.

Ellis iba al volante. Lo prefería así, aunque era el veterano y podía imponer a Long quién conducía y quién iba de pasajero. Long estaba atento a la pantalla de su teléfono, mirando vídeos, velando por lo que denominaban sus inversiones.

El coche le transmitía una buena sensación. Una sensación de fuerza. El volante apenas vibraba y Ellis sentía que estaba bajo su control. Vio un hueco en el carril derecho y pisó el acelerador. El coche salió disparado.

Long levantó la cabeza.

—¿Qué estás haciendo?

—Desembarazarme de un problema.

—¿Qué?

—Antes de que sea un problema.

Ya había dado alcance a la motocicleta y se había colocado en paralelo. Miró a su izquierda y vio las botas negras del motorista y las llamas naranjas pintadas en el depósito. Las llamas eran del color del Camaro.

Se adelantó un par de metros y, cuando la carretera se curvaba a la derecha, dejó que el coche se desviara hacia el carril izquierdo, siguiendo la ley de la fuerza centrífuga.

Oyó gritar al motorista, que asestó una patada al lateral del coche y luego aceleró para intentar pasar por delante. Ese fue su error. Debería haber frenado y cedido, pero trató de solucionarlo abriendo gas. Ellis estaba listo para el movimiento y pisó el acelerador. El Camaro invadió el carril izquierdo y terminó de cerrar a la moto.

Ellis oyó un chirrido de frenos y el ruido sostenido del claxon de un coche cuando la motocicleta acabó en los carriles de sentido contrario. Luego oyó el arañazo agudo del acero y el inevitable impacto de metal contra metal.

Ellis sonrió y siguió su camino.

1

Era un viernes por la mañana y la gente lista ya se había marchado de fin de semana. Por esa razón el tráfico al centro había empezado a ser fluido y Harry Bosch llegó al tribunal temprano. En lugar de esperar a Mickey Haller en las escaleras de la entrada, donde habían quedado, decidió buscar a su abogado en el interior de la estructura monolítica de diecinueve plantas que ocupaba media manzana. Sin embargo, la búsqueda de Haller no sería tan difícil como daba a entender el tamaño del edificio. Después de pasar por el detector de metales del vestíbulo —una experiencia nueva para él—, Bosch tomó el ascensor hasta la quince, y empezó a asomarse en todas las salas y a bajar por la escalera. La mayoría de las salas asignadas a casos penales se hallaban entre las plantas nueve y quince. Bosch lo sabía porque había pasado mucho tiempo en esas salas en los últimos treinta años.

Encontró a Haller en el Departamento 120, en la planta trece. El tribunal estaba en sesión, pero no había jurado. Haller le había dicho a Bosch que la vista de su moción terminaría a la hora en que habían quedado para comer. Harry se sentó en un banco en la parte de atrás de la tribuna del público y observó a Haller interrogando a un agente uniformado de la policía de Los Ángeles en el estrado de testigos. Bosch se había perdido los preliminares, pero no el meollo del interrogatorio.

—Agente Sánchez —dijo Haller—, ahora me gustaría que aclarara los pasos que siguió para detener al señor Hennegan el 11 de diciembre del año pasado. ¿Por qué no empezamos con su misión para ese día?

Sánchez se tomó un momento para preparar una respuesta a lo que parecía una pregunta de rutina. Bosch se fijó en que tenía tres galones en la manga, uno por cada cinco años de servicio en el departamento. Quince años era mucha experiencia, y Bosch sabía que Sánchez sería precavido con Haller y estaría preparado para dar respuestas que resultaran más útiles a la acusación que a la defensa.

—Mi compañero y yo estábamos en una patrulla de rutina en la unidad de la calle 77 —dijo Sánchez—. Íbamos en dirección oeste por Florence Avenue a la hora del incidente.

—¿Y el señor Hennegan también circulaba por Florence Avenue?

—Sí, exacto.

—¿En qué dirección iba él?

—También iba en dirección oeste. Su coche estaba justo delante del nuestro.

—Muy bien, ¿y qué ocurrió entonces?

—Llegamos a un semáforo en rojo en Normandie y el señor Hennegan paró y nos detuvimos detrás de él. El señor Hennegan puso el intermitente de la derecha y a continuación giró para dirigirse al norte por Normandie.

—¿Cometió una infracción de tráfico al girar a la derecha cuando el semáforo estaba en rojo?

—No. Se detuvo por completo y giró cuando se puso en verde.

Haller asintió y marcó algo en un bloc de notas. Estaba sentado al lado de su cliente, que vestía la ropa azul de la prisión del condado, una señal inequívoca de que era un caso penal. Bosch supuso que se trataba de un caso de drogas y Haller intentaba anular la prueba de lo que se hubiera hallado en el coche del cliente argumentando que no había motivos para hacerle parar.

Haller interrogaba al testigo desde su asiento en la mesa de la defensa. Sin un jurado, el juez no exigía la formalidad de levantarse para dirigirse al testigo.

—¿Usted también hizo el giro siguiendo el coche del señor Hennegan? —preguntó.

—Sí —dijo Sánchez.

—¿En qué momento decidió ordenar al señor Hennegan que parara el vehículo?

—Enseguida. Pusimos la sirena y él se detuvo.

—¿Qué ocurrió entonces?

—En cuanto paró el coche, se abrió la puerta de la derecha y el pasajero salió disparado.

—¿Echó a correr?

—Sí, señor.

—¿Adónde fue?

—Hay un centro comercial con un callejón detrás. Se metió en el callejón en dirección este.

—¿Usted o su compañero fueron tras él?

—No, señor, separarse es peligroso y va contra la normativa. Mi compañero pidió refuerzos y un aéreo por radio. Transmitió una descripción del hombre que huía.

—¿Un aéreo?

—Un helicóptero de la policía.

—Entiendo. ¿Qué hizo usted, agente Sánchez, mientras su compañero hablaba por radio?

—Salí del coche patrulla, me acerqué a la puerta delantera izquierda del vehículo y le dije al conductor que sacara las manos por la ventanilla, donde pudiera verlas.

—¿Sacó su arma?

—Sí, lo hice.

—¿Qué ocurrió luego?

—Ordené al conductor (el señor Hennegan) que bajara del vehículo y se tumbara en el suelo. Obedeció y lo esposé.

—¿Le dijo por qué estaba detenido?

—En ese momento no estaba detenido.

—¿Estaba esposado y tumbado boca abajo en la calle, pero me está diciendo que no estaba detenido?

—No sabíamos a qué nos enfrentábamos y mi prioridad era la seguridad de mi compañero y la mía. Un pasajero había huido del coche y sospechábamos que podría estar ocurriendo algo.

—Así pues, el hecho de que el hombre huyera del coche fue lo que puso en marcha todo esto.

—Sí, señor.

Haller pasó varias páginas en su bloc de hojas amarillas para consultar sus notas y luego verificó algo en la pantalla del portátil que permanecía abierto en la mesa de la defensa. Su cliente tenía la cabeza inclinada hacia delante, y desde atrás daba la impresión de que podría estar durmiendo.

El juez, que estaba tan arrellanado en su asiento que Bosch solo le había visto el cabello gris, se aclaró la garganta y se inclinó hacia delante, dejándose ver en la sala. La placa situada en el estrado lo identificaba como el ilustre señor Steve Yerrid. Bosch no lo conocía ni de nombre, lo cual no significaba mucho porque el edificio albergaba más de cincuenta salas con sus correspondientes jueces.

—¿Nada más, señor Haller? —preguntó.

—Disculpe, señoría —dijo Haller—, estaba consultando unas notas.

—No nos estanquemos.

—No, señoría.

Haller aparentemente encontró lo que estaba buscando y estaba listo para continuar.

—¿Cuánto tiempo dejó al señor Hennegan esposado en la calle, agente Sánchez?

—Registré el coche y cuando me aseguré de que no había nadie más dentro volví con el señor Hennegan, lo cacheé para saber si iba armado, lo ayudé a levantarse y lo puse en el asiento de atrás del coche patrulla por su propia seguridad y por la nuestra.

—¿Por qué estaba en entredicho la seguridad del señor Hennegan?

—Como he comentado, no sabíamos con qué nos enfrentábamos. Un tipo sale corriendo; el otro actúa con nerviosismo. Era mejor garantizar la seguridad mientras determinábamos qué estaba pasando.

—¿Cuándo se fijó por primera vez en que el señor Hennegan estaba actuando con nerviosismo, como usted dice?

—Enseguida. En cuanto le pedí que sacara las manos por la ventanilla.

—Estaba apuntándole con una pistola cuando le dio esa orden, ¿no es así?

—Sí.

—Bien, así que tiene a Hennegan en el asiento de atrás de su coche. ¿Le preguntó si podía registrar su coche?

—Lo hice y dijo que no.

—¿Y qué hizo después de que respondiera que no?

—Solicité por radio que enviaran un perro detector de drogas.

—¿Y qué hace un perro detector de drogas?

—Está preparado para alertar si huele drogas.

—Muy bien, ¿cuánto tiempo tardaron en llevar al perro a Florence y Normandie?

—Alrededor de una hora. Tenía que venir desde la academia, porque estaba participando en una exhibición de adiestramiento.

—De manera que, durante una hora, mi cliente permaneció encerrado en la parte de atrás de su coche mientras usted esperaba.

—Sí, así es.

—Por su seguridad y por la de mi cliente.

—Exacto.

—¿Cuántas veces regresó a su coche, abrió la puerta y le volvió a preguntar si podía registrar su vehículo?

—Dos o tres veces.

—¿Y cuál fue su respuesta?

—Siguió diciendo que no.

—¿Usted u otros agentes de policía encontraron al pasajero que huyó del coche?

—No, que yo sepa. El caso se transfirió a la Unidad de Narcóticos de South Bureau ese mismo día.

—Entonces ¿qué ocurrió cuando llegó finalmente el perro?

—El agente de la unidad canina lo condujo en torno al vehículo del acusado y el perro alertó al pasar junto al maletero.

—¿Cuál era el nombre del perro?

—Creo que se llamaba *Cosmo*.

—¿Qué modelo de vehículo conducía el señor Hennegan?

—Era un viejo Toyota Camry.

—Y *Cosmo* les dijo que había drogas en el maletero.

—Sí, señor.

—Y usted abrió el maletero.

—Citamos la alerta del perro como causa probable para registrar el maletero.

—¿Encontraron drogas, agente Sánchez?

—Encontramos una bolsa de lo que parecía cristal de metanfetamina y otra bolsa con dinero.

—¿Cuánto cristal de metanfetamina?

—Un kilo y cien gramos.

—¿Y cuánto dinero?

—Ochenta y seis mil dólares.

—¿En efectivo?

—Todo en efectivo.

—Y entonces detuvo al señor Hennegan por posesión con intención de venta, ¿es correcto?

—Sí, fue entonces cuando lo detuvimos, le leímos sus derechos y lo llevamos a South Bureau para ficharlo.

Haller asintió. Y miró su bloc otra vez. Bosch sabía que tenía que contar con algo más. Se reveló cuando el juez le pidió otra vez que continuara.

—Agente, volvamos al momento en que hizo parar al vehículo. Ha declarado antes que el señor Hennegan giró a la derecha después de detenerse por completo ante un semáforo en rojo y esperar a que se pusiera en verde y fuera seguro efectuar ese giro. ¿Lo he entendido bien?

—Sí, así es.

—¿Y fue un giro correcto según las leyes?

—Sí.

—Entonces, si lo hizo todo bien, ¿por qué puso la sirena y le hizo detenerse?

Sánchez echó una rápida mirada al fiscal, que estaba sentado detrás de la mesa situada a la derecha de Haller. Hasta el momento no había dicho nada, pero Bosch lo había visto tomar notas durante el testimonio del agente de policía.

Bosch supo por esa mirada que era allí donde Haller había encontrado el punto flaco del caso.

—Señoría, ¿puede solicitar al testigo que responda la pregunta y no mire al fiscal en busca de la respuesta? —le instó Haller.

El juez Yerrid se inclinó otra vez hacia delante y pidió a Sánchez que respondiera. Sánchez solicitó que repitiera la pregunta y Haller lo hizo.

—Era Navidad —dijo Sánchez—. Siempre repartimos bonopavos en esa época del año y les hice parar para darles bonopavos.

—¿Bonopavos? —preguntó Haller—. ¿Qué es un bonopavo?

2

Bosch estaba disfrutando del espectáculo del Abogado del Lincoln. Haller había expuesto con destreza todos los detalles de la detención, había dado vueltas en torno al talón de Aquiles del caso y estaba a punto de explotarlo a lo grande. Bosch pensó que sabía por qué el fiscal había permanecido callado durante toda la vista. No había nada que pudiera hacer respecto a los hechos del caso. Iba a reducirse a cómo los argumentara ante el juez después.

—¿Qué son los bonopavos, agente Sánchez? —preguntó Haller otra vez.

—Bueno, hay una cadena de mercados en South L. A. llamada Little John's. Cada año antes del Día de Acción de Gracias y Navidades nos dan estos bonos certificados canjeables por pavos. Y los repartimos a la gente.

—¿Quiere decir como un regalo? —preguntó Haller.

—Sí, es un regalo —dijo Sánchez.

—¿Cómo eligen quién recibe esos bonopavos?

—Buscamos buenas acciones, gente que hace lo que debe hacer.

—¿Se refiere a conductores que obedecen las normas de circulación?

—Sí.

—Así que, en este caso, ¿obligó a parar al señor Hennegan porque hizo lo correcto en ese giro en el semáforo?

—Sí.

—En otras palabras, no paró al señor Hennegan por incumplir la ley, ¿es así?

Sánchez miró de nuevo al fiscal, con la esperanza de recibir alguna ayuda. No la recibió y se esforzó en encontrar una respuesta.

—No sabíamos que estaba incumpliendo la ley hasta que su compañero salió corriendo y encontramos las drogas y el dinero.

Hasta Bosch vio que su posición era muy endeble. Haller no iba a dejarlo pasar.

—Agente Sánchez —dijo—, se lo pregunto de manera muy concreta: en el momento en que puso las luces e hizo sonar la sirena para que el señor Hennegan se detuviera, usted no había visto que el señor Hennegan hubiera hecho nada mal, nada ilegal. ¿Es correcto?

Sánchez murmuró su respuesta.

—Es correcto.

—Por favor, diga su respuesta con claridad para que conste —pidió Haller.

—Es correcto —contestó Sánchez en voz alta y tono enfadado.

—No tengo más preguntas, señoría.

El juez preguntó al fiscal, al que llamó señor Wright, si quería repreguntar al testigo. Wright decidió abstenerse. Los hechos eran los hechos y ninguna pregunta podría cambiarlos. El juez dio las gracias al agente Sánchez y se dirigió a los abogados.

—Es su moción, señor Haller —dijo él—. ¿Está listo para sus conclusiones?

Siguió una breve disputa cuando Haller afirmó que estaba preparado para presentar sus conclusiones y Wright propuso que lo hiciera por escrito. El juez Yerrid falló a favor de Haller y manifestó que quería oír las conclusiones y luego decidiría si era necesario que se presentaran por escrito.

Haller se levantó y se acercó al atril situado entre las mesas de la acusación y la defensa.

—Seré breve, señoría, porque creo que los hechos del caso son muy claros. Se miren por donde se miren, no solo la causa probable para hacer parar el vehículo es insuficiente, sino que simplemente no existe. El señor Hennegan estaba respetando todas las normas de tráfico y en modo alguno actuó de manera sospechosa para que el agente Sánchez y su compañero pusieran las luces y la sirena y lo obligaran a hacerse a un lado y parar.

Haller se había llevado un tomo al atril. En ese momento miró una sección de texto que había remarcado y continuó.

—Señoría, la Cuarta Enmienda exige que un registro y una detención se produzcan conforme a una orden apoyada en una causa probable. Sin embargo, el caso *Terry contra Ohio* establece excepciones al requisito de la orden, una de las cuales consiste en que un vehículo puede ser obligado a parar cuando existe causa probable para creer que se ha cometido una infracción o existe una sospecha razonable para creer que los ocupantes del vehículo han participado en un delito. En este caso no tenemos ninguno de los requisitos para una parada *Terry*. La Cuarta Enmienda impone al estado limitaciones estrictas en su ejercicio del poder y la autoridad. Repartir bonos canjeables por pavos no es un ejercicio válido de autoridad constitucional. El señor Hennegan no cometió ninguna infracción de tráfico y, según ha reconocido el agente que lo detuvo, estaba conduciendo de forma perfectamente legal y correcta cuando fue obligado a detenerse. No importa lo que se encontrara después en el maletero de su vehículo. La policía pisoteó su derecho a estar protegido contra un registro y una detención ilegales.

Haller hizo una pausa, tal vez tratando de calibrar si necesitaba agregar algo más.

—Además —añadió por fin—, la hora que el señor Hennegan pasó encerrado en el asiento de atrás del coche patrulla del agente Sánchez constituye una detención sin orden ni causa probable, una violación más de las protecciones contra el registro y la detención ilegales. Fruto del árbol envenenado, señoría. Fue una detención injustificada. Todo lo que surgió de ello estaba por lo tanto mancillado. Gracias.

Haller volvió a su silla y se sentó. Su cliente no mostró ninguna indicación de que hubiera escuchado y comprendido el argumento.

—¿Señor Wright? —dijo el juez.

El fiscal se levantó y se acercó al atril a regañadientes. Bosch no tenía ninguna licenciatura en Derecho, pero sí poseía un conocimiento sólido de cómo funcionaba la ley. Tenía claro que la acusación contra Hennegan se hallaba en una situación muy delicada.

—Señoría —empezó Wright—, cada día de la semana los agentes de policía tienen lo que llamamos encuentros con ciudadanos, algunos de los cuales conducen a una detención. Como dice el Tribunal Supremo en el caso *Terry:* «No todas las relaciones personales entre agentes de policía y ciudadanos implican la detención de personas». Esto fue un encuentro ciudadano, cuya intención era recompensar un buen comportamiento. Lo que lo orientó en otra dirección y proporcionó la causa probable para las acciones de los agentes fue la huida del pasajero del vehículo del acusado. Eso fue lo que cambió todo.

Wright consultó sus notas en el bloc amarillo que se había llevado al atril. Encontró el hilo y continuó.

—El acusado es un traficante de drogas. Las buenas intenciones de estos agentes no deberían impedir que esta acusación avance. El tribunal tiene amplia discreción en este ámbito y el agente Sánchez y su compañero no deberían ser penalizados por cumplir al máximo con su deber.

Wright se sentó. Bosch sabía que su argumento equivalía a postrarse y rogar la clemencia del tribunal. Haller se levantó para responder.

—Señoría, me gustaría aclarar una cuestión. El señor Wright se equivoca esta vez. Ha citado de *Terry*, pero ha dejado de lado que cuando un agente, por medio de la fuerza física o exhibición de autoridad, limita la libre circulación de un ciudadano se ha producido una detención. Da la impresión de que el fiscal no tiene claro que la detención precedió a la causa probable. Dice que no hubo detención hasta que el pasajero salió corriendo del coche del señor Hennegan y surgió una causa probable. Sin embargo, esa lógica no se sostiene, señoría. Mediante la sirena y las luces de su vehículo, el agente Sánchez obligó al señor Hennegan a pararse a un lado de la calle. Y para que se produzca una detención del tipo que sea, tiene que existir causa probable para ordenar esa parada. Los ciudadanos tienen libertad para moverse sin trabas en este país. Obligar a un ciudadano a parar y charlar es una detención y una violación del derecho a que lo dejen en paz. El resumen es que un bonopavo no es causa probable. Lo que es una pavada es este caso, señoría. Gracias.

Orgulloso de su frase de conclusión, Haller regresó a su asiento. Wright no se levantó para decir la última palabra. Sus conclusiones, las pocas que tenía, ya las había expuesto.

El juez Yerrid se inclinó hacia delante otra vez. Se aclaró la voz ante el micrófono y provocó un acople que resonó en la sala. Hennegan se sentó más erguido y quedó claro que había estado durmiendo durante la vista que podría decidir su libertad.

—Disculpen —dijo Yerrid después de que el sonido agudo se apagara—. Tras oír el testimonio y las conclusiones, este tribunal acepta la moción de supresión. La prueba encontrada en el maletero de...

—¡Señoría! —gritó Wright al levantarse del asiento de un salto—. Solicito una aclaración.

Abrió las manos como si le sorprendiera un dictamen que sin duda sabía que iba a producirse.

—Señoría —continuó Wright—, la fiscalía no tiene en qué basarse sin las pruebas encontradas en el maletero de ese vehículo. ¿Está diciendo que las drogas y el dinero no cuentan?

—Eso es exactamente lo que estoy diciendo, señor Wright. No hubo causa probable para obligar al acusado a detenerse. Como ha señalado el señor Haller, es fruto del árbol envenenado.

Wright señaló entonces directamente a Hennegan.

—Señoría, ese hombre es un traficante de drogas. Forma parte de la plaga de esta ciudad y esta sociedad. Va a dejarlo otra vez en…

—¡Señor Wright! —espetó el juez ante su micrófono—. No culpe al tribunal de los fallos en su acusación.

—La fiscalía presentará una alegación en veinticuatro horas.

—Está en su derecho de hacerlo. Me interesará mucho ver si puede hacer desaparecer la Cuarta Enmienda.

Wright bajó la barbilla al pecho. Haller aprovechó el momento para levantarse y echar sal en las heridas del fiscal.

—Señoría, me gustaría presentar una moción para que se retiren los cargos contra mi cliente. Ya no hay ninguna prueba que apoye la acusación.

Yerrid asintió con la cabeza. Sabía que ocurriría. Decidió conceder a Wright una pequeña dosis de misericordia.

—Voy a tomar eso en consideración, señor Haller, y veré si la fiscalía realmente presenta una apelación. ¿Algo más de los letrados?

—No, señoría —dijo Wright.

—Sí, señoría —dijo Haller—. Mi cliente se encuentra actualmente encarcelado y se dispuso una fianza de medio millón de dólares. Solicito que sea puesto en libertad con obligación de presentarse en el juzgado antes de que se acepte o desestime la apelación.

—La fiscalía protesta —dijo Wright—. El compañero de este hombre huyó. No hay ninguna indicación de que Hennegan no vaya a hacer lo mismo. Como he dicho, apelaremos a este dictamen y volveremos a presentar el caso.

—Eso ha dicho —intervino el juez—. También voy a tomar en consideración la fianza. Veamos lo que hace la fiscalía después de reconsiderar el caso. Señor Haller, siempre puede solicitar una nueva vista de sus mociones si la fiscalía del distrito actúa con demasiada lentitud.

Yerrid le estaba diciendo a Wright que no se entretuviera o tomaría medidas.

—Ahora, si no hay nada más, se levanta la sesión —anunció el juez.

Yerrid, tras una pequeña pausa para cerciorarse de que los letrados habían concluido, se levantó y abandonó el estrado. Desapareció por la puerta situada detrás de la mesa del alguacil.

Bosch vio que Haller le daba un golpecito en el hombro a Hennegan antes de inclinarse para explicar a su cliente la gran victoria que acababa de obtener. Bosch sabía que el fallo no significaba que Hennegan fuera a salir de inmediato y tan campante de esa sala o de la prisión del condado. Ni mucho menos. A partir de ese momento empezarían las negociaciones. El planteamiento de la fiscalía sin lugar a dudas era un pájaro herido que no podía volar, pero, mientras Hennegan permaneciera en prisión, el fiscal todavía contaba con algo de poder para negociar un final del caso. Wright podía ofrecer un delito menor a cambio de que Hennegan se declarara culpable. Este terminaría enfrentándose a meses de prisión en lugar de años y el fiscal al menos conseguiría una condena.

Bosch sabía que era así como funcionaba. La ley se podía torcer. Si había abogados implicados, siempre había un acuerdo al que llegar. El juez también lo sabía. Se había enfrentado a una situación insostenible. Todo el mundo en la sala sabía que Hennegan era traficante de drogas, pero la detención era injustificada y eso invalidaba las pruebas. Al mantener a Hennegan en la prisión del condado, el juez estaba permitiendo que se llegara a una resolución que impidiera que un traficante de drogas quedara en libertad. Wright enseguida cerró su maletín y se volvió para marcharse. Al dirigirse a la puerta, miró a Haller y le dijo que se mantendrían en contacto.

Haller asintió, y fue entonces cuando vio a Bosch por primera vez. Enseguida terminó de consultar con su cliente mientras el alguacil se acercaba para llevárselo otra vez al calabozo.

Poco después, Haller salió y se encontró a Bosch esperando sentado.

—¿Qué parte has visto?

—Suficiente —dijo Bosch—. He oído que el señor Wright se equivoca.

La sonrisa de Haller se ensanchó.

—He estado esperando años para tener a ese tipo en un caso y poder decir eso.

—Supongo que debería felicitarte.

Haller asintió.

—A decir verdad, esto no ocurre demasiado a menudo. Probablemente puedo contar con los dedos de las manos cuántas veces he vencido en una moción de supresión de pruebas.

—¿Le has dicho eso a tu cliente?

—Las sutilezas de la ley se le escapan. Solo quiere saber cuándo va a salir.

3

Comieron en Traxx, en Union Station. Era un restaurante agradable, cerca del tribunal, muy frecuentado a mediodía por jueces y abogados. La camarera conocía a Haller y no se molestó en llevarle un menú. Él simplemente pidió lo de siempre. Bosch echó un vistazo rápido a la carta y pidió una hamburguesa con patatas fritas, lo cual pareció decepcionar a Haller.

De camino al restaurante habían hablado de cuestiones de familia. Bosch y Haller eran hermanastros y tenían hijas de la misma edad. De hecho, las chicas planeaban compartir habitación en septiembre en la Universidad Chapman, en el condado de Orange. Las dos habían solicitado el ingreso en esa universidad sin conocer la intención de la otra, hasta que celebraron sus respectivas cartas de aceptación el mismo día en Facebook. A partir de ahí, el plan de compartir habitación se formó enseguida. Los padres estaban contentos, porque sabían que podrían aunar esfuerzos para controlar el bienestar de las chicas y su adaptación a la vida universitaria.

En ese momento, al sentarse a la mesa de la ventana que daba a la oscura sala de espera de la estación de tren, era hora de hablar de trabajo. Bosch esperaba una puesta al día del caso que Haller estaba llevando para él. El año anterior, Bosch había sido suspendido del Departamento de Policía de Los Ángeles con el pretexto de que había forzado la cerradura de la puerta del despacho del capitán para echar un vistazo a viejos archivos policiales relacionados con una investigación de homicidio en la que estaba trabajando. Era domingo y Bosch no quería esperar a que llegara el capitán al día siguiente. La infracción era menor, pero podía ser el primer paso en un proceso de despido.

Y lo que era más importante para Bosch, se trataba de una suspensión sin sueldo que también paralizaba los pagos a su Plan de Jubilación Opcional Diferido. Eso significaba que no tenía salario ni acceso a los fondos del PJOD mientras recurría la suspensión y la llevaba ante la Comisión de Derechos, un proceso que se prolongaría un mínimo de seis meses, hasta más allá de su fecha de jubilación. Sin ingresos para cubrir los gastos cotidianos y con la universidad de su hija a la vuelta de la esquina, Bosch se retiró para poder acceder a su jubilación y fondos PJOD. Después, contrató a Haller para presentar una demanda contra el ayuntamiento, acusando al departamento de policía de utilizar tácticas ilegales para obligarle a entregar la placa.

Como Haller había pedido verlo en persona, Bosch esperaba que la noticia no fuera buena. En ocasiones anteriores, Haller le había puesto al día del caso por teléfono. Bosch sabía que algo ocurría.

Decidió postergar la discusión de su caso regresando a la vista que acababa de terminar.

—Bueno, supongo que estás orgulloso de sacar a ese camello —dijo.

—Sabes tan bien como yo que no irá a ninguna parte —respondió Haller—. El juez no tenía elección. Ahora el fiscal propondrá una rebaja y mi cliente todavía pasará una temporada en prisión.

Bosch asintió.

—Pero supongo que el dinero del maletero lo recupera —dijo—. ¿Cuál es tu parte en eso? Si no te importa que lo pregunte.

—Cincuenta mil y el coche —contestó Haller—. No lo necesitará en la cárcel. Tengo un tipo que se ocupa de esas cosas: Un liquidador. Sacaré otros dos mil del coche.

—No está mal.

—No me viene nada mal. He de pagar las facturas. Hennegan me contrató porque vio mi nombre en una parada de autobús en Florence y Normandie. Lo leyó desde el asiento de atrás del coche patrulla y memorizó el número. Tengo sesenta anuncios en paradas de toda la ciudad y eso cuesta dinero. Hay que llenar el depósito, Harry.

Bosch había insistido en pagar a Haller por su trabajo en la demanda, pero no era nada tan estratosférico como la potencial minuta del caso Hennegan. Haller incluso había logrado mantener bajos los costes del pleito de Bosch recurriendo a una colega que manejaba la mayor parte del trabajo fuera del tribunal. Lo consideraba su descuento para las fuerzas del orden.

—Hablando de dinero, ¿has visto cuánto nos va a costar Chapman? —preguntó Haller.

Bosch asintió.

—Es caro —dijo—. Yo ganaba menos que eso en los primeros diez años de poli. Pero Maddie tiene un par de becas. ¿Hailey también?

—Sí, y desde luego ayuda.

Bosch asintió y tuvo la impresión de que habían tocado todos los temas menos el objeto de su reunión.

—Bueno, supongo que ya puedes darme la mala noticia —dijo—, antes de que traigan la comida.

—¿Qué mala noticia? —preguntó Haller.

—No lo sé. Pero es la primera vez que me haces venir para ponerme al día. Supongo que no pinta bien.

Haller negó con la cabeza.

—Oh, ni siquiera voy a hablar de la cuestión del departamento. Ese caso va lento y todavía los tenemos en el rincón. Quería hablar de otra cosa. Quiero contratarte, Harry.

—Contratarme. ¿Qué quieres decir?

—Sabes que estoy en el caso Lexi Parks, ¿verdad? ¿Que estoy defendiendo a Da'Quan Foster?

Bosch se sintió zarandeado por el giro repentino de la conversación.

—Eh, sí, defiendes a Foster. ¿Qué tiene que ver...?

—Bueno, Harry, el juicio es dentro de seis semanas y no tengo nada de nada para una defensa. Él no lo hizo, tío, y nuestro maravilloso sistema legal lo va a joder bien jodido. Lo van a empapelar por el asesinato si no hago algo. Quiero contratarte para que trabajes para mí.

Haller se inclinó sobre la mesa con urgencia. Bosch se echó hacia atrás involuntariamente. Todavía se sentía como si fuera la única persona en el restaurante que no sabía qué estaba ocurriendo. Desde su jubilación había dejado de estar al día de lo que ocurría en la ciudad. Los nombres de Lexi Parks y Da'Quan Foster flotaban en la periferia de su conciencia. Sabía que se trataba de un caso y sabía que era importante. Sin embargo, durante los últimos seis meses había tratado de permanecer alejado de artículos de periódico y noticias de televisión que pudieran recordarle la misión que había cumplido durante casi treinta años, capturar asesinos. Había llegado al extremo de empezar el proyecto —largo tiempo planeado pero nunca realizado— de restaurar una vieja Harley-Davidson que había estado acumulando polvo y herrumbre en su cochera durante casi veinte años.

—Pero ya tienes un investigador —dijo—. Ese tipo grande con los brazos enormes. El motero.

—Sí, Cisco, pero está de baja y no está preparado para llevar un caso como este —matizó Haller—. Me toca un caso de asesinato tal vez una vez al año. Solo acepté este porque Foster es cliente desde hace mucho tiempo. Te necesito en esto, Harry.

—¿De baja? ¿Qué le pasó?

Haller negó con la cabeza como si le doliera.

—El tío conduce una Harley cada día, cambia de carril cuando le viene en gana y lleva uno de esos cascos de risa que no sirven para nada cuando se trata de protegerte el cuello. Ya le advertí de que era solo cuestión de tiempo. Me pedí su hígado. Hay un motivo para que las llamen donantecletas. Y no importa lo buen conductor que seas, siempre es culpa del otro.

—¿Qué pasó?

—Iba por Ventura una noche hace un tiempo y se le acerca un palurdo, le corta el paso y lo envía contra el tráfico que viene de cara. Cisco esquiva un coche y luego tiene que tumbar la moto (es vieja, sin frenos delanteros) y resbala por todo el cruce sobre su cadera. Por suerte llevaba mono de cuero, así que los rasponses no fueron demasiado horribles, pero se jodió el ligamento cruzado. Está hecho polvo ahora y hablan de un reemplazo total de rodilla. Pero no se trata de eso. A lo que iba, Cisco es un gran investigador de la defensa y ya lo intentó con esto. Pero lo que yo necesito es un detective de homicidios con experiencia. Harry, no me lo perdonaré nunca si condenan a Foster por esto. Los clientes inocentes dejan cicatrices, no sé si me entiendes.

Bosch lo miró inexpresivo un buen rato.

—Ya tengo un proyecto —dijo por fin.

—¿Qué quieres decir? ¿Un caso? —preguntó Haller.

—No, una motocicleta, una restauración.

—Joder, ¿tú también?

—Es una Harley de los años cincuenta, como la que montaba Lee Marvin en *Salvaje*. La heredé de un tipo al que conocí en el ejército hace mucho. Hace veinte años escribió en su testamento que yo me quedaba la moto y se tiró de un acantilado en Oregón. La he tenido parada desde entonces.

Haller hizo un ademán de desdén con la mano.

—Bueno, si ha esperado todo ese tiempo, puede esperar más. Estoy hablando de un hombre inocente y no sé qué puedo hacer. Estoy desesperado. Nadie quiere escuchar y...

—Lo arruinaría todo.

—¿Qué?

—Trabajar en un caso para ti (no para ti, para cualquier abogado defensor) arruinaría todo lo que hice con la placa.

Haller parecía escéptico.

—Vamos, es un caso. No es…

—Lo es todo. ¿Sabes cómo llaman a alguien que cambia de lado en homicidios? Lo llaman un Jane Fonda, como si simpatizara con los norvietnamitas. ¿Lo entiendes? Es cruzar al otro lado.

Haller apartó la mirada por la ventana hacia la sala de espera. Estaba repleta de gente que venía de las vías de Metrolink.

Antes de que Haller dijera nada, la camarera les trajo la comida. Haller no dejó de mirar a Bosch a través de la mesa mientras la mujer colocaba los platos y rellenaba sus vasos con té helado. Cuando se alejó, Bosch fue el primero en hablar.

—Mira, no es nada personal, si lo hiciera por alguien, probablemente sería por ti.

Lo decía en serio. Eran los hijos de un célebre abogado defensor de Los Ángeles, pero habían crecido separados por muchos kilómetros y pertenecían a generaciones distintas. No se habían conocido hasta hacía unos años. A pesar de que, por así decirlo, Haller estaba al otro lado del pasillo, Bosch lo apreciaba y lo respetaba.

—Lo siento, tío —continuó—. Es lo que hay. No es que no haya pensado en esto. Pero hay una línea que no puedo permitirme cruzar. Y no eres el primero que me lo pide.

Haller asintió.

—Lo entiendo. Pero lo que te estoy ofreciendo es algo diferente. Tengo a este tipo acusado de asesinato y estoy convencido de que es un montaje. Hay ADN con el que no puedo luchar y va a pringar por esto a menos que consiga que alguien como tú me ayude…

—Vamos, Haller, no te abochornes. Todos los abogados defensores en todos los tribunales dicen lo mismo cada día de la semana. Todos los clientes son inocentes. Todos los clientes son víctimas de trampas y montajes. Lo he oído durante treinta años cada vez que me he sentado en la sala de un tribunal, pero, mira, nunca me lo he pensado dos veces con ninguno de los que he metido en la cárcel. Y en un momento u otro todos dijeron que no lo habían hecho.

Haller no respondió y Bosch se tomó su tiempo para dar el primer bocado. La hamburguesa estaba buena, pero la conversación le había hecho perder el apetito. Haller empezó a mover su ensalada por el plato con el tenedor, pero no comió nada.

—Mira, lo único que te pido es que eches un vistazo al caso y lo veas por ti mismo. Ve a hablar con él y te convencerás.

—No voy a ir a hablar con nadie.

Bosch se limpió la boca con la servilleta y la dejó en la mesa, al lado de su plato.

—¿Quieres hablar de otra cosa, Mick? ¿O pido que me envuelvan esto para llevar?

Haller no respondió. Miró su propia comida sin probar. Bosch vio miedo en sus ojos. Miedo al fracaso, miedo de tener que vivir con algo malo.

Haller apoyó su tenedor.

—Haré un trato contigo —dijo—. Trabajas en el caso y si encuentras pruebas contra él las llevas al fiscal. Cualquier cosa que encuentres, no importa lo que sea, lo compartimos con el fiscal. Exhibición de pruebas absoluta, cualquier cosa que no entre directamente bajo el privilegio abogado-cliente.

—Sí, ¿qué dirá tu cliente de eso?

—Lo aceptará porque es inocente.

—Claro.

—Mira, piénsalo. Luego me dices.

Bosch apartó el plato. Solo había dado un bocado, pero la comida había terminado. Empezó a secarse las manos en la servilleta de tela.

—No tengo que pensarlo —dijo—. Puedo decírtelo ya. No puedo ayudarte.

Bosch se levantó y dejó caer la servilleta sobre su comida. Buscó en el bolsillo, sacó suficiente dinero para pagar la cuenta de los dos y lo dejó debajo del salero. Durante todo ese tiempo Haller se limitó a mirar hacia la sala de espera de la estación.

—Se acabó —dijo Bosch—, he de irme.

4

Bosch consiguió dejar de pensar en la oferta de Haller durante la mayor parte del fin de semana. El sábado acompañó a su hija al condado de Orange para que ella pudiera visitar su futura facultad y hacerse una idea de la zona. Comieron tarde en un restaurante al borde del campus que lo servía todo en gofres y después fueron a un partido de béisbol de los Angels en el cercano Anaheim.

Harry se reservó el domingo para trabajar en la restauración de su motocicleta. La tarea que le esperaba sería una de las partes más vitales del proyecto. Por la mañana, desmontó el carburador de la Harley, limpió todas las piezas y las dejó a secar en unos periódicos viejos sobre la mesa del comedor. Antes ya había comprado un kit de reconstrucción en Glendale Harley y tenía todas las juntas y arandelas nuevas que necesitaba. El manual de reconstrucción Clymer advertía que si colocaba mal una junta, dejaba un tornillo de regulación sucio o manejaba mal cualquiera de una docena de cosas al volver a montar el carburador, toda la restauración sería en balde.

Después de comer en la terraza de atrás, con jazz en el equipo de música y un destornillador de estrella en la mano, Bosch volvió a la mesa. Examinó con atención las páginas del manual Clymer una vez más antes de empezar a desandar los pasos que había seguido al desmontar el carburador. Tenía al John Handy Quintet en el equipo de música y en ese momento sonaba *Naima,* la oda de Handy a

John Coltrane de 1967. Harry la consideraba una de las mejores actuaciones de saxofón grabadas en directo.

Bosch fue siguiendo el manual paso a paso y el carburador enseguida empezó a tomar forma. Al ir a coger el tornillo regulador, se fijó en que estaba encima de una foto del antiguo gobernador, con el cigarro apretado entre los dientes y una amplia sonrisa en el rostro al pasar un brazo en torno a otro hombre, al que Bosch identificó como un antiguo miembro de la Cámara Baja de East Los Ángeles.

Se dio cuenta de que la edición del *Times* que había extendido era un número viejo que quería conservar, porque contenía un reportaje de política clásico. Unos años antes, en sus últimas horas en el cargo, el gobernador había usado su potestad de indulto para reducir la sentencia de un hombre condenado por matar a otro. Resultaba que era el hijo de un colega de la Cámara Baja. El hijo había participado con otros en una pelea con un apuñalamiento fatal, había hecho un trato con los fiscales y se había declarado culpable, pero se arrepintió cuando el juez lo condenó a entre quince y treinta años en la prisión del estado. El gobernador, ya en su camino de salida al final del mandato, redujo la pena a siete años.

Si el gobernador pensaba que nadie se fijaría en su último acto en el cargo, se equivocó. Se armó una gorda con acusaciones de amiguismo, tratos de favor, política de la peor ralea. El *Times* publicó un amplio reportaje en dos partes de todo el sórdido capítulo. A Bosch le ponía enfermo leerlo, pero no tanto como para reciclar el periódico. Lo guardó para leerlo una y otra vez y recordarse la política del sistema judicial. Antes de presentarse al cargo, el gobernador había sido estrella de cine y estaba especializado en representar papeles de héroes extraordinarios, hombres dispuestos a sacrificarlo todo por hacer lo correcto. El exgobernador había regresado a Hollywood, tratando de volver a ser estrella de cine. Pero Bosch había decidido que ya no vería ninguna de sus películas, ni siquiera en la televisión gratuita.

Los pensamientos de injusticia suscitados por el artículo del periódico hicieron que Bosch se desviara del proyecto del carburador. Se levantó de la mesa y se secó las manos en el trapo que guardaba con sus herramientas. Tiró el trapo al suelo al recordar que antes extendía sobre la mesa expedientes de casos de homicidio y no piezas de motocicleta. Abrió la puerta corredera que daba al salón y salió a la terraza para contemplar la ciudad. Su casa en voladizo sobre la ladera oeste del paso de Cahuenga le brindaba una vista panorámica que se extendía por encima de la autovía 101 hasta Hollywood Heights y Universal City.

La 101 iba cargada de tráfico que se movía en ambas direcciones por el desfiladero. Incluso un domingo por la tarde. Bosch se alegraba de no formar parte de ello ya desde su retiro. El tráfico, la jornada laboral, la tensión y la responsabilidad de todo eso.

Pero también sabía que era una sensación de falsa alegría. Sabía que, por más estresante que fuera, ese río de acero y luz que avanzaba despacio era su lugar. Sabía que, en cierto modo, lo necesitaban allí abajo.

Mickey Haller había recurrido a él en la comida del viernes sobre la base de que su cliente era un hombre inocente. Eso por supuesto tendría que demostrarse. Pero Haller había omitido la otra mitad de esa ecuación. Si de verdad su cliente era inocente, había un asesino suelto al que nadie estaba buscando. Un asesino taimado hasta el extremo de tender una trampa a un inocente. A pesar de sus protestas en el restaurante, ese hecho molestaba a Bosch y no se lo había quitado de la cabeza durante todo el fin de semana. Era algo que le costaba olvidar.

Sacó el teléfono del bolsillo y marcó un número de su lista de favoritos. La llamada fue contestada después de cinco tonos por la voz de Virginia Skinner.

—Harry, estoy con el cierre, ¿qué pasa?

—Es domingo, ¿qué estás...?

—Me han llamado.

—¿Qué pasa?

—Sandy Milton estuvo implicado anoche en un atropello con fuga en Woodland Hills.

Milton era un concejal conservador. Skinner era periodista de política del *Times*. Bosch entendía por qué la habían llamado un domingo. Lo que no entendía era por qué ella no había llamado para decírselo y tal vez recurrir a él para preguntarle a quién debía llamar en el Departamento de Policía de Los Ángeles para tratar de conseguir detalles. Eso subrayaba para él lo que había estado ocurriendo en su relación durante el último mes más o menos. O más bien lo que no había estado pasando.

—He de colgar, Harry.

—Bien. Lo siento. Te llamaré después.

—No, te llamaré yo.

—Vale. ¿Todavía vamos a cenar juntos hoy?

—Sí, bien, pero he de colgar.

Skinner cortó la llamada. Bosch entró otra vez en la casa para sacar una cerveza de la nevera y mirar sus existencias. Determinó que no tenía nada con lo que tentar a Virginia para que subiera a la montaña. Además, su hija volvería de su turno de prácticas en el programa Police Explorer alrededor de las ocho y podría resultar raro con Virginia en la casa. Ella y Maddie todavía estaban en las primeras fases de conocer sus límites.

Bosch decidió que cuando llamara Skinner, le ofrecería encontrarse en algún sitio para cenar en el centro.

Acababa de abrir una botella y poner un CD de importación de Ron Carter grabado en el Blue Note de Tokio cuando sonó su teléfono.

—Eh, si te has dado prisa...

—Acabo de entregar el artículo. Es solo una columna lateral sobre las implicaciones políticas de Milton. Richie *Mojacamas* me llamará dentro de diez o quince minutos para la edición. ¿Es suficiente tiempo para que hablemos?

Richie *Mojacamas* era su editor, Richard Ledbetter. Lo llamaba así porque era joven e inexperto —ella le sacaba más de veinte años—, pero insistía en intentar decirle cómo hacer su trabajo y cómo escribir sus artículos y una columna semanal sobre política local, que Ledbetter quería llamar blog. La situación entre ellos pronto llegaría al enfrentamiento, y a Bosch le preocupaba que Virginia fuera la vulnerable, porque su experiencia se traducía en un salario mayor y por lo tanto en un objetivo atractivo para la dirección.

—¿Adónde quieres ir? ¿Algún sitio en el centro?

—O cerca de tu casa. Tú eliges. Pero no indio.

—Claro, indio no. Deja que lo piense y tendré un plan cuando estés cerca. Llámame antes de que llegues a Echo Park. Por si acaso.

—Vale. Pero oye, hazme un favor y saca unos artículos de un caso.

—¿Qué caso?

—Hay un tipo al que detuvieron por asesinato. Un caso de la policía de Los Ángeles, creo. Se llama Da'Quan Foster. Quiero ver...

—Sí, Da'Quan Foster. El tipo que mató a Lexi Parks.

—Sí.

—Harry, es un caso grande.

—¿Cómo de grande?

—No hace falta que te saque artículos. Entra en la web del periódico y escribe el nombre de la víctima. Hay un montón de artículos por quién era ella y porque a él no lo detuvieron hasta un mes después de los hechos. Y no es un caso de la policía de Los Ángeles. Es del Departamento del Sheriff. Ocurrió en West Hollywood. Mira, he de colgar. Richie acaba de hacerme la señal.

—Vale, voy...

Había colgado. Bosch se guardó el teléfono en el bolsillo y fue a la mesa del comedor. Levantando el periódico por las esquinas, apartó a un lado las piezas del carburador. Luego sacó su portátil del estante y lo encendió. Mientras esperaba que arrancara, miró el carburador encima del periódico. Se dio cuenta de que se había equivocado al pensar que restaurar la vieja motocicleta podía ocupar el lugar de otras cosas.

En el equipo de música, Ron Carter estaba acompañado por dos guitarras que tocaban un tema de Milt Jackson titulado *Bags' Groove*. Hizo que Bosch pensara en su propia rutina y en lo que se estaba perdiendo.

Cuando el ordenador estuvo listo, Bosch abrió la web del *Times* y buscó el nombre de Lexi Parks. Había 333 entradas en las que se mencionaba el nombre de Lexi Parks, que se remontaban seis años, mucho antes de su asesinato. Bosch lo redujo al año presente y encontró veintiséis artículos ordenados por fecha y titular. El primero era del 10 de febrero de 2015: «Apreciada subdirectora de West Hollywood hallada muerta en la cama».

Bosch examinó las entradas hasta que llegó a un titular con fecha del 19 de marzo de 2015: «"Cabecilla" pandillero detenido por el asesinato de Parks».

Bosch retrocedió y abrió el primer artículo, calculando que al menos podría leer el relato inicial del asesinato y el de la detención antes de ir a buscar el coche para dirigirse al centro.

El informe inicial del asesinato de Lexi Parks hablaba más de la víctima que del crimen porque el Departamento del Sheriff había desvelado muy pocos detalles sobre el asesinato. De hecho, todos los pormenores contenidos en el informe podían resumirse en una frase: Parks había muerto a golpes en su cama y fue encontrada por su marido cuando este regresó a casa de su trabajo en el turno de medianoche como agente del sheriff de Malibú.

Bosch maldijo en voz alta cuando leyó la mención de que el marido de la víctima era un agente. Eso convertiría la posible participación de Bosch en la defensa en un agravio todavía mayor entre las fuerzas policiales. Haller había omitido oportunamente ese detalle al instar a Bosch a examinar el caso.

Aun así, continuó leyendo, y descubrió que Lexi Parks era una de los cuatro subdirectores municipales para West Hollywood. Entre sus responsabilidades estaban los departamentos de Seguridad Pública, Protección al Consumidor y Relaciones con los Medios. Era su posición como principal portavoz del ayuntamiento y enlace de comunicación con los medios lo que explicaba la descripción de «apreciada» del titular. Parks tenía treinta y ocho años en el momento de su muerte y llevaba doce años trabajando para el ayuntamiento. Había empezado como inspectora inmobiliaria y había ido ascendiendo.

Parks había conocido a su marido, el agente Vincent Harrick, en el trabajo. West Hollywood había encargado al Departamento del Sheriff que proporcionara servicios policiales y Harrick fue asignado a la comisaría de San Vicente Boulevard. Una vez que Parks y Harrick se comprometieron, Harrick solicitó que lo trasladaran de la comisaría de West Hollywood para evitar la apariencia de conflicto de intereses con ambos trabajando para el ayuntamiento. Harrick estuvo en primer lugar en el sur del condado, en la comisaría de Lynwood, y luego fue transferido a Malibú.

Bosch decidió leer el siguiente artículo que ofrecía el buscador digital con la esperanza de conocer más detalles del caso. El titular lo prometía: «Según los investigadores: El asesinato de Lexi Parks, un crimen sexual». El artículo, publicado un día después del primero, informaba de que los detectives de homicidios del sheriff estaban investigando el asesinato como un allanamiento de morada en el que Parks fue asaltada en su cama mientras dormía, agredida sexualmente y luego golpeada brutalmente con un objeto contundente. El artículo no decía cuál era el objeto ni si se encontró. No hacía mención de que se hubiera hallado ningún indicio en la escena del crimen. Después de que se revelaran estos escasos detalles de la investigación, el artículo pasaba a informar de la reacción al crimen entre aquellos que conocían a Parks y su marido, así como del horror que había causado en la comunidad. Se informaba de que Vincent Harrick había tomado una excedencia para afrontar el dolor provocado por el asesinato de su mujer.

Después de leer el segundo artículo, Bosch volvió a mirar la lista de artículos y examinó los titulares. La siguiente docena, más o menos, no sonaban prometedores. El caso permaneció en las noticias a diario y luego semanalmente, pero los titulares contenían muchas partículas negativas. «No hay sospechosos en el asesinato de Parks»; «Los investigadores, sin pistas en el caso Parks»; «West Hollywood ofrece cien mil dólares de recompensa en el caso Parks». Bosch sabía que salir con una gratificación equivalía a anunciar que no tenías nada y que te agarrabas a un clavo ardiendo.

Pero, de repente, tuvieron suerte. El decimoquinto artículo de la lista, publicado treinta y ocho días después del asesinato, anunciaba la detención de Da'Quan Foster, de cuarenta y un años, por el asesinato de Lexi Parks. Bosch abrió el artículo y descubrió que la conexión con Foster parecía salida de la nada, un resultado obtenido con muestras de ADN encontradas en la escena del crimen. Foster fue detenido con la ayuda de un equipo de agentes del Departamento de Policía de Los Ángeles en el estudio de artistas de Leimert Park, donde acababa de terminar una clase de pintura como parte de un programa extraescolar.

El último elemento de información dio que pensar a Bosch. No encajaba con su idea de un cabecilla de banda. Se preguntó si Foster estaba cumpliendo con horas de servicio a la comunidad como parte de una sentencia penal. Continuó leyendo. El artículo decía que el ADN recogido en la escena del crimen de Parks se había introducido en una base de datos del estado y coincidía con una muestra tomada a Foster después de su detención en 2004 por sospecha de violación. Nunca se presentaron cargos contra él por ese caso, pero su ADN permaneció en el archivo de la base de datos del Departamento de Justicia del estado de California.

Bosch quería leer más artículos de la cobertura informativa, pero se estaba quedando sin tiempo y deseaba ver a Virginia Skinner. Leyó un titular que se publicó unos días después de la detención de Foster: «El sospechoso del caso Parks había cambiado de vida». Abrió el artículo y lo miró por encima. Era un artículo de blog que sostenía que Da'Quan Foster era un miembro reformado de los Rollin'40s Crips que había enderezado su vida y estaba compensando a su comunidad. Era un pintor autodidacta que tenía obras colgadas en un museo de Washington D. C. Dirigía un estudio en Degnan Boulevard donde ofrecía programas extraescolares y de fin de semana a niños del barrio. Estaba casado y tenía dos hijos. Para equilibrar el artículo, el *Times* explicaba que tenía antecedentes penales por varias detenciones por drogas en los años noventa y una condena de cuatro años en prisión. No obstante, había salido en libertad condicional en 2001 y —aparte de su detención en el caso de violación, por el cual nunca se presentaron cargos— no había tenido problemas con la ley en más de una década.

El artículo incluía declaraciones de muchos vecinos que expresaban o bien incredulidad por las acusaciones o sospecha directa de que a Foster de alguna manera le habían tendido una trampa. Nadie citado en el artículo creía que hubiera matado a Lexi Parks o que hubiera estado cerca de West Hollywood en la noche en cuestión.

Por lo que había leído, Bosch no tenía claro si Foster siquiera conocía a la víctima del caso ni por qué había sido su objetivo.

Harry cerró el portátil. Leería todos los artículos después, pero no quería dejar a Virginia Skinner esperándolo, fuera donde fuera que quería que se reunieran. Tenían que hablar. La relación se había tensado últimamente, en gran medida porque ella estaba ocupada con su trabajo y Bosch no había estado ocupado más que con la restauración de una motocicleta que era tan vieja como él.

Se levantó de la mesa y volvió a su dormitorio para ponerse una camisa limpia y zapatos más bonitos. Diez minutos después iba conduciendo colina abajo hacia la autovía. Una vez que se incorporó al río de acero y pasó el desfiladero sacó su teléfono y se conectó el auricular para no infringir la ley. Cuando llevaba placa no se preocupaba por esas nimiedades, pero ahora debía abrocharse el cinturón y colocarse el auricular. Podrían ponerle una multa por hablar por el móvil mientras conducía.

Supo por el sonido de fondo que había pillado a Haller en el asiento de atrás del Lincoln. Los dos estaban de camino a alguna parte.

—Tengo preguntas sobre Foster —dijo Bosch.

—Dispara —dijo Haller.

—¿Cuál era el ADN? ¿Sangre, saliva, semen?

—Semen. Un depósito en la víctima.

—¿En o sobre?

—Las dos cosas. En la vagina. En la piel, en el muslo derecho. Algo en las sábanas también.

Bosch condujo en silencio unos segundos. La autovía se elevaba al cruzar Hollywood. Estaba pasando por el edificio de Capitol Records. Lo habían construido para que pareciera una pila de discos, pero eso fue en otros tiempos. Ya no había mucha gente que escuchara discos.

—¿Qué más? —preguntó Haller—. Me alegro de que estés pensando en el caso.

—¿Desde cuándo conoces a este tipo? —preguntó Bosch.

—Hace casi veinte años. Era mi cliente. No era ningún ángel, pero tenía algo amable. No era un asesino. Demasiado listo o demasiado débil para eso. Tal vez las dos cosas. El caso es que le dio la vuelta a las cosas y dejó la mala vida. Por eso lo sé.

—¿Qué sabes?

—Que no hizo esto.

—He leído algunos de los artículos en Internet. ¿Qué pasa con la detención por violación?

—Era mentira. Te mostraré el expediente. Lo detuvieron a él y a otros veinte tipos más. No tardaron ni un día en soltarlo.

—¿En qué punto de la instrucción estás? ¿Te han dado el expediente del caso?

—Lo tengo. Pero si te estás interesando en esto, creo que deberías hablar con mi cliente. Si lees el expediente vas a tener la otra versión del caso. No vas a…

—No me importa. El expediente es la clave. Todo empieza y acaba en el expediente. ¿Cuándo puedo conseguir una copia?

—Te la puedo preparar para mañana.

—Bueno. Llámame y pasaré a buscarla.

—Entonces ¿vas a hacerlo?

—Solo llámame cuando tengas la copia lista.

Bosch colgó. Pensó en la conversación y en lo que estaba sintiendo después de leer los artículos de prensa. Todavía no había llegado a ningún compromiso. No había cruzado ninguna línea. Pero no podía negar que estaba acercándose a ella. Tampoco podía negar la creciente sensación de que estaba a punto de volver a la misión.

5

Bosch y Skinner se encontraron en el Factory Kitchen, en un callejón de Alameda Street. Era un restaurante italiano de moda en el Arts District de los que le gustaban a Skinner. La decisión la había tomado ella después de rechazar las sugerencias de Bosch.

El local estaba repleto y las voces hacían eco y rebotaban en las paredes de ladrillos de la antigua fábrica. Era sin duda un mal sitio para discutir la disolución de una relación, pero eso fue lo que hicieron.

Mientras compartían un plato de *tagliatelle* al ragú de pato, Skinner le dijo a Bosch que su tiempo como pareja había acabado. Ella era una periodista que había pasado casi treinta años cubriendo temas policiales y políticos. Tenía un estilo directo, en ocasiones abrupto, al discutir cualquier tema, incluido el amor y la satisfacción de sus necesidades. Le dijo a Bosch que él había cambiado, que estaba demasiado consumido por la pérdida de su carrera y por encontrar su lugar como hombre sin placa para mantener una relación en primer plano.

—Creo que necesito apartarme y dejar que resuelvas las cosas, Harry —dijo ella.

Bosch asintió. No le sorprendió la declaración ni el razonamiento que había detrás. De alguna manera, sabía que la relación (que no tenía ni un año) no podía llegar lejos. Había nacido de la excitación y la energía de un caso en el que él estaba trabajando y un escándalo político sobre el que ella estaba escribiendo. Esos dos elementos constituían el nexo del idilio. Cuando desaparecieron, ambos tuvieron que preguntarse qué tenían.

Skinner se estiró para tocarle en la mejilla con aire melancólico.

—Solo me llevas unos años —dijo—. Me pasará también a mí.

—No, tranquila —dijo Bosch—. Tu trabajo es contar historias. Siempre hay que contar historias.

Después de cenar se abrazaron mientras esperaban que el aparcacoches les trajera sus vehículos. Se prometieron permanecer en contacto, pero los dos sabían que eso no ocurriría.

6

Bosch se encontró con Haller el lunes a las once de la mañana en un aparcamiento del centro, bajo los brazos extendidos de Anthony Quinn en un mural pintado en el lateral de un edificio en la Tercera. Bosch aparcó su viejo Cherokee junto a la puerta trasera del Lincoln y la ventanilla de este bajó. Debido al ángulo y a las ventanas tintadas del Lincoln, Bosch no logró ver quién estaba conduciendo.

Desde el asiento trasero, Haller le pasó una carpeta gruesa sujeta con una goma. Bosch, por alguna razón, había pensado que el expediente estaría contenido en una carpeta azul como ocurría en la brigada de detectives. Ver aquella carpeta llena de fotocopias fue un claro recordatorio de que lo que estaba a punto de hacer no se acercaba ni remotamente a trabajar en un caso para el departamento de policía. Iba a ir por su cuenta.

—¿Qué harás ahora? —preguntó Haller.

—¿Tú qué crees? —contestó Bosch—. Iré a alguna parte y leeré todo esto.

—Lo sé, pero ¿qué estás buscando?

—Estoy buscando lo que falta. Mira, no quiero que te hagas ilusiones. He leído todos los artículos de periódico esta mañana. No estoy viendo lo que tú ves. El tipo es un delincuente. Tú lo conoces porque es un delincuente. Así que ahora mismo lo que te prometo hacer (lo único) es mirar todo esto y darte una opinión. Nada más.

Bosch levantó el poco manejable archivo para que Haller pudiera verlo otra vez.

—Si no encuentro nada que falte o algo que haga saltar mi radar, te lo devolveré todo y será el final. ¿Clarito, hermano?

—Clarito. Sabes, tiene que ser duro ser así.

—¿Cómo?

—No creer en la rehabilitación ni en la redención, en que la gente cambia. Para ti, «delincuente una vez, delincuente siempre».

Bosch no hizo caso de la acusación.

—Bueno, el *Times* dice que tu cliente no tiene coartada. ¿Qué vas a hacer con eso?

—Tiene coartada. Estaba pintando en su estudio. Simplemente no podemos probarlo, todavía. Pero lo haremos. Dicen que no hay coartada, pero lo que no hay es móvil. No conocía a esta mujer, nunca la había visto ni había estado en ese barrio, y menos en su casa. Es una locura pensar que haría algo así. Intentaron relacionarlo con el marido de alguna manera cuando él trabajaba en Lynwood, enfocarlo como una trama de venganza de bandas, pero no hay nada. Da'Quan era un Crip y el marido trabajaba con los Bloods. No hay ningún móvil, porque no lo hizo.

—No necesitan un móvil. Con un crimen sexual, el sexo es motivo suficiente. ¿Qué vas a hacer con el ADN?

—Voy a cuestionarlo.

—No estoy hablando de tretas de O. J. Simpson. ¿Hay pruebas de mala manipulación de la muestra o fallo del test?

—Todavía no.

—¿Todavía no? ¿Qué significa eso?

—Solicité al juez que autorizara un análisis independiente. El fiscal protestó, argumentando que no se recogió suficiente material genético, pero eso era una estupidez y el juez me dio la razón. Un laboratorio independiente lo está analizando ahora.

—¿Cuándo sabrás algo?

—La pelea en los tribunales duró dos meses. Acabo de conseguir que les pasen el material y espero saber algo un día de estos. Al menos son más rápidos que el laboratorio del sheriff.

Bosch no estaba impresionado. Suponía que el análisis concluiría lo mismo que el análisis del sheriff, que el ADN pertenecía a Da'Quan Foster. El siguiente paso sería cuestionar el manejo de las pruebas. Era la clase de defensa táctica que los abogados usaban todo el tiempo. Si las pruebas están contra ti, las manchas como puedas.

—Y aparte de eso, ¿cuál es la teoría? —preguntó Bosch—. ¿Cómo terminó el ADN de tu cliente en la víctima?

Haller negó con la cabeza.

—No creo que fuera así. Aunque el laboratorio diga que es su ADN, seguiré sin creerlo. Es un montaje.

Esta vez fue Bosch quien negó con la cabeza.

—Joder —dijo—. Llevas en esto más tiempo que la mayoría de los abogados. ¿Cómo puedes pensar eso?

Haller miró a Bosch y le sostuvo la mirada.

—Tal vez porque llevo mucho tiempo en ello —contestó—. Tú llevas tanto como yo, al final sabes quién te está mintiendo. No tengo nada más, Harry, pero cuento con mi instinto y este me dice que algo huele mal aquí. Es una trampa, hay un chanchullo, hay algo en alguna parte y este tipo no lo hizo. ¿Por qué no vas a hablar con él y escuchas a tu instinto?

—Todavía no —respondió Bosch—. Deja que lea el expediente. Quiero saber todo lo que hay que saber de la investigación antes de hablar con él. Si es que hablo con él.

Haller asintió y se fueron uno para cada lado. Bosch prometió mantenerlo al corriente. Cada hombre se dirigió a una salida diferente del aparcamiento. Mientras esperaba un hueco en el tráfico en la Tercera, Bosch miró a Anthony Quinn, con los brazos extendidos como para mostrar que no tenía nada.

—Estamos igual —dijo Bosch.

Salió a la Tercera y luego giró a la derecha en Broadway, pasando por delante del centro cívico hacia Chinatown. Encontró un sitio para aparcar en la calle y entró a comer en Chinese Friends. El restaurante estaba vacío. Bosch se llevó el expediente que Haller le había pasado a una mesa del fondo, donde estaría de espaldas a la pared y nadie podría mirar por encima del hombro lo que estaba leyendo. No quería que nadie perdiera el apetito.

Bosch pidió sin mirar el menú. A continuación retiró la goma de la carpeta y abrió esta en la mesa. Durante más de dos décadas había preparado paquetes de hallazgos para los abogados que defendían a los hombres y mujeres que él había detenido por asesinato. Conocía todos los trucos que existían cuando se trataba de sembrar la confusión y desviar la atención en un expediente. Podría escribir un manual de acción sobre el arte de convertir el proceso de revelación de pruebas en una pesadilla para un abogado defensor. Había tenido por rutina escribir palabras sin ton ni son en los informes, quitar intermitentemente el cartucho de tóner de la fotocopiadora de la sala de brigada para que páginas y páginas de los documentos que iba a entregar estuvieran impresos en un tono tan ligero que fuera imposible leerlos o al menos produjera dolor de cabeza.

Ahora tenía que usar todo lo que sabía para valorar ese expediente. Y la experiencia dictaba que su primer cometido consistía en poner el expediente en el orden correcto. Era rutina barajar la pila de informes igual que un mazo de cartas o meter en medio un par de menús de comida para llevar como para mandar a tomar por el culo al abogado defensor y su investigador. Cada hoja que se entregaba llevaba un sello con el número de página y la fecha con el fin de que los abogados de ambos lados del pasillo pudieran referirse a la misma página mediante un número uniforme. Así pues, no importaba que Bosch reordenara las páginas. Podía poner en marcha su propio sistema. Lo único que Haller tendría que hacer sería usar el número timbrado si quería referirse a uno de los documentos en el tribunal.

No había mucha diferencia entre los informes archivados por los investigadores del sheriff y los que Bosch había creado en el Departamento de Policía de Los Ángeles. Algunos encabezamientos eran distintos, unos pocos números de referencia también. Pero a Bosch no le costó mucho reordenar el expediente antes de que llegara su plato de costillas de cerdo. Mantuvo la pila de informes delante y en el centro y el plato a un lado para poder continuar trabajando mientras comía.

En lo alto de esa pila reordenada estaba el Informe de Incidente, que siempre era la primera página del expediente después del índice. Pero no había índice (otro a tomar por el culo de la fiscalía a la defensa) de manera que el I. I. estaba encima. Bosch lo miró, pero no esperaba descubrir nada nuevo. Era todo información del primer día. Si no estaba equivocada, era incompleta.

Las costillas de cerdo eran finas y crujientes, y se encontraban apiladas encima de una base de arroz frito. Bosch estaba usando los dedos para comerlas, como si fueran patatas fritas. Se limpiaba las manos en la servilleta de papel para poder pasar las páginas sin mancharlas. Hojeó por encima varios informes secundarios y sin sentido hasta que llegó al Registro Cronológico. Era la biblia, el núcleo de cualquier investigación de homicidios. Detallaba todos los movimientos de los detectives a cargo del caso. De ahí surgiría la teoría del caso. Sería el lugar donde Bosch se convencería de la culpa de Da'Quan Foster o encontraría la misma duda que había reptado por las tripas de Mickey Haller.

La mayoría de las parejas de detectives tenían una división del trabajo que se iba definiendo a lo largo de muchos casos. Por lo general, un miembro del equipo de detectives se encargaba de mantener los informes y el sumario de la investigación intacto y actualizado. El Registro Cronológico constituía la excepción. Era un archivo de ordenador al que ambos detectives accedían de manera rutinaria para actualizarlo e introducir sus movimientos en el caso. Se imprimía periódicamente en un papel de tres agujeros y se metía en una carpeta o, como en este caso, se añadía a un paquete de hallazgos para la defensa. Pero la versión más activa era siempre un archivo digital, un documento vivo, que crecía y cambiaba sin parar.

La versión impresa de la cronología en el archivo de hallazgos ocupaba 129 páginas y era obra de los investigadores del sheriff Lazlo Cornell y Tara Schmidt. Aunque a lo largo de los años Bosch había tratado mucho con investigadores de homicidios del Departamento del Sheriff, no conocía a ninguno de los dos. Era un hándicap, porque tendría que abordar su trabajo escrito sin la menor idea de su talento o temperamento. Sabía que parte de ese talento y temperamento afloraría a la superficie al ir aprendiendo de sus investigaciones y conclusiones, pero Bosch todavía sentía que iba con retraso. Conocía a otros investigadores de la brigada de homicidios del Departamento del Sheriff a los que podía llamar para hablar de la pareja, pero no se atrevía a hacer eso y arriesgarse a desvelar que estaba trabajando contra ellos. El rumor de su traición a la causa se extendería con rapidez y saltaría del Departamento del Sheriff al Departamento de Policía de Los Ángeles en cuestión de horas o de minutos. Bosch no quería eso. Todavía.

Las primeras setenta y cinco páginas de la cronología documentaban los movimientos de la investigación antes de que el ADN los condujera a Da'Quan Foster. Bosch leyó con atención esas páginas porque daban una idea de la teoría inicial del caso de los investigadores, así como de su rigurosidad y determinación. El marido de Lexi Parks fue investigado plenamente y descartado y este proceso estaba bien documentado en la cronología. Aunque tenía una coartada a prueba de bombas en el momento del asesinato —relacionada con la persecución y detención de un ladrón de coches—, los investigadores eran lo bastante listos para saber que podría haber preparado el asesinato para que otros lo llevaran a cabo. Aunque varios aspectos del crimen —la agresión sexual y la brutalidad de la paliza fatal— tendían a señalar en otra dirección, los investigadores no se desanimaron en su investigación del marido. Bosch sintió un respeto creciente por Cornell y Schmidt al leer estas secuencias en la cronología.

La primera etapa de la investigación también iba en otras direcciones. Los detectives interrogaron a multitud de agresores sexuales que vivían en la zona de West Hollywood, sondearon el historial personal de la víctima en busca de enemigos y examinaron sus actividades laborales y su historia por si encontraban gente a la que ella pudiera haber enfurecido o que pudiera guardarle rencor.

Todos estos esfuerzos llegaron a callejones sin salida. Una vez que tuvieron el ADN del asesino, lo utilizaron para descartar a cualquiera que se acercara aunque fuera remotamente al estatus de sospechoso. El historial personal de la víctima no reveló conflictos profundos ni amantes desdeñados ni actividad extraconyugal por parte de ella o del marido. Como subdirectora, su participación en la burocracia y política municipales era sustancial, pero tenía la última palabra en pocas cuestiones de negocios y en nada que fuera controvertido.

Un perfil del asesino realizado a partir de los detalles de la escena del crimen fue lo que finalmente dirigió la investigación lejos de la vida personal y profesional de la víctima. El perfil, recopilado por la Unidad de Ciencias del Comportamiento del Departamento del Sheriff, concluía que el sospechoso era un psicópata que estaba satisfaciendo un complejo de necesidades psicológicas en el asesinato de Lexi Parks. «Anda ya», pensó Bosch al leer la conclusión.

El perfil afirmaba que el asesino era muy probablemente un desconocido para Parks y que los caminos de ambos podrían haberse cruzado recientemente o tiempo atrás. Como ella era una figura pública que aparecía con regularidad en los canales de cable gratuitos de West Hollywood, así como en actos públicos, el círculo de posibilidades se ampliaba más todavía. Su asesino podría simplemente haberla visto en las noticias o en un pleno municipal televisado. El cruce podría haberse producido en cualquier parte.

El asesino parecía ser al mismo tiempo meticuloso en la planificación y descuidado en términos de ensañamiento y en la prueba de ADN que dejó atrás. Otros detalles de la escena del crimen que influían en el perfil eran el hecho de que la víctima no había sido inmovilizada en modo alguno, lo cual indicaba que el asesino no necesitaba ataduras para imponer su control. La víctima fue encontrada por su marido con una almohada sobre la cara que ocultaba las brutales heridas de la paliza fatal y posiblemente indicaba remordimiento por parte del asesino.

Como su marido era agente de un cuerpo policial, se habían instalado en la casa diversas medidas de seguridad, entre ellas un sistema de alarma y múltiples cerraduras en todas las puertas. El asesino había logrado acceso a través de la ventana de un despacho doméstico, retirando una mosquitera y dejándola apoyada contra la pared de atrás de la casa y luego manipulando la cerradura de la ventana. La víctima aparentemente no había conectado el sistema de alarma y su marido explicó que rara vez lo hacía a pesar de que él le pedía repetidamente que lo conectara cuando estaba trabajando de noche y ella estaba sola en casa.

Todo esto y otros detalles se resumían en el perfil de un sospechoso que era oportunista y despiadado como depredador. Parks había ido al supermercado Pavilions de Santa Monica Boulevard la tarde de su muerte. Durante varios días, los investigadores examinaron vídeos de seguridad del supermercado y el centro comercial donde estaba situado, buscando la visita de Parks con la esperanza de encontrar el punto de intersección entre la víctima y el depredador. Pero no sacaron nada. En el supermercado, Parks vio y saludó a varios conocidos con los que tenía trato por sus relaciones sociales o su trabajo en el gobierno. Pero todos ellos fueron descartados y finalmente exonerados por una entrega voluntaria de ADN para comparación o por otros medios.

Todo se resumía en una pérdida de tiempo, pero eran pasos que había que dar. La revisión de las primeras ochenta páginas de la cronología dejó a Bosch con la sensación de que Lazlo Cornell y Tara Schmidt habían llevado a cabo una investigación concienzuda, en la que él mismo estaría orgulloso de poner su nombre.

Y todo eso para nada. Es decir, hasta que en el vigésimo séptimo día de la investigación recibieron una carta del Departamento de Justicia de California que les informaba de que la muestra de ADN que habían introducido en la base de datos CODIS del estado había coincidido con la de un delincuente convicto llamado Da'Quan Foster.

Hasta ese momento, ni Cornell ni Schmidt habían oído hablar de Da'Quan Foster en relación con el caso Parks o cualquier otro. Pero empezaron a prepararse para conocerlo. Foster fue sometido a una vigilancia de veinticuatro horas para ver si llevaba a cabo movimientos que pudieran ser útiles en su acusación o que amenazaran con hacer daño a otra mujer. Entretanto, se examinó su historial y la investigación se realizó con las máximas medidas de seguridad para que no se filtrara ni una palabra a los medios o al marido de la víctima.

Once días después de recibir el resultado de las pruebas de ADN, los dos investigadores entraron en el estudio del artista, donde Foster estaba solo, después de acabar su clase a los niños sobre colores primarios. Leimert Park se encontraba en el sur de Los Ángeles. Los investigadores acudieron acompañados por dos agentes de uniforme de la Unidad de Bandas del South Bureau del Departamento de Policía de Los Ángeles. Cornell y Schmidt pidieron a Foster que los acompañara a la Unidad de Homicidios, donde querían hacerle unas preguntas.

Da'Quan Foster accedió.

Bosch levantó la mirada y se dio cuenta de que había estado trabajando hasta la hora de más actividad en el restaurante. No se había fijado en que le habían dejado la cuenta en la esquina de la mesa. Sintiéndose avergonzado por no dejar la mesa libre durante la comida, dejó treinta dólares para pagar una cuenta de diez, recogió los informes y salió. Maldijo su suerte cuando encontró una multa de aparcamiento en el parabrisas del Cherokee. Había pagado por dos horas en el parquímetro, pero había pasado dos horas y media en el restaurante. Cogió la multa de debajo de la goma del limpiaparabrisas y se la guardó en el bolsillo. No tenía que preocuparse por multas de aparcamiento cuando llevaba un coche municipal, cuando llevaba placa. Era otro recordatorio de cómo había cambiado su vida en los últimos seis meses. Siempre se había sentido un *outsider* con un trabajo oficial. A partir de ese momento era un *outsider* a tiempo completo.

Por alguna razón, Bosch no quería ir a casa a terminar de leer la cronología y el resto de informes. Le daba la impresión de que revisar el caso en la mesa del comedor, donde había trabajado en tantos casos como detective de homicidios del departamento, sería una especie de traición. Salió del centro por la Tercera y se dirigió a West Hollywood. Antes de seguir leyendo la cronología, quería pasar por la casa donde había sido asesinada Lexi Parks. Pensaba que sería bueno dejar de lado los papeles y ver una de las piedras de toque físicas del caso.

La casa estaba situada en Orlando, al sur de Melrose, en un barrio de bungalós modestos. Bosch paró en la acera de enfrente y estudió la vivienda. Quedaba oculta casi por completo por un seto alto con una entrada en arco que lo atravesaba. Vio la puerta delantera detrás de ese pasaje. Había un cartel de «En venta» delante del seto. Bosch se preguntó si sería muy difícil vender una casa donde recientemente se había cometido un asesinato brutal. Decidió que vivir en la casa donde tu mujer había sido la víctima de ese asesinato sería más difícil todavía.

Le sonó el teléfono y respondió mientras seguía mirando la casa.

—Bosch —dijo.

—Soy yo —dijo Haller—. ¿Cómo va?

—Va.

—¿Sigues leyendo el material de hallazgos?

—Voy por la mitad.

—¿Y?

—Y nada. Sigo leyendo.

—Solo pensaba que podrías haber...

—Mira, no me agobies, Mick. Estoy haciendo lo que tengo que hacer. Si quiero seguir adelante cuando haya terminado, te lo diré. Si no, te devolveré todo este material.

—Vale, vale.

—Bien. Te llamo después.

Bosch colgó. Continuó mirando la casa. Se fijó en que había un cartel de «Cuidado con el perro» colocado en una maceta al lado de la puerta. Hasta el momento, no había leído nada en el expediente que mencionara que Parks y su marido tuvieran perro. Tamborileó con los dedos en el volante mientras reflexionaba sobre eso. Estaba convencido de que si la pareja era propietaria de un perro se habría señalado en los informes. Las mascotas siempre dejan indicios en una casa. Era algo que tenía que mencionarse en una investigación.

La conclusión de Bosch era que no había ningún animal y que habían puesto el cartel como elemento disuasorio. La mejor alternativa, si no tenías perro, era simular que lo tenías. La cuestión era si el asesino sabía que no lo había. Y en ese caso, ¿cómo lo sabía?

Finalmente, se alejó y se dirigió a Orlando y Santa Monica Boulevard. Giró al este para volver a casa, pero aparcó otra vez cuando vio un Starbucks en Fairfax. Esta vez pagó por cuatro horas en el parquímetro y entró con el archivo de hallazgos.

Con una taza de café humeante en la mano, se acomodó en una silla de la esquina con una mesita redonda al lado. No había espacio para abrir el archivo y extender la pila, así que solo sacó la cronología para continuar leyendo donde lo había dejado. Antes de hacerlo sacó un boli del bolsillo de la camisa y escribió una nota rápida en el exterior de la carpeta.

¿Perro?

Tenía que confirmar su conclusión sobre el perro. Anotar una pregunta de una sola palabra era una respuesta casi involuntaria a lo que había visto mientras estaba sentado delante de la casa del crimen. Sin embargo, en cuanto la escribió se dio cuenta de que algo tan nimio como anotar una sola palabra en la carpeta era un gran paso hacia aceptar el caso. Tenía que plantearse esa pregunta. ¿Tanto echaba de menos el trabajo como para cruzar el pasillo y trabajar para un acusado de homicido? Porque sería eso. Haller era el abogado, pero el cliente estaba sentado en una celda acusado de violar a una mujer y golpearla hasta la muerte. Si aceptaba la propuesta, Bosch estaría trabajando para él.

Sintió la quemazón de la humillación en la nuca. Pensó en todos los tipos que antes que él se habían retirado y lo primero que habían hecho a continuación había sido trabajar para abogados defensores o incluso para la Oficina del Defensor Público. Bosch había dejado de relacionarse con esos tipos como si ellos mismos fueran criminales. En el momento en que se enteraba de que alguien cruzaba al otro lado, Bosch lo consideraba *persona non grata*.

Y ahora…

Dio un sorbo al café caliente y trató de dejar de lado la incomodidad. Retomó la investigación donde la había abandonado.

Después de recoger a Foster en su estudio, los investigadores del sheriff lo llevaron a la comisaría de Lynwood, donde pidieron prestada una sala en la oficina de detectives. El interrogatorio fue corto y se colocó la transcripción completa en el registro cronológico. Solo lograron hacerle unas pocas preguntas a Foster antes de que este se diera cuenta de la profundidad del problema en el que se hallaba y pidiera que llamaran a Mickey Haller.

Cornell y Schmidt nunca le dijeron que habían relacionado su ADN con la escena de un crimen. Trataron de reforzar su caso consiguiendo una confesión de Foster. Pero el intento fracasó. Cornell empezó la sesión leyendo a Foster sus derechos constitucionales;

siempre una forma rápida de poner en máxima alerta al objeto de un interrogatorio voluntario.

Cornell: Bueno, señor Foster, ¿está dispuesto a hablar un poco con nosotros, quizá responder algunas preguntas y aclarar algunos detalles?

Foster: Supongo, pero ¿de qué se trata? ¿Qué creen que he hecho?

Cornell: Bueno, es sobre Lexi Parks. ¿La conocía, no?

Foster. El nombre me suena de algo, pero no lo sé. A lo mejor le vendí una pintura o es la madre de alguno de los niños que vienen al estudio.

Cornell: No, señor, Lexi Parks no le compró ningún cuadro. Es la mujer de West Hollywood. ¿Recuerda que la visitó en su casa?

Foster: ¿En West Hollywood? No, no he estado nunca en West Hollywood.

Cornell: Y Vince Harrick, ¿lo conoce?

Foster: No, no conozco a ningún Vince Harrick, ¿quién es?

Cornell: Es el marido de Lexi. El agente Harrick. ¿Lo conoció cuando trabajaba en esta comisaría?

Foster: ¿Qué? No lo conozco. Nunca he estado aquí antes de que me trajeran ustedes.

Schmidt: ¿Puede decirnos dónde estuvo la noche del 8 de febrero hasta la mañana del nueve de este año? Fue domingo por la noche. ¿Dónde estuvo esa noche, señor Foster?

Foster: ¿Cómo coño voy a saberlo? Eso fue hace dos meses. Mire, cada noche estoy en casa con mi familia, acostando a los niños o en el estudio, haciendo mi trabajo. Me quedo mucho por la noche para terminar cosas. Ese rato no tengo que enseñar nada a nadie y puedo trabajar en mis propias cosas, ¿entienden? Hay gente que quiere mis pinturas y las paga. Por eso trabajo. Así que puede elegir entre que estaba en casa o en el estudio, no hay más. No hay ningún otro sitio. Y conozco mis derechos y no buscan nada bueno de mí. Creo que quiero que venga mi abogado ahora. Estoy pensando que quiero que Mickey Haller me represente en este asunto, sea lo que sea.

Cornell: Entonces pongamos esto en claro, señor Foster. Díganos por qué eligió a Lexi Parks.

Foster: ¿Elegirla para qué? No la conozco y no sé de qué está hablando.

Cornell: ¿La mató? Le dio una paliza y la mató y luego la violó.

Foster: Están locos. Están completamente locos. Joder, tráiganme a mi abogado. Ahora.

Cornell: Sí, claro, capullo. Ya viene un abogado.

Schmidt: ¿Está seguro de que no quiere aclarar esto aquí? Ahora es el momento. Si trae un abogado, todo se nos va a ir de las manos.

Foster: Quiero a mi abogado, joder.

Schmidt: Lo tendrá. Pero él no va a poder explicar como pudimos encontrar su ADN en Lexi Parks. Solo usted puede…

Foster: ¿ADN? ¿Qué ADN? Señor, ¿qué está pasando aquí? ¿Qué…? No puedo creerlo, hijos de puta. No he matado a nadie. Quiero a mi abogado y no voy a decirles ni una palabra más.

Cornell: En ese caso, levántese, señor. Está detenido por el asesinato de Lexi Parks.

Fin de la entrevista.

Bosch leyó la entrevista dos veces y tomó mentalmente nota para recordarle a Haller que pidiera una versión en vídeo del interrogatorio. Casi con seguridad la sala de interrogatorios estaba equipada con una cámara. Si aceptaba el caso, querría ver el lenguaje corporal de Foster y escuchar el tono de cada voz. Eso le daría más información que leer la transcripción. Aun así, sabiendo eso, su idea de la transcripción del breve interrogatorio era que Foster no había visto venir las preguntas sobre Lexi Parks. Parecía haber sorpresa auténtica y luego pánico en sus palabras. Sabía que en realidad no significaba nada. Los crímenes sexuales eran por lo general el trabajo de psicópatas y esa psicología conllevaba una capacidad innata de mentir, actuar, fingir sorpresa y horror cuando se necesitaba. Los psicópatas eran grandes mentirosos.

Bosch señaló una de las líneas de la transcripción. Cornell había acusado a Foster de golpear y matar a Lexi Parks y luego violarla. Harry no había revisado la autopsia todavía, pero la pregunta de Cornell era la primera pista de que la violación se había producido *post mortem*. Si eso era lo que revelaban las pruebas, se presentaba todo un nuevo conjunto de factores psicológicos en el caso.

Bosch continuó leyendo. El resto de la cronología subrayaba los intentos de Cornell y Schmidt de encontrar una conexión entre Da'Quan Foster y Lexi Parks, o bien a través del trabajo de su marido, que podría situar el móvil en la zona de la venganza, o por medio de una intersección de los caminos de depredador y presa, que encajaría mejor en el perfil y tipo de agresión. Pero ningún esfuerzo dio frutos. Como dijo Foster durante el interrogatorio, nunca había estado en la comisaría del sheriff de Lynwood, donde Vincent Harrick había trabajado por última vez cinco años antes. Los investigadores no pudieron encontrar pruebas de lo contrario y la realidad era que no podía existir una razón lógica para que un miembro de los Rollin' 40s Crips de Leimert Park actuara en un barrio situado tan al este como Lynwood. Era territorio de los Bloods y no cuadraba.

Cornell se centró en la perspectiva Lynwood-Harrick y en estudiar los antecedentes de Foster, mientras que Schmidt trabajó el enfoque del depredador sexual. La tarea de ella era la más difícil de investigar y demostrar, porque dependía de la casualidad de que Lexi Parks, de alguna manera y en algún sitio, se hubiera cruzado en el radar de un sádico sexual a la caza. Bosch, como Cornell y Schmidt, ya había leído y visto suficiente para saber que el asesinato no era un crimen de oportunidad. Había pruebas más que suficientes de que la víctima fue vigilada y el crimen planeado. El cartel de «cuidado con el perro» era el punto de partida de esta suposición. Según el expediente, no había ningún animal en la casa y el asesino parecía saberlo. Eso sugería que la casa de Orlando se había inspeccionado. Otros factores como que el sistema de alarma no estuviera conectado y el marido trabajara en un turno de noche también contribuían a la teoría.

Schmidt documentó con atención las actividades de la víctima en las seis semanas anteriores a su muerte, tratando de encontrar el lugar donde se habían cruzado los caminos de Foster y Parks. La detective miró centenares de horas de vídeo grabado por las cámaras del camino que seguía Lexi, pero no encontró a Foster en ningún fotograma digital. Bosch sabía que esa era la coyuntura donde los casos podían torcerse. Tenían un sospechoso bajo custodia y una coincidencia de ADN. Algunos ya lo habrían considerado un caso ganado. Pero los investigadores estaban siendo concienzudos. Estaban buscando más y al hacerlo se estaban metiendo en el túnel. El túnel era el lugar donde la visión se estrechaba y el investigador solo veía el pájaro en mano. Bosch tenía que preguntarse si Schmidt había estado buscando otras caras en esos vídeos además de la de Foster.

Bosch tomó otra nota en el exterior de la carpeta, un recordatorio para decirle a Haller que debería hacer una petición de exhibición de pruebas para que le permitieran acceso a todos los vídeos que había estudiado Schmidt.

La cronología tenía una referencia oblicua a un testigo interrogado por Cornell e identificado solo como TC, que Bosch reconoció como siglas de «testigo de coartada». Era frecuente usar abreviaturas en código en los informes para salvaguardar a los que no tenían oficialmente el estatus de informantes confidenciales. Bosch también sabía que el TC sería un testigo que reforzaría o derribaría la coartada de un sospechoso. En este caso, la cronología decía que Cornell había hablado con el TC siete días después de la detención de Foster y que la reunión duró una hora.

Bosch hojeó las páginas que quedaban de la cronología y nada más captó su atención. Eran entradas de rutina sobre los preparativos para llevar el caso a juicio. Cornell y Schmidt no encontraron nada que vinculara directamente a Foster con la víctima, pero tenían su ADN y, salvo en el de O. J. Simpson veinte años antes, el ADN era lo mejor que había para cerrar un caso. Cornell, Schmidt y la fiscal asignada al caso tenían las armas cargadas. Superaron con facilidad una vista preliminar de cuatro horas en abril y ya estaban listos para el juicio.

El hecho de que fuera una fiscal la que llevaba el caso siempre era un punto favorable cuando se trataba de un crimen sexual. Su nombre era Ellen Tasker y Bosch había trabajado con ella en algunos casos importantes cuando la fiscal comenzaba su carrera. Era buena y siempre se aseguraba de que los casos estaban listos para ir a juicio. Llevaba toda la vida en la fiscalía, no se metía en política y solo hacía su trabajo. Y lo hacía bien. Bosch no recordaba que Tasker hubiera perdido ningún caso.

Antes de seguir adelante, llamó a Haller.

—Dijiste que tu cliente tenía una coartada, pero no podías demostrarla.

—Sí. Estaba pintando en el estudio. Lo hacía mucho, trabajar toda la noche. Pero trabajaba solo. ¿Cómo voy a probar eso?

—¿Tenía un teléfono móvil?

—No, ningún móvil, así que no hay registro de movimiento. Solo el fijo en el estudio. ¿Por qué?

—Hay una referencia en el registro cronológico de la reunión de uno de los detectives con un testigo de coartada. ¿Sabes algo de eso?

—No, y si encuentran a alguien que apoye la coartada de DQ, tendrán que presentarlo.

—¿DQ?

—Da'Quan. Firma sus pinturas DQ. Por cierto, ¿sabes cómo me va a pagar? En cuadros. Supongo que si conseguimos una absolución el valor subirá.

A Bosch no le importaba cómo iban a pagarle a Haller.

—Escúchame. No estoy diciendo que este testigo apoye su coartada. Probablemente es lo contrario. Se menciona en la cronología y solo quería saber si eras consciente.

—No, eso no lo vi.

—Estaba en código y era breve, y eso me hace pensar que podría ser significativo. Miraré los informes de los testigos y veré si puedo encontrar algo.

—Si no lo encuentras será problema para ellos. Violación de la exhibición de pruebas.

—Lo que tú digas. Te llamo luego.

Al colgar, Bosch se dio cuenta de que necesitaba ser más cauto con Haller y no solo lanzarle cosas que él podría preparar y llevar a juicio, arrastrándolo a él.

Bosch miró las páginas impresas hasta que encontró la pila de declaraciones de testigos. Empezó a hojearlas, revisando los resúmenes para saber quiénes eran y qué decían. La gran mayoría eran testigos del lado de la investigación de Lexi Parks: amigos, compañeros de trabajo, contactos profesionales que fueron interrogados a medida que la investigación cobraba forma. Había también declaraciones del marido y varios agentes del sheriff que conocían a Parks a través de él. La segunda mitad de la pila contenía entrevistas con gente que conocía a Da'Quan Foster. Muchos de estos eran agentes del Departamento de Policía de Los Ángeles que lo conocían de sus tiempos de actividad en la banda. Había también declaraciones de agentes de la condicional, vecinos, compañeros y la mujer del sospechoso, Marta.

Bosch encontró lo que estaba buscando en un dos por uno: una página del informe que contenía las declaraciones resumidas de dos testigos. Era un viejo truco. Entregar resmas y resmas de papel como forma de ocultar la única cosa que quieres que el abogado defensor no vea. La acusación no había violado las reglas de exhibición de pruebas, pero había hecho que encontrar la información importante fuera como hallar una aguja en un pajar.

La mitad superior del informe de testigos contenía el resumen de un interrogatorio con un vecino de Da'Quan Foster que decía que no había visto el coche del sospechoso aparcado delante de su casa la noche del asesinato. Era un comentario relativamente inofensivo, porque Foster no estaba afirmando que estuviera en casa. Lo que afirmaba era que pasó la noche pintando en su estudio.

Pero solo una línea debajo de la declaración del vecino se iniciaba otra declaración de alguien identificado solo como M. White. Esta declaración decía que M. White pasó junto al estudio de Foster la noche del asesinato para verlo, pero el pintor no estaba allí. Eso era lo único que se incluía en el informe, pero bastaba para que Bosch supiera que Cornell y Schmidt habían encontrado a alguien que podía contrarrestar la afirmación de Foster de que había pasado toda la noche pintando en el estudio.

El subterfugio empleado por los detectives para ocultar la identidad y el valor del testigo identificado como M. White no molestó a Bosch. Suponía que M. White no era el nombre del testigo, sino que solo designaba a un varón de raza blanca. Sabía que todo lo que Haller tendría que hacer sería presentar una moción alegando revelación insuficiente y los agentes del sheriff tendrían que escupir la identidad real. Todo formaba parte del juego y él mismo había usado ese truco en alguna ocasión como policía. Lo que le inquietaba era el hecho de que hubiera un problema con la coartada además de la coincidencia de ADN que colocaba a Foster en la escena del crimen.

Eso bastó para que deseara dejar la revisión del caso de inmediato.

Harry pensó en ello un momento mientras terminaba su café y le daba un descanso a la vista. Se quitó las gafas de lectura y miró por la ventana al ajetreado cruce de Fairfax y Santa Monica. Sabía que todavía tenía que examinar la autopsia y las fotos de la escena del crimen para completar su expediente del homicidio. Se había guardado las fotos para el final, porque serían lo más difícil de mirar, y no era algo que fuera a arriesgarse a hacer en un lugar público como una cafetería.

De repente vio una cara familiar en el cruce. Mickey Haller estaba sonriendo desde la parte de atrás de un autobús que circulaba en dirección sur por Fairfax. El anuncio llevaba un eslogan que a Bosch le dio ganas de tirar toda la carpeta a la papelera.

Duda razonable por un precio razonable
Llame al Abogado del Lincoln

Bosch se levantó de la mesa y se acercó a la papelera. Tiró su taza vacía y se dirigió a la puerta.

7

Al entrar en la casa, Bosch miró la mesa vacía del comedor. Estuvo tentado de sentarse y extender las hojas impresas y fotos del caso, pero sabía que su hija llegaría a casa en cualquier momento y no quería arriesgarse a que se encontrara con una escena desagradable. Recorrió el pasillo hasta su dormitorio, cerró la puerta y empezó a esparcir las cosas en su cama; después de hacerla y alisar la colcha.

Lo que desperdigó eran copias en color de 15×20 de fotos de la escena del crimen en la casa de Lexi Parks. Estas incluían varias docenas del cuerpo de la víctima tal y como había sido encontrado en su cama. Eran fotos tomadas desde varios ángulos y desde distancias distintas que iban desde imágenes de toda la habitación hasta primeros planos explícitos de heridas y partes del cuerpo concretas.

Había también fotos tomadas desde muchos ángulos de todas las habitaciones de la casa, y el plan de Bosch era mirarlas después.

Las instantáneas de la escena del crimen creaban un cuadro horripilante sobre la cama. El asesinato de Lexi Parks había sido desmedidamente violento y su dureza no quedaba amortiguada por el proceso de situarse a un paso de distancia al ver la escena a través de las fotos. Había una severidad en las imágenes con la que Bosch estaba familiarizado. Los fotógrafos de la policía no eran artistas. Su trabajo consistía en mostrar impávidamente todo, y el fotógrafo del caso Parks había hecho justo eso.

Bosch había extendido las fotos en una cuadrícula de ocho por ocho y se quedó de pie al extremo de la cama, examinando el mosaico general del asesinato. A continuación cogió las copias una por una y las estudió. Sacó una lupa de un cajón para poder ver algunos aspectos de las imágenes aún de más cerca.

Era un trabajo difícil. Bosch nunca se había acostumbrado a ver las escenas del crimen. Había estado en centenares de ellas y había visto el resultado de la inhumanidad humana demasiadas veces para contarlas. Siempre pensó que si se acostumbraba a ello, perdería algo en su interior que necesitaba para hacer bien el trabajo. Tenía que contar con una respuesta emocional. Era esa respuesta la que encendía la cerilla que iniciaba el fuego de la implacabilidad.

Lo que encendió la cerilla esta vez fueron las manos de Lexi Parks. Obviamente había tratado de luchar con su agresor. Había peleado y había levantado las manos para protegerse de la agresión. Pero fue rápidamente reducida por repetidos golpes en la cara. Sus manos cayeron atrás en la cama, con las palmas hacia arriba, casi como si las estuviera levantando para rendirse. Emocionó a Bosch. Le enfureció, hizo que deseara encontrar y hacer daño al responsable de aquello.

¿Cómo podía Haller defender al hombre que había hecho eso?

Harry entró en el cuarto de baño para llenar un vaso con agua. Se lo bebió mientras permanecía de pie en el umbral y miraba las fotografías desde un lado. Se obligó a calmarse para poder continuar valorando profesionalmente las imágenes y la escena del crimen.

Regresó a la cama, estudió las fotos otra vez y enseguida empezó a sacar conclusiones sobre el crimen. Creía que la víctima estaba durmiendo en su cama. Parks ocupaba el lado derecho de una cama de matrimonio, dejando espacio para su marido a la izquierda. A Bosch le pareció que el asesino la había sorprendido durmiendo, se había puesto a horcajadas sobre ella y había tomado el control inmediato mientras Parks se despertaba. Probablemente le tapara la boca con una mano, quizá empuñando una pistola con la otra.

Parks tenía las manos libres para resistirse y entonces él empezó a golpearla.

Y no paró. Mucho después de que sus defensas estuvieran bajas y ella se encontrara incapacitada, fue golpeada una y otra vez con un objeto contundente. El rostro de la víctima en las fotos no mostraba ningún parecido con el que Bosch había visto acompañando los muchos artículos de prensa generados por el asesinato. De hecho, la cara de la víctima en las imágenes no se parecía a ninguna otra. La nariz había desaparecido literalmente, sepultada en la pulpa de sangre y tejido de lo que había sido su rostro. Las dos cuencas oculares estaban aplastadas y deformadas, y entre la sangre brillaban trozos de dientes y huesos rotos. Los ojos estaban entrecerrados y habían perdido la capacidad de concentrarse en un punto. Uno miraba adelante, el otro abajo a la izquierda.

Bosch se sentó en la silla en el rincón de la habitación y examinó la cuadrícula de fotos desde lejos. Peor que eso solo habría sido estar en la escena real, lo cual habría añadido una dimensión multisensorial a su repulsión. Ninguna escena del crimen tenía un olor agradable. Por más que fuera reciente y por muy limpio que estuviera el entorno.

La mirada de Bosch siguió yendo a las manos de la víctima y se fijó desde su nueva posición en una ligera decoloración de la piel en la muñeca izquierda. Se levantó y volvió a la cama. La foto era un plano general que mostraba todo el cuerpo *in situ*. Se inclinó sobre la imagen con la lupa y vio que la muñeca de la mujer tenía ligeras marcas de bronceado dejadas por un brazalete grueso o, más probablemente, un reloj.

Como no había visto nada en los resúmenes respecto a que el asesinato pudiera estar motivado por un robo, Bosch sintió curiosidad por la ausencia del reloj. ¿La víctima lo llevaba en el momento de la agresión? ¿Se lo había quitado antes de acostarse? ¿Se había caído o se lo habían arrancado durante la lucha por la supervivencia? ¿Se lo había llevado el agresor como fetiche?

Bosch examinó la mesita de noche del lado del cadáver. Había una botella de agua, un frasco de medicamentos y una novela de bolsillo, pero el reloj no estaba allí. Volvió a los papeles y examinó el informe de propiedades. Como la víctima fue asesinada en su propia casa, el informe de propiedades se refería sobre todo a artículos de la escena del crimen y de la casa que fueron específicamente examinados por los investigadores o el equipo forense. No había ninguna mención al reloj. Al parecer no había caído de la muñeca de la víctima durante la lucha. No se había señalado que se hubiera encontrado entre la ropa de cama, en el suelo o en algún otro lugar.

Bosch pasó a continuación al Registro Cronológico para verificar si se le había pasado una mención del reloj en las primeras fases de la investigación, antes de que esta se concentrara en Da'Quan Foster. No encontró nada y escribió una nota sobre el reloj en el exterior de la carpeta, debajo de sus otras anotaciones.

Recogió todas las fotos del cadáver extendidas sobre la cama y las dejó apiladas a un lado por si su hija volvía a casa. Luego pasó al segundo grupo de imágenes, donde estaban las que se habían tomado en todas las habitaciones de la casa de la víctima en el momento de la investigación sobre el terreno. Era una señal de lo concienzudo de la investigación. Bosch sabía que fotografiar otras habitaciones de la casa había sido una petición de los investigadores responsables del caso. Mostraba que no estaban tomando atajos.

Había varias fotos tomadas en cada habitación de la vivienda y Bosch tardó más de media hora en examinarlas todas. Solo vio las cosas que parecían los elementos normales de una casa ordenada donde no había niños y tanto el marido como la mujer trabajaban a tiempo completo y tenían estilos de vida activos. Una segunda habitación se utilizaba como gimnasio y una tercera como oficina. El garaje de una plaza se usaba para guardar bicicletas, tablas de surf y material de cámping. No había espacio para aparcar un coche.

El despacho captó durante más tiempo la atención de Bosch. Le parecía que la estancia la usaba principalmente Lexi Parks. Los chismes y recuerdos que había sobre la mesa y en los estantes de la biblioteca de detrás parecían haber sido reunidos durante su trabajo como funcionaria municipal. Había un pisapapeles del Rotary Club de West Hollywood y certificados de agradecimiento enmarcados de diversos grupos de gays y lesbianas en relación con la implicación de Parks en el proceso de autorización del desfile del orgullo gay, que atraía participantes y observadores de todo el mundo. En la pared de detrás del escritorio había un diploma enmarcado de la Universidad Pepperdine con el nombre de Alexandra Abbott Parks. En los laterales del marco, Parks había enganchado documentos de identificación por la participación en actos a los que había asistido como parte de su trabajo. Bosch se dio cuenta de que había un gran componente social en el trabajo de Lexi Parks, y eso a buen seguro añadía una capa de dificultad al intento de localizar el punto donde podría haberse encontrado a su asesino, Foster o quien fuera.

Bosch se concentró en el marco del diploma al ver una tarjeta de identificación que era diferente de las otras. Era una tarjeta de color rojo y blanco emitida por el condado y que Parks había llevado al servir como jurado. Lo único visible en la foto era un código de barras —para mantener el anonimato del jurado— y no había indicación visible de cuándo o en qué tribunal había actuado como miembro de un jurado.

La tarjeta de identificación de jurado molestó a Bosch más que ninguna otra cosa que hubiera visto hasta el momento. No había ninguna mención en la cronología ni en otros archivos respecto a que eso fuera una rama de la investigación. Aunque Bosch estaba dispuesto a reconocer que una investigación era una cuestión subjetiva siempre abierta a ser criticada *a posteriori* —por parte de abogados, jueces, jurados u otros investigadores—, eso le pareció algo que se había pasado por alto o se había ocultado. Si Lexi Parks había servido en el jurado de un tribunal penal, eso habría sido una importante área de investigación para los detectives. Habría situado a la víctima en un edificio donde había un flujo rutinario de criminales y acusados. En un caso como ese, donde la víctima parecía elegida al azar, siempre había un punto de cruce. El lugar donde el depredador conoció a su presa. El trabajo de los investigadores consistía en encontrar ese cruce, el lugar donde el círculo de la vida de la víctima se solapaba con el del depredador.

Bosch tenía que considerar si a los investigadores Lazlo Cornell y Tara Schmidt se les había escapado este posible cruce o si era algo dejado de lado expresamente en la exhibición de pruebas para ofuscar la estrategia de la fiscalía.

Abandonó la idea por el momento y volvió a las otras imágenes. El despacho tenía dos armarios. Ambos estaban fotografiados desde múltiples ángulos. Uno estaba repleto de vestidos de verano, blusas en perchas y cajas de zapatos en los estantes de arriba. Parecía que Parks guardaba allí la ropa de fuera de temporada. En el momento de su muerte, en febrero, las temperaturas eran más bajas.

El segundo armario se usaba para almacenar cajas para ordenadores, impresoras y otros artículos domésticos. En el estante de arriba Bosch vio un estuche cuadrado que estaba hecho de lo que a Bosch le pareció cuero marrón. No tenía nombre ni logo, pero Bosch pensó que podría ser una caja en la que podría haber llegado un reloj. Examinó la foto con la lupa. Sabía que no había forma de saber si la caja estaba vacía o si era de un reloj de mujer o de hombre. El cuero marrón hacía que se decantara a pensar que se trataba del estuche de un reloj de hombre.

Bosch oyó que se abría la puerta de la casa. Su hija había llegado. Ya había empezado a apilar el segundo juego de fotos cuando oyó que lo llamaba.

—En mi habitación —dijo—. Enseguida bajo.

Bosch apiló entonces todos los archivos y fotos en la cómoda. Sacó el teléfono y llamó a Mickey Haller. El abogado de la defensa respondió enseguida y Bosch supo por el ruido de fondo que otra vez estaba en su coche.

—Bien —dijo Bosch—. Estoy preparado para hablar.

8

Se encontraron en la barra de Musso's y los dos pidieron un Martini vodka. Era lo bastante pronto para que conseguir uno de los preciados taburetes no fuera problema. Bosch no quiso entrar con la gruesa pila de documentos y atraer la atención, de modo que simplemente llevó la carpeta vacía en la que había tomado sus notas.

Haller seguía con su traje almidonado del tribunal, pero se había quitado la corbata. Se fijó en la carpeta vacía que Bosch había dejado en la madera pulida de la barra.

—Bueno, no me lo vas a devolver todo —dijo—. Es una buena señal.

—Todavía no, al menos —dijo Bosch.

—Dime, ¿de qué quieres hablar?

—Estoy listo para hablar con tu cliente. ¿Puedes darme acceso?

—La forma más fácil y más rápida es que vayamos los dos juntos mañana. Visita abogado-cliente con investigador añadido. Nos ahorramos las tonterías. ¿Te supondría algún problema?

Bosch pensó un momento antes de responder.

—¿He de mostrar una licencia de detective privado? No tengo. Tuve una hace doce años, pero caducó hace mucho.

—No hace falta. Te imprimiré una carta de participación. Diré que estás trabajando bajo mi protección y la de Dennis Wojciechowski, un investigador privado con licencia estatal. Con eso bastará.

—¿Quién coño es Dennis Wojnosecuántos?

—Es Cisco, mi investigador.

—Ahora entiendo por qué lo llaman Cisco.

—Y un montón de otras cosas. Mira, estoy libre por la mañana y tengo un par de cosas en el tribunal penal después de comer. ¿Cómo pinta tu mañana?

—Libre.

—Entonces nos vemos en la ventanilla de los abogados mañana a las nueve.

Bosch asintió con la cabeza sin decir nada.

—¿Y qué es lo que tienes? —preguntó Haller.

Bosch se colocó la carpeta delante y miró las pocas cosas que había anotado durante su revisión de los archivos.

—Bueno, esto en realidad no tiene sentido sin contexto —dijo—. Hay algunas cosas que deberían haberse investigado. O quizá las hayan investigado y no lo sepamos.

—Quieres decir que nos las hayan ocultado —dijo Haller, subiendo el tono de voz por la indignación.

—Cálmate. No estamos en el tribunal y no es tu turno de indignarte. No estoy diciendo que se haya ocultado nada. Estoy diciendo que he visto algunas cosas de la investigación que me han molestado. No estoy hablando de tu cliente. Estoy hablando de cosas que yo habría investigado. Tal vez ellos lo hayan hecho y tal vez no. Y tal vez...

—¿Tal vez qué?

—Les entrara pereza. Tenían un resultado de ADN y quizá creen que no necesitan dar la vuelta a todas las cartas antes de apostarlo todo. También cuentan con un testigo que rompe la coartada de tu cliente. Esas dos cosas bastarían en la mayoría de los casos. Fácil.

Haller se acercó a Bosch.

—Háblame de su testigo de coartada..., ¿es una mujer?

—No, creo que es un varón blanco por el nombre que aparece en el informe, M. White. Creo que están ocultando su identidad y ocultándolo a él para poderte dar el palo. Es un tipo que fue esa noche al estudio de Foster para verlo y no estaba allí. Por eso quiero hablar con Foster, para ver si está mintiendo.

—Si está mintiendo, me largo. Les digo eso a todos mis clientes.

Haller vertió el resto del vodka de la coctelera en su copa. Lo revolvió con la oliva pinchada en un palillo y se comió la aceituna.

—La cena —dijo—. ¿Quieres otro?

Bosch negó con la cabeza.

—No puedo quedarme. Maddie está en casa esta noche y quiero pasar un rato con ella. Va a irse de la ciudad pronto.

—¿Irse de la ciudad? ¿Adónde?

—Los de último año hacen una salida. Antes de la graduación y eso. Va de acampada al Big Bear, hablan del siguiente paso en sus vidas, cosas así. Quiero estar en casa todo lo posible hasta que se vaya. También he de prepararme para mañana. Tengo que releer algunas cosas antes de encontrarme con este tipo.

—Bueno, has tomado la decisión, ¿culpable de lo que se le acusa?

—No. Creo que es lo más probable, pero, como he dicho, hay algunas cosas que no hicieron que yo habría hecho. No me gusta llegar *a posteriori* y criticar, pero cuando ves algo lo ves.

—Y no puedes dejar de verlo.

—Algo así.

—¿Cuál es el mayor problema del caso para la fiscalía?

—¿Ahora mismo?

—Basándote en lo que has leído.

Bosch tomó un sorbo mientras pensaba una respuesta y la componía como era debido.

—El encuentro.

—¿Qué?

—Móvil y oportunidad. Tienen el ADN que sitúa a tu cliente en esa casa y en esa escena del crimen. Pero ¿cómo llegó allí? Esta mujer llevaba una vida muy pública. Sesiones en el ayuntamiento, reuniones de concejales, actos públicos, etcétera. Según el expediente, miraron centenares de horas de vídeo y no tienen ni una imagen en la que aparezcan juntos Lexi Parks y Da'Quan Foster.

Haller estaba asintiendo, viendo cómo podía utilizarlo.

—Además —continuó Bosch—, tienes la escena del crimen. Hicieron un perfil y hay un montón de toda clase de chorradas psicológicas sobre ese crimen. ¿Cómo se conecta eso con Foster, un pandillero reformado del sur de Los Ángeles sin ningún antecedente de esta clase de violencia? Puede que fuera un cabecilla de los Rollin' 40s, pero esto es algo completamente distinto.

—Puedo usar esto —dijo Haller—. Todo. Les partiré el culo.

—Mira, esto son cosas que me molestan a mí. Pero eso no significa que le molesten a un jurado ni a un juez. Te he dicho que es más probable que este tipo lo hiciera, que lo contrario. Solo te estoy informando de lo que he visto. Y tengo una pregunta.

—¿Qué?

—El ADN de Foster estaba en la base de datos del estado por la detención por violación que no se sostuvo.

—No se sostuvo porque era una estupidez.

—Háblame de eso.

—No fue más que una redada. La víctima fue drogada y violada durante un par de días en la trastienda de una casa de inmigrantes ilegales. Fuera quien fuera el cabrón que lo hizo, también le tatuó un «Propiedad de los Rollin' 40s». Como ella escapó, eso fue su pista. Pillaron a todos los tipos que tenían en sus archivos de los Rollin' 40s y les tomaron muestras de ADN. Nunca llegó a nada porque él no lo hizo.

—Es una historia fea. ¿Surgirá en el juicio?

—No si puedo evitarlo. Estas son circunstancias muy distintas. No es relevante.

Bosch asintió y otra vez pensó por qué se estaba implicando en ese caso y con ese cliente.

—Hablamos mañana por la mañana pues —dijo Haller—. Entonces ¿qué? ¿Qué necesitas de mí?

Bosch terminó lo que le quedaba en la copa. No fue a por la coctelera. No quería ningún rastro de alcohol en él cuando llegara a casa. Su hija era más estricta que una esposa con eso.

—Veremos si sigo trabajando en esto después de la entrevista. Si es así, creo que deberías decirle al juez que quieres tener acceso a todos los vídeos que miraron Cornell y Schmidt. Estaban buscando a Da'Quan, pero me pregunto quién podría estar en los sitios a los que fue Lexi Parks.

Haller lo señaló con el dedo, asintiendo.

—Teoría alternativa del crimen. Sospechoso alternativo. Lo entiendo. Esto es bueno.

—No, no es bueno. Al menos todavía. Y debería advertirte de algo. No voy a ser amable con tu cliente mañana. Está acusado de asesinato y como eso voy a tratarlo. Cuando terminemos, él podría no querer que yo trabaje para ti o para él.

Bosch deslizó su copa hacia el camarero y se bajó del taburete. Vio a una mujer buscando un sitio para sentarse y le hizo una seña.

—Te veo a las nueve —le dijo a Haller—. No te duermas.

—No te preocupes —dijo Haller—. Allí estaré.

9

Ellis y Long vigilaban desde un coche aparcado junto a la acera en Las Palmas, al oeste del aparcamiento trasero de Musso's. Había un silencio cómodo entre ellos que procedía de los años de estar sentados en coches y vigilando gente. Long había entrado antes en Musso's y había observado desde el extremo opuesto de la barra mientras el abogado se veía con otro hombre, alguien a quien Long no reconoció. Así que cuando examinó el aparcamiento y vio al mismo hombre misterioso de pie bajo la luz en la cabina del encargado del aparcamiento, se enderezó en el asiento del pasajero.

—Es él —dijo—. El tipo con el que estaba.

—¿Estás seguro? —preguntó Ellis.

Levantó unos prismáticos y estudió al hombre misterioso.

—Sí —dijo Long—. Deberías irte. Por si acaso.

Por si acaso el hombre de la cabina había visto antes a Long dentro. Pero no tenían que acabar las frases.

Ellis dejó los prismáticos en el salpicadero y bajó del coche. Long se deslizó detrás del volante. Por si acaso. Ellis entró en el aparcamiento y se agachó entre dos coches para que pareciera que acababa de aparcar y estaba entrando. Esperó hasta que el hombre recibió sus llaves en la cabina y empezó a caminar hacia su coche. Ellis salió, con las manos en los bolsillos, y comenzó a andar por el mismo carril que el hombre que se acercaba. Se fijó en que iba bien afeitado y tenía todo el pelo gris y constitución atlética. Suponía que tendría unos cincuenta y cinco, aunque podría ser uno de esos cabrones afortunados que parecían más jóvenes de lo que eran.

Justo antes de cruzarse, el hombre misterioso giró a la izquierda entre dos coches y usó su llave para abrir la puerta de un viejo Jeep Cherokee. Ellis miró con aire despreocupado la matrícula trasera y continuó avanzando hacia los escalones que conducían a la entrada trasera de Musso's. Pulsó la tecla de marcado rápido de Long. Cuando este respondió, Ellis le dio a su compañero la marca del coche y el número de matrícula y le dijo que iba a entrar a ver cómo estaba el abogado.

—¿Crees que debería seguir al Jeep? —preguntó Long.

Ellis dudó un momento. En principio no le gustaba la idea de separarse. Pero si el tipo era importante, podría ser una oportunidad perdida.

—No lo sé —dijo—. ¿Qué opinas?

—Ve a tomar una cerveza —dijo Long—. Iré a ver adónde va este tipo.

—Conduce un cacharro, seguramente no irá lejos.

—Esos Cherokee viejos son piezas de coleccionista.

—Un cacharro.

—Entra en Craigslist, diez mil por uno bueno, fácil. ¿Trescientos mil kilómetros? Diez mil igualmente.

—Lo que tú digas. Voy a entrar. Haller está en la barra de atrás, ¿no?

—Sí, en la barra de atrás. Sin nombres, recuerda.

—Sí.

Ellis oyó el motor del Cherokee arrancando detrás de él. A continuación una voz lo llamó también desde atrás.

—Señor, ¿ha aparcado?

Se volvió para ver al encargado del aparcamiento en el umbral de la cabina.

—No, estoy en la calle.

Señaló hacia Las Palmas, luego se volvió y bajó por la escalera al pasillo de detrás de la cocina del restaurante. Siguió el pasillo hasta las viejas cabinas telefónicas de madera y salió al comedor nuevo. Musso's tenía casi cien años. Contaba con la sala nueva y la sala vieja, pero incluso esa distinción tenía cincuenta años. Ellis siguió a un viejo camarero vestido con chaquetilla roja a la sala vieja y luego se dirigió a la zona de la barra. Estaba repleta con dos filas de personas detrás de los afortunados sentados en taburetes.

Vio a Haller en un taburete cerca de un extremo. Estaba metido en conversación con la mujer sentada a su izquierda. A Ellis le pareció que Haller estaba intentando ligar, pero se dio cuenta de que la mujer pasaba de él. El camarero les sirvió nuevos martinis de todos modos y les dejó cocteleras en cubiteras de hielo.

Haller no iba a irse a ninguna parte pronto. Ellis volvió sobre sus pasos y entró en una de las viejas cabinas telefónicas en la entrada del pasillo trasero. Ya no había un teléfono de pago en la cabina, pero el pequeño espacio todavía podía usarse para tener un poco de intimidad. Cerró la puerta, sacó su propio teléfono y llamó a Long.

—¿Lo estás siguiendo?

—Sí, estamos subiendo la colina.

—¿Has comprobado la matrícula?

—Está protegida.

—Es poli.

—Sí, o posiblemente retirado. Tiene pinta de haber cumplido al menos veinticinco años.

—En todo caso ¿qué está haciendo hablando con nuestro hombre?

—No hay forma de saberlo. Veremos adónde va.

—Estaré aquí. Parece que nuestro hombre está currándose a una tía en la barra.

—Hablamos.

A Long no le importaba lo que pensara Ellis. El Cherokee azul que tenía delante era un buen coche. Diseño clásico, cuadrado, utilitario y sólido. Long se preguntó por qué los habían cambiado. Ahora parecían iguales que cualquier otro todoterreno ligero. Hinchados, como un tipo gordo al que la barriga le cayera por encima del cinturón. Su exmujer los llamaba «magdalenas».

El hombre misterioso ya estaba en Cahuenga, todavía en dirección norte. Long vio que el intermitente izquierdo del Cherokee empezaba a parpadear. Iba a subir la colina. Eso le complicaría las cosas.

Long pasó junto al Cherokee cuando este esperaba que cambiara el semáforo. Miró a su izquierda y vio que el giro conducía a una bifurcación inmediata. Mulholland Drive a la izquierda, Woodrow Wilson a la derecha.

Miró el espejo retrovisor lateral y en cuanto vio que el Cherokee giraba, puso las luces de emergencia e hizo un giro de ciento ochenta grados delante del tráfico que venía de cara y que se había detenido. Apagó las luces, pisó el acelerador y volvió a la bifurcación. No había rastro del Cherokee en ninguna de las dos direcciones.

Sin dudarlo, Long eligió Mulholland porque era la calle más popular y llegaba más lejos. Enfiló la serpenteante vía hacia la cima, pero pronto se dio cuenta de que había elegido mal. La calle se doblaba a un lado y a otro, bordeando la montaña. El Cherokee no le llevaba tanta ventaja y debería haber visto las luces en alguna de las curvas de herradura de delante.

Una vez más hizo un giro de ciento ochenta grados y esta vez tomó Woodrow Wilson, llevando al sedán más allá de los límites de la seguridad en la calle de curvas. Lo único que le faltaba era que Ellis le echara en cara que había perdido al tipo. Al cuerno los límites.

Woodrow Wilson era una calle residencial estrecha que ascendía en curvas por la ladera de la montaña opuesta a Mulholland. Después de media docena de curvas muy cerradas y de herradura, Long por fin vio las luces familiares del Cherokee por delante. Redujo la velocidad y mantuvo la distancia. Pronto tomó una curva y vio al Cherokee aparcando en una cochera iluminada junto a un Volkswagen Escarabajo azul claro. Pasó de largo sin cambiar la velocidad.

Long siguió la carretera un par de curvas más antes de parar y poner la transmisión en P. Miró su teléfono por si había perdido algún mensaje o llamada de Ellis. No había nada. Dejó que pasaran tres minutos y usó la cochera vacía de una casa para dar la vuelta. Apagó las luces de su coche y pasó más allá de la casa donde había aparcado el Cherokee. Era una pequeña casa en voladizo con las luces brillantes de la ciudad detrás.

Long leyó la matrícula del Volkswagen al pasar. También se fijó en que habían sacado un cubo de basura municipal al bordillo.

Haller estaba intentándolo con la mujer que tenía al lado y combatiendo la derrota con vodka. Ellis lo observó en el espejo de detrás de la barra, camuflado por la multitud. Llevaba una cerveza para mezclarse mejor, pero no estaba bebiendo de la botella. Nunca ingería alcohol.

La mujer que Haller se estaba trabajando tenía al menos quince años menos que él y Haller no había hecho caso de una norma clave para ligarse a una mujer más joven: evitar los recordatorios de la edad, sobre todo espejos detrás de la barra.

Ellis notó que el teléfono vibraba en su bolsillo y se retiró al pasillo de atrás. Dejó la botella de cerveza en el suelo de una de las cabinas de teléfono y aceptó la llamada de Long mientras cerraba la puerta para tener más intimidad.

—Creo que se ha retirado hasta mañana —dijo Long.

—¿Dónde? —preguntó Ellis.

—En una casa en las colinas. Bonita para el sueldo de un poli.

—¿Estás seguro de que va a quedarse?

—No, pero si quieres que me espere, sigo cerca. Puedo volver.

Ellis pensó un momento. Estaba concibiendo un plan. Un plan a corto plazo. Necesitaba que Long volviera. Mientras lo estaba elaborando, Long rompió el silencio.

—Tengo su identidad.

—¿Cómo? ¿Quién es?

—Había otro coche, pero lo comprobé y también tiene una matrícula protegida. Sin embargo, mañana recogen la basura. He cogido un par de bolsas del cubo de la calle, me he alejado y he mirado dentro. He encontrado correo. El nombre del tipo (no sé cómo se pronuncia) es Hermonius Bosch o algo así. Todo el correo iba dirigido a él.

—Deletrea nombre y apellido.

—H-i-e-r-o-n-y-m-u-s B-o-s-c-h.

—Hieronymus, como el pintor.

—¿Qué pintor?

—No importa. Vuelve aquí. Tengo un plan para frenar a nuestro hombre aquí.

—Dame quince minutos.

—Que sean diez. Creo que está a punto de largarse.

Ellis colgó, cogió su cerveza y volvió a la barra en la sala antigua. Haller estaba en su lugar, pero la mujer con la que había estado intentando ligar se había ido y la había sustituido un hombre con cazadora de cuero negro y camiseta blanca. Haller sostenía una tarjeta de crédito plateada y estaba tratando de captar la atención del camarero con ella. Estaba listo para marcharse.

Ellis se apretó entre dos clientes y dejó la botella en la barra. Luego subió los escalones y salió del restaurante. Al volver caminando a Las Palmas, vio un hueco oscuro al lado de la entrada de peatones de un garaje público. Desde allí, tendría una línea de visión del aparcamiento de Musso's mientras esperaba a Long.

Al adentrarse en la penumbra, estuvo a punto de tropezar con algo en la oscuridad. Se oyó un crujido seguido por un gemido y una queja.

—Qué cojones, tío. Estás en mi sitio.

Ellis buscó el teléfono en su bolsillo. Encendió la pantalla y la giró para que la luz tenue se proyectara en el suelo de cemento. Había un hombre intentando salir de un saco de dormir sucio; sus pertenencias estaban en bolsas de plástico apoyadas contra la pared. Ellis miró detrás de él y no vio a nadie en la calle y ningún rastro de Haller caminando hacia su coche en el aparcamiento. Se volvió hacia el vagabundo y tomó una decisión. Dio una patada en las costillas al hombre que se movía a cuatro patas. Ellis notó el impacto de la patada en toda su pierna y supo que había roto un hueso. El hombre se puso boca arriba y soltó el sonido de un animal herido. Antes de que pudiera gritar, Ellis le pisó la garganta con todo su peso, aplastando el paso de aire. Después retrocedió y le clavó el tacón en el puente de la nariz. El hombre se quedó en silencio y sin moverse después de eso.

Ellis volvió a guardarse el móvil en el bolsillo y se colocó en posición de observar a Haller. Pronto vio al abogado saliendo por los escalones de la puerta trasera del restaurante.

—Mierda —susurró Ellis.

Se fijó en que Haller no mostraba signos de los efectos del alcohol al pagar al encargado y retirar sus llaves. Ellis llamó a Long.

—¿Dónde coño estás?

—Dos minutos. Acabo de girar en Hollywood.

—Estaré en el mismo sitio. Pon la radio.

—Vale. ¿Por qué?

Ellis colgó sin responder. Se fijó en que Haller estaba hablando por el móvil mientras caminaba hacia su Lincoln. Ellis buscó en otro bolsillo, sacó un segundo teléfono y lo encendió. Siempre llevaba un prepago. Mientras esperaba que arrancara oyó un ruido de gorgoteo detrás de él que resonó en el espacio cerrado de cemento. Se volvió y clavó el pie, con el tacón por delante, en la oscuridad, donde sabía que estaba el vagabundo. Le dio de pleno. El sonido de gorgoteo se detuvo.

Una vez que el móvil prepago estuvo listo marcó el 911 y tiró de la manga de la chaqueta para camuflar su voz. La llamada la respondió alguien que Ellis identificó como mujer y negra. Sonó calmada y eficiente.

—911, ¿cuál es su emergencia?

—Hay un hombre aquí que está conduciendo borracho y va a matar a alguien.

—¿Cuál es su posición, señor?

—Hollywood Boulevard y Las Palmas. Acaba de cruzárseme en Hollywood.

—¿Va en dirección este u oeste?

—En dirección oeste ahora mismo.

—¿Y puede describir el vehículo?

—Un Lincoln Town Car negro. La matrícula dice ABSOLVED.

—¿Disculpe, señor?

—Es una matrícula personalizada. A-B-S-O-L-V-E-D. Absuelto. Debe de ser abogado.

—Espere un momento, señor.

Ellis sabía que la operadora enviaría a alguien enseguida. Luego recuperaría la línea para preguntarle su nombre y detalles. Cerró el teléfono, para cortar la llamada. Observó el Lincoln de Haller saliendo del aparcamiento a Las Palmas y recorriendo la corta distancia hasta Hollywood Boulevard. El Lincoln pasó al Challenger que conducía Long.

Ellis salió del hueco a la calle para que Long lo recogiera. Justo cuando el Challenger se detuvo, Ellis se inclinó y puso el móvil prepago delante de la rueda trasera para que esta lo aplastara. Abrió la puerta, se metió en el asiento del pasajero y le dijo a Long que diera la vuelta. El anuncio sobre el presunto conductor borracho ya se estaba emitiendo en la radio de la policía.

—Cualquier unidad de Hollywood: ciudadano informa de un conductor bajo los efectos del alcohol en dirección oeste por Hollywood Boulevard esquina Las Palmas. El sospechoso conduce un Lincoln Town Car negro último modelo, matrícula de California, A-B-S-O-L-V-E-D.

El cable del micrófono estaba envuelto en torno al espejo retrovisor y lo que había sido una espiral tensa se había estirado con el tiempo. Ellis lo soltó y se acercó al micrófono a la boca.

—6-Víctor-55, vamos en dirección oeste por Hollywood Boulevard y estamos a un minuto de esa ubicación.

Apartó el dedo del botón de enviar y se volvió hacia Long.

—Ve al oeste por Hollywood. Probablemente se dirija a casa.

Long aceleró y avanzó hasta el final de la manzana, donde giró en el cruce para luego tomar otra vez hacia Hollywood Boulevard. Ellis miró hacia la entrada oscurecida del garaje al pasar.

—¿Qué estamos haciendo? —preguntó Long.

—Vamos a pararlo y detenerlo por conducir borracho. Eso debería frenarlo un poco.

—¿Y si no está borracho?

—No importa, es abogado. Se negará a hacer el control o el análisis por aire espirado y tendremos que sacarle sangre. Terminaremos fichándolo. Quiero mirar en su maletero.

Long asintió y siguió conduciendo en silencio. Alcanzaron a Haller en un semáforo en rojo en La Brea.

—¿Ahora? —preguntó Long.

—No —dijo Ellis—. Quédate con él. Espera hasta que cruce La Brea y estemos en zona residencial. Menos gente alrededor. Menos cámaras.

Ellis se llevó el micrófono a la boca.

—6-Víctor-55, estamos en un semáforo en Hollywood y Camino Palmero, posible conductor bajo los efectos del alcohol, matrícula A-B-S-O-L-V-E-D. Solicito una unidad A de refuerzo.

Cuando la luz del semáforo cambió, Long serpenteó a un lado y a otro entre los carriles hasta que se posicionó detrás del Lincoln. Puso la sirena y Haller paró el coche delante de un edificio de apartamentos de dos plantas.

—Vale, yo me ocupo —dijo Ellis.

Abrió la guantera para sacar una brida de plástico. No quería usar sus esposas porque su intención era entregar a Haller a la unidad de patrulla para que él y Long pudieran registrar el Lincoln.

—Está saliendo —dijo Long.

Ellis levantó la cabeza y miró a través del parabrisas. Haller ya había bajado del Lincoln. Estaba hablando por el móvil. Terminó la llamada y lanzó el teléfono a su coche. Pulsó el botón de cierre y cerró la puerta. Luego puso las manos en el techo de su coche y esperó.

—Acaba de cerrar el coche —dijo Long—. Probablemente las llaves están dentro.

—Capullo —dijo Ellis—, cree que nos impedirá abrirlo. —Bajó y caminó entre los dos coches para llegar a Haller.

—Hola, detective —dijo el abogado.

—¿Ha estado bebiendo esta noche, señor? —preguntó Ellis.

—Sí —dijo Haller—, pero no lo suficiente para que me haga parar.

—Bueno, hemos recibido una llamada del 911 que describía su coche incluida su matrícula personalizada e informaba de conducción errática y peligrosa. Hemos estado detrás suyo durante cinco manzanas y ha ido de lado a lado.

—Eso es mentira. Les he visto. Eran ustedes los que iban de lado a lado tratando de pillarme.

—¿A quién estaba llamando? ¿No sabe que está prohibido hablar por el móvil mientras conduce?

—La respuesta a la primera pregunta es que no es asunto suyo. Y en cuanto a la segunda, no hice la llamada hasta que paré. No hay nada ilegal en eso. Pero haga lo que tenga que hacer, detective.

—Agente, en realidad. ¿De dónde viene?

—De Musso and Frank's.

—¿Ha comido o solo ha bebido?

—He comido algunas aceitunas, eso seguro.

—¿Puedo ver su carné de conducir, por favor?

—Claro. ¿Puedo meter la mano en el bolsillo delantero de mi chaqueta, agente?

—Despacio.

Haller sacó su cartera y entregó su carné de conducir a Ellis. Este lo miró y se lo guardó en el bolsillo de atrás.

—Vamos a ir a la acera y haremos un control de alcoholemia ahora —dijo.

—En realidad no. Esto es una parada injustificada y mi cooperación termina después de que me haya detenido y le haya dado mi carné de conducir.

—¿Entiende que no someterse a un control de alcoholemia o a un análisis por aire espirado es causa de detención y suspensión de su carné de conducir? Luego lo llevaremos al hospital y le sacaremos sangre de todos modos.

—Eso lo entiendo, pero, como le he dicho, haga lo que tenga que hacer. No estoy borracho, estoy en condiciones de conducir y no le he dado ningún motivo para pararme. Esto es una gilipollez. ¿Tiene una cámara de salpicadero en el coche?

—No, señor.

—Está bien. Hay muchas otras cámaras en Hollywood Boulevard.

—Buena suerte con eso.

—No necesito suerte.

—Entiendo que es abogado, señor.

—Exacto. Pero eso ya lo sabía.

Ellis se fijó en que un coche patrulla había parado como refuerzo detrás de su sedán sin identificar. Sacó la brida del bolsillo de la cazadora.

—¿Puede apartar la mano derecha del coche y ponerla a su espalda, por favor?

—Claro.

Ellis usó la brida para atar las manos de Haller a su espalda. Tensó la brida de plástico, pero Haller no se quejó.

Después de que los agentes de uniforme se llevaran a Haller al hospital para la extracción de sangre, Ellis se puso guantes como los de la escena del crimen, sacó la cuña inflable y la varilla metálica del maletero de su propio coche y se acercó al Lincoln.

Haller pensaba que era listo dejando las llaves encerradas dentro de su coche, pero Ellis sabía que él lo era más aún. Esperó a que pasara una oleada de tráfico y luego colocó la cuña entre el marco de la puerta delantera y la carrocería del coche. Empezó a apretar la bomba de mano y la cuña se expandió lentamente, abriendo un espacio de un par de centímetros. Colocó la varilla metálica a través de ese hueco y pulsó el botón electrónico de desbloqueo del reposabrazos de la puerta. Oyó que las cerraduras se desbloqueaban en las cuatro puertas. Con la alarma desconectada, Ellis abrió la puerta delantera. Se estiró y abrió el maletero. Sabía por una vigilancia previa a Haller que el abogado trabajaba desde su coche y guardaba los expedientes en el maletero. Los agentes de uniforme habían llamado al garaje de la policía para confiscar el coche. Ellis suponía que eso le daba un mínimo de media hora con esos archivos antes de que llegara la grúa.

Se fijó en el teléfono del abogado en el asiento del coche. Se metió dentro, lo recogió y conectó la pantalla, pero vio que estaba protegido por contraseña y no le servía de nada. Estaba a punto de lanzarlo otra vez cuando vio una llamada entrante. El identificador de llamada decía que era alguien llamado Jennifer Aronson. No reconoció el nombre, pero lo guardó en su banco de memoria y lanzó otra vez el teléfono al asiento.

Cerró la puerta delantera y abrió la de atrás. Al meterse dentro y echar un vistazo, vio un maletín en el suelo, detrás del asiento del conductor. Lo abrió en el asiento y examinó su contenido. Había tres libretas de formato legal con notas ilegibles en cada una de ellas. Casos diferentes tenían libretas diferentes. Había también una pila de tarjetas de visita unidas con una goma elástica. Nada más significativo. Ellis cerró el maletín y volvió a dejarlo en el suelo. Retrocedió y cerró la puerta.

Al dirigirse al maletero, miró a su compañero, que estaba monitorizando la radio de la policía desde el coche sin identificar. Long levantó un pulgar a Ellis. Todo bien. Ellis asintió.

En el maletero vio tres ficheros de cartón uno al lado de otro. El filón principal. Enseguida pasó sus dedos envueltos en látex por las lengüetas hasta que llegó al que estaba etiquetado «Foster».

—Bingo —dijo.

10

La puerta de la habitación de su hija estaba cerrada, pero Bosch vio que se filtraba luz por debajo de ella. Dio unos golpecitos ligeros.

—Hola, estoy en casa —dijo.

—Hola, papá —respondió ella.

Esperó una invitación. Nada. Llamó otra vez.

—¿Puedo entrar?

—Claro. No está cerrado.

Abrió la puerta. Maddie estaba a los pies de la cama, inclinada y metiendo un saco de dormir en una bolsa grande con ruedas. Faltaban unos días para el viaje, pero ella ya estaba guardando todo lo que salía en la lista que le habían dado en la escuela.

—¿Aún no has comido? —preguntó—. He traído cosas de Panera.

—Ya he comido —dijo—. No sabía nada de ti y he hecho atún.

—Podrías haberme mandado un mensaje.

—Tú también.

Bosch decidió no ir más allá en sus prácticas de comunicación. No quería meter la pata. Señaló la bolsa y el surtido de artículos de acampada extendidos en el suelo de la habitación.

—¿Tienes ganas? —preguntó.

—La verdad es que no —dijo ella—. No sé acampar.

Se preguntó si era una crítica hacia él. Nunca se la había llevado de acampada. Bosch nunca había ido de acampada, a menos que contara su tiempo en tiendas y agujeros en Vietnam.

—Bueno —dijo—, pronto aprenderás. Estarás con amigos y será divertido.

—Un montón de gente a la que probablemente no volveré a ver después de la graduación —dijo Maddie—. No sé por qué... Lo único que digo es que debería ser una salida de acampada opcional. No obligatoria.

Bosch asintió. Su hija estaba de un humor que se agriaría más con cada intento que él hiciera por animarla. Ya había recorrido ese camino antes.

—Bueno, tengo cosas que leer —dijo—. Buenas noches, nena.

—Buenas noches, papá.

Se acercó y la besó en la parte superior de la cabeza. Luego hizo un gesto a la enorme bolsa gris del suelo.

—Creo que deberías llevar el saco de dormir por separado —dijo—, ocupará demasiado espacio ahí dentro.

—No —dijo Maddie con brusquedad—. Dijeron que todo tiene que estar en una bolsa y esta es la más grande que he encontrado.

—Vale, lo siento.

—Papá, ¿cuánto has bebido, por cierto?

—Un Martini. Con tu tío. Me he marchado, él no.

—¿Estás seguro?

—Sí. Me he marchado. Tengo trabajo. Oye, buenas noches, ¿eh?

—Buenas noches.

Bosch cerró la puerta al salir de la habitación. Se recordó que su hija estaba en un momento de su vida lleno de tensiones. Maddie estaba aprendiendo a enfrentarse a ellas, pero a menudo él era el objetivo cuando las soltaba. No podía culparla ni sentirse mal. Pero saberlo era la parte fácil.

Se sentía mal por haber echado la culpa al tío Mickey. Entró en la cocina para comer solo.

11

A las nueve en punto de la mañana, Bosch se acercó a la ventanilla de entrada de abogados en el vestíbulo de la prisión central masculina, pero no vio a Mickey Haller por ninguna parte. Había una mujer joven al lado de la ventanilla con un maletín y examinó a Bosch cuando se acercaba.

—¿Señor Bosch? —preguntó ella.

Bosch paró un momento, pero no respondió. Todavía no estaba acostumbrado a que le llamaran señor y no detective.

—Soy yo —dijo por fin.

La mujer le tendió la mano. Bosch tuvo que pasarse la carpeta que llevaba a la otra mano para estrechar la de la mujer.

—Soy Jennifer Aronson. Trabajo para el señor Haller.

Si Bosch la había visto antes, no se acordaba.

—Debería haber venido él —dijo Bosch.

—Sí, lo sé —dijo ella—. Está ocupado en este momento, pero le haré pasar a ver al señor Foster.

—¿No hace falta que venga un abogado conmigo?

—Soy abogada, señor Bosch. Soy abogada asesora en este caso. Y también he manejado algunos asuntos en su demanda civil.

Bosch se dio cuenta de que la había ofendido al suponer por su edad —no tendría más de treinta— que era la secretaria de Haller y no una socia.

—Lo siento —dijo—. Pero esperaba que él estuviera aquí. ¿Dónde está exactamente?

—Ha surgido algo de lo que ha tenido que ocuparse y se ha retrasado, pero tratará de unirse a nosotros enseguida.

—Eso no me basta. Voy a llamarlo.

Bosch se apartó de la ventanilla de acceso para usar el móvil. Aronson lo siguió.

—No va a localizarlo —dijo—. ¿Por qué no empezamos con la entrevista? El señor Haller llegará en cuanto pueda.

Bosch colgó cuando la voz grabada de Haller le pidió que dejara un mensaje. Miró a la mujer. Veía en su cara que estaba mintiendo o guardándose alguna cosa.

—¿Qué ha pasado? —preguntó.

—¿Disculpe? —dijo ella.

—¿Dónde está? No me está contando algo.

Aronson pareció decepcionada consigo misma por no poder superar a Bosch.

—Muy bien —dijo ella—. Está en el calabozo municipal. Lo detuvieron anoche en un control de alcoholemia. Fue un montaje. He pagado su fianza y está esperando a que lo pongan en libertad.

—Estuve anoche con él —dijo Bosch—. ¿A qué hora ocurrió esto?

—Alrededor de las diez.

—¿Por qué dice que fue un montaje?

—Porque me llamó mientras lo estaban parando y me lo dijo. Dijo que tenían que haber estado esperándolo fuera de Musso's. Ocurre a menudo. Objetivos selectivos. Montajes.

—Bueno ¿estaba borracho? Lo dejé allí a las siete y media o las ocho. Se quedó otras dos horas o más.

—Me dijo que no y le va a enfadar que le haya contado esto. Por favor, ¿podemos entrar ahora y preparar la entrevista?

Bosch negó con la cabeza una vez. Tuvo la sensación de que todo estaba patinando y volviéndose sórdido.

—Terminemos de una vez —dijo.

—Tome, necesitará esto —dijo Aronson.

Metió la mano en el maletín y le pasó un papel doblado.

—Es una carta que declara que es un investigador que trabaja para el señor Haller en este caso —dijo ella—. Técnicamente, está trabajando bajo la licencia de Dennis Wojciechowski.

Bosch desdobló la carta y la leyó con rapidez. Era un punto de no retorno. Sabía que si aceptaba y usaba ese documento para entrar en la prisión, sería oficialmente un investigador de la defensa.

—¿Está segura de que necesito esto? —preguntó.

—Si quiere entrar a verlo necesita una estatus legal —dijo ella.

Bosch se guardó la carta en el bolsillo interior de la chaqueta.

—Vale —dijo—. Vamos allá.

Da'Quan Foster no era lo que Bosch había imaginado. Dada la brutalidad del asesinato de Lexi Parks, esperaba ver a un hombre de tamaño y musculatura imponentes. Foster no tenía ni una cosa ni la otra. Era un hombre delgado vestido con ropa azul de la cárcel que le quedaba dos tallas grande. Bosch se dio cuenta de que su errada suposición estaba enraizada en su predisposición a creer que Foster era culpable del crimen.

Un funcionario de prisiones colocó a Foster en una silla al otro lado de la mesa de Bosch y Aronson. Retiró las esposas de las muñecas de Foster y se marchó de la pequeña sala. Foster llevaba el pelo en trenzas africanas muy apretadas. Tenía un beso de pintalabios tatuado en el lado izquierdo del cuello y en el derecho otro tatuaje en tinta azul que Bosch no podía leer contra el fondo oscuro de su piel. Foster parecía confundido por las dos personas que tenía delante. Aronson enseguida hizo las presentaciones.

—Señor Foster, no sé si me recuerda. Soy Jennifer Aronson y trabajo con el señor Haller. Estuve con él en la lectura de cargos y luego en la vista preliminar.

Foster asintió para indicar que la recordaba.

—¿Es abogada? —preguntó.

—Sí, soy una de sus abogadas —dijo—. Y quiero presentarle al señor Bosch, que está trabajando como nuestro investigador en el caso. Tiene algunas preguntas para usted.

Bosch no se molestó en corregirla. Todavía no había aceptado oficialmente subir a bordo, a pesar de lo que decía la carta.

—¿Dónde está Haller? —preguntó Foster.

—Está retenido con otro caso en este momento —dijo Aronson—. Pero planea estar aquí pronto, antes de que termine el señor Bosch.

«Retenido con otro caso» era una forma de expresarlo, pensó Bosch.

Foster miró a Bosch y aparentemente no le gustó lo que vio.

—Tiene pinta de poli —dijo.

Bosch asintió.

—Lo era.

—¿Policía de Los Ángeles?

Bosch asintió otra vez.

—A la mierda —dijo Foster—. Quiero a otro en mi caso. No quiero a la policía de Los Ángeles a mi lado.

—Señor Foster —dijo Aronson—. Para empezar, no puede elegir. Y en segundo lugar, el señor Bosch está especializado en investigaciones de homicidios y es uno de los mejores.

—Sigue sin gustarme —dijo Foster—. En el sur los polis de homicidios no hacen una mierda. Cuando yo iba con mi grupo, perdimos nueve hombres en cinco años y el departamento de policía no hizo detenciones, juicios, nada.

—Yo no trabajaba en el sur —dijo Bosch.

Foster cruzó los brazos y volvió la cabeza para no hacer caso de Bosch. Miró a la pared a su izquierda. Bosch vio entonces con claridad los tatuajes en el lado derecho del cuello. Era el símbolo estándar de los Crips, un 6 en el centro de una estrella de seis puntas creada por un triángulo con un segundo triángulo invertido encima. Bosch sabía que las puntas de la estrella se referían a las cosas por las que supuestamente se fundó la banda: vida, lealtad, amor, conocimiento, sabiduría y comprensión. Al lado del símbolo había un tatuaje en caligrafía estilizada que decía «Tookie RIP» Bosch también sabía que era una referencia a Stanley *Tookie* Williams, el famoso cofundador de la banda, que fue ejecutado en San Quintín.

Bosch continuó.

—Dices que no cometiste el asesinato del que se te acusa. Si eso es cierto, puedo ayudarte. Si estás mintiendo, voy a hacerte daño. Es tan simple como eso. Si quieres que me vaya, me iré. No es mi cuello el que está en juego.

Foster se volvió rápidamente para mirar a Bosch.

—Joder. Si es de la poli de Los Ángeles no le importa si lo hice o no. Siempre que tenga a alguien que pueda pagar por eso, es lo único que les importa. Cree que si no he hecho esto, habré hecho otra cosa, da igual, qué cojones.

Bosch miró a Aronson.

—No la necesitaremos —dijo—. ¿Por qué no va a ver si puede encontrar a Mickey y traerlo aquí?

—Creo que debería estar aquí durante la entrevista —dijo ella.

—No, no hace falta. Voy a ocuparme de la entrevista y puede irse.

Le lanzó una mirada dura y Aronson captó el mensaje. Se levantó, ofendida otra vez, se acercó a la puerta y llamó. Salió en cuanto el vigilante le abrió la puerta. Bosch la observó marcharse y luego se volvió hacia Foster.

—Señor Foster, no estoy aquí porque quiera que sea mi amigo. Y yo no tengo que ser el suyo. Pero le diré una cosa. Si es inocente de este crimen, no querrá a nadie que no sea yo en esto. Porque si es inocente, eso significa que hay alguien ahí fuera, no en la cárcel, que hizo esto. Y voy a encontrarlo.

Bosch abrió el archivo y deslizó una de las fotos de la escena del crimen a través de la mesa. Era una imagen de primer plano del rostro destrozado e irreconocible de Alexandra Parks. Los informes en el expediente decían que cuando su marido la encontró, habían puesto una almohada en la cara de la víctima. En el perfil psicológico de la escena del crimen contenido en el expediente se sugería que el asesino lo hizo porque estaba avergonzado de lo que había hecho y quería taparlo. Si ese era el caso, Bosch estaba esperando una reacción de Foster cuando viera el horror del crimen.

La obtuvo. Foster miró la foto y echó la cabeza atrás, mirando al cielo.

—¡Oh, Dios mío! ¡Oh, Dios mío!

Bosch lo observó con atención, estudiando su reacción. Creía que en los siguientes segundos decidiría si Foster había asesinado a Alexandra Parks. Era un jurado de un solo hombre listo para leer los matices de la expresión facial antes de emitir un veredicto.

—Quite eso —dijo Foster.

—No, quiero que lo mire —dijo Bosch.

—No puedo.

Sin apartar los ojos del techo, Foster señaló la foto de la mesa.

—No puedo creerlo. Dicen que yo hice eso, que haría eso a la cara de una mujer.

—Exacto.

—Mi madre estará en el juicio ¿mostrarán esto?

—Probablemente. A menos que el juez considere que es demasiado perjudicial. Hay buenas posibilidades de eso, diría.

Foster soltó un extraño sonido de lamento desde el fondo de la garganta. Un sonido de animal herido.

—Míreme, Da'Quan —dijo Bosch—. Míreme.

Foster lentamente bajó la cabeza y miró a Bosch, manteniendo una línea de visión que no incluía la foto de la mesa. Bosch leyó dolor y compasión en sus ojos. Se había sentado enfrente de muchos asesinos en sus años de detective. La mayoría de ellos, sobre todo los psicópatas, eran buenos mentirosos. Pero al final siempre eran los ojos los que los traicionaban. Los psicópatas son fríos. Pueden hablar de compasión, pero no la muestran en sus ojos. Bosch siempre buscaba los ojos.

—¿Hiciste esto, Da'Quan? —preguntó Bosch.

—No lo hice —dijo Foster.

Bosch creía que era verdad lo que estaba viendo en los ojos de Da'Quan Foster en ese momento. Se acercó y dio la vuelta a la fotografía para que dejara de representar una amenaza.

—Vale, puede relajarse acerca de esto ya —dijo Bosch.

Foster tenía los hombros hundidos y parecía exhausto. Estaba comprendiendo, posiblemente por primera vez, que lo habían acusado del peor de los crímenes.

—Creo que le creo, Da'Quan. Eso es bueno. Lo malo es que se encontró su ADN en la víctima y hemos de explicar eso.

—No era mío.

—Eso solo es una negación y no funciona como explicación. La ciencia está contra usted hasta ahora. El ADN convierte esto en pan comido para la fiscalía, Da'Quan. Es hombre muerto a menos que podamos explicarlo.

—No puedo explicarlo. Sé que no era mío. Nada más.

—Entonces ¿cómo llegó allí, Da'Quan?

—¡No lo sé! Es una prueba que alguien puso ahí.

—¿Quién?

—¡No lo sé!

—¿Los polis?

—Alguien.

—¿Dónde estuvo esa noche? ¿En la casa de esa señora?

—¡Cielos, no!

—Entonces ¿dónde estaba?

—En el estudio. Estaba pintando.

—No, no es verdad. Eso es mentira. El Departamento del Sheriff tiene un testigo. Dice que pasó por el estudio y no estaba allí.

—Sí estaba.

—Su testigo va a salir al estrado en el juicio y declarará que fue al estudio a verle, pero no estaba allí. Si sumamos esto al ADN, está listo. Fin. ¿Entendido?

Bosch señaló la foto puesta boca abajo.

—En un crimen como este, ningún juez y ningún jurado se lo va a pensar dos veces para conceder la pena de muerte. Seguirá los pasos de Tookie.

Dejó que asimilara eso un momento antes de continuar en un tono más suave.

—¿Quiere que le ayude, Da'Quan? Necesito saberlo todo. Lo bueno y lo malo. Puede mentir a su abogado, pero no puede mentirme a mí. Me doy cuenta. Así que una vez más, ¿dónde estuvo?

Foster bajó la mirada a la mesa. Bosch lo esperó. Sabía que Foster estaba a punto de quebrarse y contar la historia.

—Muy bien —dijo—. Esto es lo que pasó. Estuve en Hollywood. Y estuve con alguien que no era mi mujer.

—Vale —dijo Bosch—. ¿Quién era esa mujer?

—No era una mujer —dijo Foster.

12

Haller se perdió toda la sesión con Foster. Era un abogado famoso o un abogado notable, según cómo se viera. Había recibido la aceptación definitiva en Los Ángeles de una película sobre uno de sus casos protagonizada nada menos que por Matthew McConaughey. También se había presentado a fiscal del distrito en el último ciclo y había perdido la carrera electoral por un escándalo que surgió cuando un cliente al que previamente había librado de una acusación de conducir bajo los efectos del alcohol mató a dos personas y a sí mismo mientras conducía borracho. Así pues, de un modo o de otro, era noticia, y los agentes de la cárcel municipal amablemente impedían su puesta en libertad hasta que los medios pudieran ser plenamente notificados de su detención, su foto de ficha policial pudiera cargarse en Internet y una asamblea de periodistas, fotógrafos y cámaras de vídeo pudieran reunirse a la puerta de la cárcel para documentar su paseo de la vergüenza.

Bosch acompañó a la cárcel a Jennifer Aronson, que actuaba como abogada de Haller, para advertirle de lo que le esperaba fuera. Ella había preparado un plan que contaba con que Bosch abriera la puerta de su Cherokee y permitiera a Haller salir con rapidez y meterse en la parte de atrás. Acto seguido, Bosch se largaría a toda velocidad. Sin embargo, Haller dijo que no quería participar en una salida tan cobarde. Una vez que recogió sus pertenencias, sacó la corbata del bolsillo de su traje y se la anudó. La alisó sobre su pecho y cruzó la puerta de salida con la barbilla bien alta. Caminó directamente a la reunión de medios, esperó un momento hasta que todas las cámaras y micrófonos estuvieron preparados, y empezó a hablar.

—Solo quiero decir que he sido objeto de las prácticas de intimidación de las fuerzas policiales —empezó—. Pero no estoy acobardado. Me han tendido una trampa y me han detenido. No estaba conduciendo ebrio y no hay pruebas de ello. Me enfrentaré a estas acusaciones y en última instancia se demostrará mi inocencia. No me alejarán del trabajo que hago para defender a los desamparados de nuestra sociedad. Gracias.

Hubo un clamor de voces y un aluvión de preguntas. Bosch oyó la voz profunda de una mujer ahogada por las otras.

—¿Por qué están tratando de intimidarle?

—Todavía no lo sé —dijo Haller—, tengo varios casos en los que planeo llevar a la policía a juicio en defensa de mis clientes. Ellos lo saben. Podría venir de cualquier rincón, por lo que sé.

La misma mujer gritó para insistir sobre lo mismo.

—¿Puede tener que ver con el caso de Lexi Parks?

—No lo sé —dijo Haller—. Solo sé que lo que me han hecho no estaba bien. Y se corregirá.

Otro periodista levantó la voz. Bosch lo reconoció del *Times*. Aunque no podía recordar su nombre, sabía que tenía fuentes en el departamento de policía y por lo general contaba con información válida.

—Le han extraído sangre en el Queen of Angels —dijo—. El contenido de alcohol en sangre se midió en 0,11, según el departamento de policía. Eso supera el límite legal.

Haller asintió como si lo hubiera visto venir y se regocijara de la oportunidad de atacar la acusación.

—La medida fue 0,06; compruebe su fuente, Tyler —dijo—. La policía usó una mala fórmula de extrapolación del alcohol en sangre para superar el umbral de 0,08 en el momento de la detención. Esta fórmula no resistirá el escrutinio del tribunal y seré absuelto.

Bosch necesitaba llegar al coche y acercarlo, pero quería ver a Haller en acción. Demostraba mucha habilidad y control con la nube de periodistas. Sin intimidarse, sin inmutarse. Bosch se maravilló de ello. No era de extrañar que fuera el amo y señor delante del jurado.

—Pero ha sido detenido por conducir bajo los efectos del alcohol en el pasado, ¿no?

Era una pregunta de un periodista distinto. Haller negó con la cabeza.

—No estamos hablando del pasado —dijo—. Estamos hablando de ahora mismo y la cuestión es si queremos que nuestro departamento de policía se centre en ciudadanos que cumplen la ley. La intrusión del gobierno en nuestras vidas es generalizada. ¿Dónde ponemos el límite? Yo pongo el mío aquí mismo.

Las preguntas empezaron a hacerse repetitivas o descabelladas. Estaba muy claro que los periodistas no iban a quedarse sin preguntas hasta que Haller se quedara sin respuestas. La reunión era una miscelánea de medios informativos locales serios y periodistas de entretenimiento. Haller era una de esas raras personas con un pie en cada campo. La última pregunta que Bosch oyó antes de doblar una esquina para dirigirse hacia el garaje fue la de alguien que le preguntaba si había estado en contacto con Matthew McConaughey y si habría una secuela de *El abogado del Lincoln*.

Haller dijo que no lo sabía.

13

Haller estaba famélico después de haber rechazado el sándwich de mortadela y la manzana que le habían ofrecido en la cárcel para desayunar. Pero quería recuperar su coche y su móvil antes de comer.

Aronson se marchó para trabajar en los casos de los que ella misma se ocupaba en los juzgados y Bosch llevó a Haller al Garaje Oficial de la Policía en Hollywood para reclamar su Lincoln Town Car. Por el camino, Haller le contó su detención y explicó que estaba seguro de que los agentes de paisano que lo pararon habían estado esperándolo. Al escucharlo, Bosch no encontró nada en su relato que apoyara eso y le pareció que era un caso de pura paranoia. Sí pensaba que era curioso que lo hubieran parado agentes de paisano. Se preguntó si Haller había interferido en una operación de antivicio.

El Garaje Oficial de la Policía estaba gestionado por Hollywood Tow, en Mansfield Avenue. Haller pagó el precio de la grúa sin presentar reclamaciones y el asistente le entregó las llaves de su coche. Haller las contempló en la palma de su mano y luego miró al asistente.

—¿Han entrado en mi coche? —preguntó.

El hombre examinó el documento que Haller acababa de firmar.

—No, señor —dijo el hombre—. No hay cerraduras rotas, aquí dice que el vehículo estaba abierto cuando llegaron. Controlamos esta clase de cosas, señor. Si quiere reclamar por eso o presentar una queja, puedo darle los papeles para que los rellene.

—¿En serio? Seguro que serviría de mucho. Mire, solo dígame dónde está el coche.

—En el número 23. Por el pasillo principal y a la izquierda.

Bosch siguió a Haller hasta el Lincoln. Lo primero que hizo el abogado fue coger su teléfono del asiento delantero y verificarlo para ver si lo habían manipulado. Estaba protegido con contraseña y parecía que no lo habían tocado. A continuación, abrió el maletero y miró los tres archivadores, pasando las pestañas con el dedo para asegurarse de que todas las carpetas estaban ahí. Después fue al asiento trasero y cogió su maletín. Lo abrió en el techo del coche y comprobó su contenido.

—Tuvieron mucho tiempo para copiar lo que quisieran —dijo.

—¿Quién? —preguntó Bosch.

—Quien sea. Los polis que me pararon. Quien los enviara.

—¿Estás seguro de que quieres verlo así?

—¿De qué otra forma?

—Creo que estás siendo un poco paranoide. Estuviste allí dentro bebiendo tres horas según mis cálculos.

—Me estaba controlando y no estaba borracho, y desde luego podía conducir. Cuando me pararon bajé y cerré el coche. Con las llaves dentro. Ahora el tipo me dice que no estaba cerrado cuando llegó la grúa. Explica eso.

Bosch no dijo nada. Haller cerró el maletín y miró a su hermanastro.

—Bienvenido al otro lado del pasillo, Harry. Vamos a comer. Estoy famélico.

Se acercó y cerró el maletero. Bosch vio que la matrícula decía ABSOLVED.

Se recordó a sí mismo que no desearía que lo vieran nunca en el coche de Haller.

Fueron cada uno en su coche a Pink's en La Brea y ocuparon una de las mesas del fondo después de que les entregaran su comida.

Era pronto para el almuerzo y no había mucha cola. Mientras Haller devoraba su perrito caliente de treinta centímetros, Bosch le habló de su visita a Da'Quan Foster y lo que este había dicho de su coartada rota.

Haller no se molestó en limpiarse la mostaza de la boca hasta que terminó de comer.

—Cuesta creer que esté dispuesto a ir a prisión para proteger un secreto como ese —dijo Bosch.

—Es un tipo orgulloso y tiene una posición en la comunidad. Además tiene mujer e hijos. No quiere arruinar todo eso. Además, creo que, cuando eres inocente, en el fondo siempre piensas que te salvarás, que la verdad te hará libre y todas esas chorradas. Incluso un antiguo pandillero como él se cree esa fantasía.

Bosch le pasó su perrito sin tocar a Haller y negó con la cabeza.

—Chorradas.

—Sé que lo son.

—No, no estoy hablando de si la verdad te da la libertad. Estoy hablando de tu mentira.

—¿Mi mentira? ¿Qué mentira?

—Vamos. Todo esto fue una trampa. Tú me tendiste la trampa.

—No lo entiendo.

—Me engañaste, Mick. Me acercaste el rastro a la nariz y supiste que al final lo seguiría hasta la prisión del condado y hablaría con Da'Quan. Sabías que tienen un testigo que derrumba su coartada. Pero tú ya conocías la historia real. Lo sabías todo.

Haller hizo una pausa para dar un bocado al segundo perrito caliente. Trató de sonreír con la boca llena. Tragó y se limpió la mostaza de la boca con una servilleta.

—¿Qué te parece si la próxima vez que me vayas a dar tu perrito no le pones tanta mostaza?

—Lo recordaré. No cambies de tema. Lo que no entiendo es que si Da'Quan te contó la verdad sobre su coartada, ¿por qué empezó mintiéndome a mí?

—Quizá al principio no se fiaba de ti. Quizá te estaba tomando la medida.

—Eso es otra chorrada. Pero hace que me pregunte por qué tú tampoco me lo dijiste. ¿También tenías que tomarme la medida?

—No, no, nada de eso. Lo hice porque necesitaba que te comprometieras.

—¿Que me comprometiera? Anda ya. Me utilizaste.

—Puede ser. O puede que te haya salvado.

—¿Salvarme de qué?

—Eres investigador de homicidios. El Departamento de Policía de Los Ángeles decidió que ya no te necesitaba. Hay gente que todavía te necesita.

Bosch negó con la cabeza y puso las manos boca arriba en la mesa.

—¿Por qué no me explicaste todo tal como es y que luego yo eligiera?

—¿Qué? ¿Quieres decir que te explicara que tenía a un tipo acusado del crimen más abyecto cometido en esta ciudad desde que mataron a Nicole Simpson y que resulta que su ADN se encontró en el cuerpo de la víctima y que ha tenido que mentir sobre su coartada porque su coartada real era que estaba en una habitación de motel con un travesti que usa el nombre de Sindy? Sí, supongo que habría funcionado si lo presentaba así.

Bosch no dijo nada, porque sentía que había algo más. Tenía razón.

—Y esta es la sorpresa. Esa coartada, por descabellada que sea, es imposible de probar ahora, porque a Sindy lo asesinaron en un callejón de Hollywood antes de que yo pudiera contactar con él.

Bosch se inclinó hacia delante mientras su cuerpo se tensaba. Foster no había mencionado ese dato.

—¿Cuándo fue eso? —preguntó.

—En marzo —dijo Haller.

—¿Antes o después de que Foster fuera detenido por lo de Parks?

—Después.

—¿Cuánto después?

—Unos días, creo.

Bosch reflexionó un momento antes de plantear la siguiente pregunta.

—¿Detuvieron a alguien por eso?

—No lo sé. No la última vez que lo comprobé. Por eso necesito un investigador, Harry. Un investigador de homicidios. Cisco estaba metiéndose en eso cuando se cayó de la moto y se jodió.

—Deberías haberme contado todo esto.

—Acabo de hacerlo.

—Debería haberlo sabido antes.

—Bueno, lo sabes todo ahora. ¿Cuento contigo o no?

14

Bosch pensaba que moriría pronto. No existía ninguna amenaza física o de salud que le hiciera creerlo. De hecho, se encontraba en buena forma para su edad. Había trabajado en un caso de homicidio años antes en el cual hubo un robo de material radiactivo. Había estado expuesto y fue tratado, la radiografía de pecho que le hacían dos veces al año se había reducido a un chequeo anual en los últimos años y siempre había salido limpio. No se trataba de eso ni de ninguna otra cosa relacionada con el trabajo que había ejercido durante más de tres décadas.

Era su hija la que le hacía pensar de esa forma. Bosch había sido un padre *a posteriori*. No supo que era padre hasta que su hija tenía casi cuatro años, y la niña no había ido a vivir con él hasta los trece. Solo habían pasado cinco años desde entonces, pero Bosch se había convencido de que los padres ven a sus hijos no como son sino como esperan que sean en el futuro. Felices, satisfechos, sin miedos. Cuando Maddie fue a vivir con él, Bosch no tuvo esta idea de entrada, pero enseguida llegó a esa conclusión. Cuando cerraba los ojos por la noche, la veía mayor: hermosa y confiada, feliz y sana. Sin miedo a nada.

Había pasado el tiempo y su hija había llegado a la edad de esa mujer joven que Bosch imaginaba. Pero su imaginación no fue más lejos. La visión no envejecía, y Harry creía que eso era porque uno de ellos no estaría allí para verla. No quería que fuera Maddie, así que se convenció de que sería él quien faltaría.

Cuando Bosch se fue a casa esa noche decidió que tenía que contarle a su hija lo que estaba haciendo. La puerta de su dormitorio estaba cerrada. Le envió un mensaje de texto y le pidió que saliera un rato a hablar.

Cuando Maddie salió de la habitación, ya tenía puesta la ropa de dormir.

—¿Estás bien? —preguntó Bosch.

—Claro —dijo ella—. ¿Por qué?

—No lo sé. Parece que te vayas a ir a dormir.

—Ya estoy lista. Quiero acostarme pronto para ganar horas de sueño.

—¿Qué significa eso?

—Ya sabes, es como hibernar. No creo que pueda dormir mucho cuando vayamos de acampada.

—¿Todavía no has terminado de prepararlo todo?

—Me quedan algunas cosas. ¿Qué pasa?

—¿Vas a cenar?

—No, estoy tratando de ser sana.

Bosch sabía que eso significaba que probablemente Maddie se había mirado en el espejo y, al ver algo que nadie más podía ver, había decidido que tenía que perder peso.

—Saltarse comidas no es sano, Maddie —dijo Bosch.

—Mira quién habla —replicó ella—. ¿Y todas las veces que estabas con un caso y no comías?

—Eso era porque no podía comprar comida o no tenía tiempo. Tú puedes comer y comer sano.

Maddie puso su cara de fin de la conversación.

—Papá, ya sé lo que hago. ¿No querías nada más?

Bosch torció el gesto.

—Bueno, sí —dijo él—. Iba a contarte algo sobre lo que estoy haciendo, pero puedo hacerlo más tarde.

—No, dime —se interesó Maddie, ansiosa por dejar de discutir sus hábitos alimentarios.

Bosch asintió.

—Vale —aceptó—. Bueno, ¿recuerdas que hace un tiempo estábamos hablando de mi trabajo y de que pensaba que lo que yo hacía (el trabajo de homicidios) era como una misión y que no podría trabajar para un abogado defensor como tu tío?

—Sí, claro —respondió Maddie—. ¿Por qué?

Bosch vaciló, pero decidió terminar de una vez.

—Bueno, quería contarte que Mickey acudió a mí con un caso —dijo—. Un caso de homicidio. Un caso en el que está convencido de que el cliente es inocente y le han tendido una trampa.

Se detuvo allí, pero Maddie siguió sin decir nada.

—Me ha pedido que estudie el caso —continuó—. Eh, para ver si hay pruebas de que le tendieron una trampa. Y, bueno…, he aceptado.

Maddie lo miró un buen rato y luego habló por fin.

—¿A quién mataron? —preguntó.

—A una mujer —contestó Bosch—. Fue brutal, espantoso.

—Dijiste que nunca podrías hacer esto.

—Sé lo que dije. Pero en este caso, pensé que si hay una posibilidad de que este hombre no lo hiciera, entonces el culpable sigue libre. Y eso me molesta, que alguien así pueda seguir libre en el mundo contigo y con todos los demás. Por eso le he dicho a Mickey hoy que lo investigaría. Y pensaba que deberías saberlo.

Maddie asintió y bajó la mirada. Eso le hizo más daño que lo que dijo a continuación.

—¿Está en la cárcel? —preguntó.

—Sí —respondió Bosch—. Hace dos meses.

—Así que lo contrario de lo que estás diciendo es que podrías estar trabajando para poner a una muy mala persona otra vez en el mundo conmigo y con todos los demás.

—No, Mads, no haría eso. Pararía antes de que eso pasara.

—Pero ¿cómo puedes estar seguro?

—Supongo que no se puede estar seguro de nada.

Maddie negó con la cabeza ante esa respuesta.

—Me voy a acostar —dijo. Le dio la espalda y dobló la esquina del pasillo.

—Vamos, Mads. No seas así. Hablemos de esto.

Bosch oyó que Maddie cerraba la puerta de su habitación y pasaba el cerrojo. Se quedó quieto y consideró la respuesta de su hija. Esperaba que la noticia de lo que estaba haciendo provocara una reacción negativa de sus conocidos en las fuerzas policiales. Pero no de su hija.

Decidió que él tampoco tenía ganas de cenar.

15

Bosch se levantó temprano para revisar sus notas y los informes del caso. Estaba esperando para llamar a Lucía Soto a las ocho y veinte en punto. Sabía que si no se había desviado de su rutina desde que había sido su compañera en sus últimos años en el Departamento de Policía de Los Ángeles, estaría de camino al Starbucks de la Primera, a una manzana del Edificio de Administración de la Policía.

La detective respondió enseguida.

—Soto.

—Lucía.

—Harry ¿qué pasa?

Bosch tenía el identificador de llamada de su teléfono bloqueado, así que ella todavía reconocía su voz o recordaba que era el único que la llamaba Lucía. Todos los demás la llamaban Lucy o Lucky o *Lucky* Lucy, nada de lo cual le importaba.

—¿Vas a buscar café?

—Cómo me conoces. Me alegro de oírte. ¿Cómo va la vida de retirado?

—Resulta que no tan retirado. Me estaba preguntando si podrías hacerme un favor cuando vuelvas a la brigada con tu café con leche.

—Claro, Harry, ¿qué necesitas?

—Antes de pedírtelo, quiero ser sincero contigo. Estoy investigando un caso para mi hermanastro.

—El abogado defensor.

—Sí, el abogado defensor.

—Que también es el tipo al que estás usando para demandar al departamento.

—Exacto.

Bosch esperó y hubo una larga pausa antes de que Soto respondiera.

—Vale. ¿Qué necesitas?

Bosch sonrió. Sabía que podía contar con ella.

—No necesito tu ayuda en el caso específico en el que estoy trabajando, pero hay otro caso que podría estar relacionado de alguna manera. Necesito un poco de información, saber de qué se trata.

Hizo una pausa para darle la oportunidad de retirarse, pero ella no dijo nada. Hasta el momento bien, pensó Bosch. No le cabía duda de que Soto le haría el favor, pero no quería que se sintiera comprometida o temiera que él podría ponerla en el punto de mira del departamento. Habían hablado pocas veces desde que él había salido de la Unidad de Casos Abiertos el año anterior, para no volver. Cuando Bosch la había llamado después de Año Nuevo para ver cómo le iba, había descubierto que Soto ya había sufrido alguna consecuencia de su partida.

El capitán de la unidad la había puesto de pareja con un detective veterano llamado Stanley O'Shaughnessy. Conocido como Stanley *el Quejica* por la mayoría de detectives de la División de Robos y Homicidios. O'Shaughnessy era el peor compañero que te podía tocar. No se esforzaba para resolver los asesinatos, pero era muy activo cuando se trataba de discutir lo que iba mal en el departamento y presentar demandas contra otros detectives y supervisores que sentía que le habían desairado. Era un hombre que dejaba que sus frustraciones y las decepciones de su vida y su carrera lo paralizaran. Por consiguiente, sus parejas nunca se quedaban mucho tiempo con él, a menos que no tuvieran alternativa. Soto, que ocupaba el lugar más bajo en el tótem de la división, probablemente se quedaría con Stanley *el Quejica* hasta que la siguiente ronda de ascensos llevara sangre nueva a la división, y eso solo en el caso de que el nuevo detective llevara menos años que ella en el departamento. Como Soto llevaba menos de ocho años en el cuerpo, las posibilidades de que eso ocurriera eran casi inexistentes. Estaba pillada y lo sabía. Pasaba los días en gran medida ocupándose de los casos por sí misma y solo llevaba a O'Shaughnessy cuando la normativa del departamento requería dos compañeros en una salida.

Todo eso se le había dispensado porque había sido compañera de Harry Bosch durante los últimos cuatro meses de la carrera de este y se había negado a declarar contra él en una investigación de Asuntos Internos instigada por el mismo capitán que asignaba los compañeros. Cuando Soto le había contado a Bosch su situación, lo único que él pudo hacer fue animarla a dejar atrás a O'Shaughnessy y salir a trabajar casos, patear la calle. Ella hizo eso y llamó varias veces a Bosch para recurrir a su experiencia y pedirle su consejo. Él había estado encantado de dárselo. Había sido una relación unidireccional hasta ese momento.

—¿Conoces los diarios de casos de la oficina del capitán? —preguntó.

—Claro —dijo ella.

—Estoy buscando uno. No tengo un nombre ni una fecha exacta, solo que fue en Hollywood y probablemente tuvo lugar la semana siguiente al 19 de marzo de este año.

—Vale, pero ¿por qué no miro en el SSC y lo hago rápido?

El SSC era el Sistema de Seguimiento de Crímenes del Departamento de Policía de Los Ángeles, al que podía acceder desde su ordenador. Pero para acceder al sistema tendría que utilizar su propia clave.

—No, no vayas al SSC —dijo Bosch—. No tengo ni idea de adónde llegará esto, así que, por si acaso, es mejor que no dejes ninguna huella digital.

—Entendido. ¿Algo más?

—No sé si constará en el diario, pero la víctima era una prostituta. Podría constar como travesti. Su nombre de calle era Sindy, S-i-n-d-y, y no sé nada más.

En la era de la compilación y almacenamiento de datos electrónicos, el Departamento de Policía de Los Ángeles todavía mantenía la tradición de anotar cada asesinato en un diario encuadernado en piel. El diario se había mantenido religiosamente desde el 9 de septiembre de 1899, cuando un hombre llamado Simon Christenson fue hallado muerto en un puente de ferrocarril del centro, el primer asesinato registrado en la historia del departamento. Los detectives de la época creían que Christenson había sido golpeado hasta la muerte y luego colocado en las vías para que un tren golpeara su cadáver y el asesinato pareciera un suicidio. El desvío de atención no funcionó, pero aun así nadie fue acusado del crimen.

Bosch leía los diarios con regularidad cuando trabajaba en Robos y Homicidios. Era una especie de afición, leer el párrafo o el par de ellos escritos sobre cada asesinato que se había registrado. Había memorizado el nombre de Christenson. No solo porque fuera el primer asesinato, sino también porque nunca se resolvió. Siempre había molestado a Bosch que no hubiera habido justicia para Simon Christenson.

—¿Qué le cuento al capitán? —preguntó Soto—. Puede que me pregunte por qué estoy examinando ese caso.

Bosch había previsto la pregunta antes de llamarla.

—No le digas que estás buscando un caso específico —contestó—. Saca el último diario y dile que estás tratando de mantenerte al día con lo que está pasando. Un montón de tipos miran esos libros. Yo los he leído todos al menos una vez.

—Vale, entendido. Deja que vaya a buscar mi café, y será lo primero que haga cuando vuelva.

—Gracias, Lucía.

Bosch colgó y pensó en los siguientes pasos. Si Lucía tenía éxito, tendría un punto de partida en el caso Sindy. Podría determinar si había alguna relación con Lexi Parks y si la coartada de Da'Quan Foster era real.

Mientras Harry esperaba la llamada de Soto, su hija salió del dormitorio vestida para irse al instituto, con la mochila colgada al hombro.

—Hola —dijo—. Llego tarde. —Cogió las llaves de la mesa que estaba junto a la puerta de entrada.

Bosch se levantó para seguirla.

—¿Tampoco vas a desayunar? —preguntó.

—No tengo tiempo —respondió, avanzando hacia la puerta.

—Maddie, estoy empezando a preocuparme con esto.

—No te preocupes. Solo preocúpate por ese asesino para el que trabajas.

—Oh, vamos, Mads. No seas tan dramática. Si es un asesino no irá a ninguna parte. Confía en mí, ¿vale?

—Vale. Adiós.

Salió y dejó que la puerta se cerrara ruidosamente detrás de ella. Bosch se quedó allí.

Después de una hora de esperar que Soto llamara, Bosch empezó a preocuparse de que algo hubiera ido mal con el capitán al entrar en su oficina para consultar el diario de crímenes. Empezó a pasear, preguntándose si debería llamar para ver cómo estaba, pero sabiendo que —si estaba en un aprieto con el capitán— una llamada inoportuna suya empeoraría las cosas. Además, si Soto estaba en un aprieto, no podía hacer nada al respecto. Ahora era un intruso.

Finalmente, después de otros veinte minutos, su teléfono sonó y Bosch vio en la pantalla que ella lo llamaba desde el teléfono de su escritorio. Había esperado que lo hiciera desde su móvil y desde fuera del edificio o al menos desde el lavabo de mujeres.

—¿Lucía?

—Hola, Harry. Tengo algo de información.

—Estás en tu escritorio. ¿Dónde está *el Quejica?*

—Oh, estará presentando una reclamación o algo. Ha entrado y luego se ha marchado misteriosamente sin decir nada. Lo hace a menudo.

—Bueno, al menos así no te incordia. ¿Has podido mirar el diario?

Bosch se sentó a la mesa del comedor y abrió su libreta. Sacó un bolígrafo y se preparó para escribir.

—Lo he hecho y estoy convencida de que he encontrado tu caso.

—¿No hay problema con el capitán?

—No, he hecho lo que me has dicho y él me lo ha dejado coger sin más. Ningún problema. Para disimular un poco me he llevado un par de diarios más. El primero es de mil ochocientos noventa y nueve.

—Simon Christenson.

—Dios, ¿cómo te acuerdas de eso?

—No lo sé. Me acuerdo. Lo mataron en un puente y nunca acusaron a nadie.

—No fue un buen inicio para el departamento, ¿eh?

—No, nada bueno. ¿Qué has encontrado para mí?

—21 de marzo, el cadáver de James Allen, varón blanco, de 26 años, fue hallado en un callejón de El Centro Avenue paralelo a Santa Monica Boulevard. Estaba detrás de un taller de coches. La víctima tenía varias detenciones por prostitución, posesión de drogas, lo habitual. Es todo lo que dice en el diario salvo que el caso fue asignado a los detectives Stotter y Karim de Robos y Homicidios.

Bosch paró de escribir. La División de Robos y Homicidios incluía las brigadas de detectives de elite que trabajaban desde el Edificio de Administración de la Policía y normalmente se ocupaba de casos delicados por sus implicaciones políticas o mediáticas o casos considerados demasiado complejos para brigadas de detectives de otras divisiones por la dedicación de tiempo que requerían. Mike Stotter y Ali Karim estaban asignados a Homicidios Especiales, la elite de la elite. A Bosch le pareció inusual que asignaran el asesinato de una prostituta de Hollywood a Robos y Homicidios. En un mundo perfecto, todas las víctimas de homicidio serían tratadas del mismo modo. Todo el mundo cuenta o nadie cuenta. Pero este no era un mundo perfecto y algunos homicidios eran más importantes que otros.

—¿Robos y Homicidios? —preguntó Bosch.

—Sí, a mí también me ha parecido extraño —dijo Soto—. Así que me he acercado a ese lado de la sala y, como Ali estaba en su mesa, le he preguntado a qué se debía. Me...

—Lucía, no deberías haberlo hecho. No puedes dejar que nadie sepa que tienes algún interés en este caso o te podría estallar en la cara. Ali va a saber que te envié yo.

—Harry, calma, no soy estúpida. Ten un poco de confianza, ¿vale? No fui en plan torpe a Homicidios Especiales y empecé a plantear preguntas sobre el caso. Además Ali y yo somos colegas. Lo llamaron la noche de mi movida en Rampart y se ocupó de la escena hasta que el equipo de tiroteos llegó allí. Fue muy amable conmigo esa noche, me calmó, me explicó cómo tratar con el equipo de tiroteos. Y cuando llegué aquí después de eso, fue una de las pocas personas que no me miró por encima del hombro, no sé si me explico. De hecho, solo Ali y tú, para ser exactos.

Soto estaba refiriéndose a su llegada a Robos y Homicidios y la Unidad de Casos Abiertos. Menos de dos años antes ella era una novata asignada a la patrulla en la División de Rampart. Pero su valor y su calma al sobrevivir a un tiroteo con cuatro atracadores armados que dejó a su compañero muerto la catapultó al foco de los medios. La apodaron *Lucky* Lucy en un artículo publicado por el *Times*, y el departamento enseguida se aprovechó de la escasa atención positiva que ella estaba atrayendo. El jefe de policía le ofreció un ascenso y le dijo que podía elegir puesto. Soto eligió la

Unidad de Casos Abiertos de la División de Robos y Homicidios y fue ascendida a detective antes de cumplir cinco años en el departamento.

A la prensa le encantó, pero las cosas no fueron tan sencillas con aquellos que llevaban años e incluso décadas esperando en el departamento un puesto en cualquier brigada de homicidios, ya no digamos en la División de Robos y Homicidios. Soto entró con esa mochila de hostilidad y tuvo que enfrentarse con una sala de brigada donde la mitad de sus colegas no creían que ese fuera su sitio o que se lo hubiera ganado. Mientras los medios la llamaban *Lucky* Lucy, algunos en Robos y Homicidios la llamaban FasTrak, como el pase electrónico que permite que los vehículos usen carriles rápidos para librarse del tráfico en las autopistas repletas de la ciudad.

—He sido sutil, Harry —dijo Soto—. Me he parado en su cubículo a charlar y, claro, tenía el expediente encima de la mesa. Le he preguntado en qué estaba trabajando y lo ha soltado. También le he preguntado qué era tan especial para que lo asignaran a Homicidios Especiales y dijo que el caso se lo pasaron a él y a Mike porque todos los demás en el West Bureau estaban ocupados en una jornada de formación la mañana en que encontraron el cadáver.

Bosch asintió. Tenía sentido. El índice de crímenes en la ciudad había descendido tanto en años recientes que muchos de los equipos de detectives de homicidios se habían fusionado. Homicidios de Hollywood había desaparecido y los pocos crímenes que se producían en la zona eran asignados a una brigada que trabajaba desde el West Bureau. Eso aumentaba las posibilidades de que los casos fueran enviados a Robos y Homicidios como respaldo o por algún conflicto. Bosch, una vez satisfecho de que el caso no hubiera captado ninguna atención inusual del departamento, quería saber lo que había descubierto Soto.

—Entonces ¿le has preguntado por el caso?

—Sí, le he preguntado y, bueno, Ali sabe contar historias. Me lo ha contado todo. La víctima era un travesti que tenía una habitación en el Haven House, cerca de Gower. Hay todo un libro sobre él en Antivicio de Hollywood.

—¿Dijo qué habitación?

—No lo dijo, pero vi las fotos. Habitación 6, planta baja.

—¿Cuál es su teoría?

—Ali dijo que suponían que probablemente tuvo mala suerte y probablemente lo mató algún cliente. No tienen sospechosos, pero creen que podría ser un asesino en serie.

—¿Dijo por qué pensaban eso?

—Sí, porque catorce meses antes, se cargaron a otro profesional y lo dejaron en el mismo callejón.

—¿Qué similitud tienen los casos?

—No se lo he preguntado.

—¿Le has preguntado por la causa de la muerte?

—No ha hecho falta. Ya te digo que Ali me ha enseñado las fotos. Al tipo lo estrangularon desde detrás con un cable. Una línea fina en la parte delantera del cuello. Le cortó la piel. Ali dijo que cuando miraron en la habitación de su motel encontraron una imagen enmarcada de Marilyn Monroe en el suelo, apoyada contra la pared. Vieron que había un clavo en la pared pero cuando miraron el cuadro, el cable para colgarlo no estaba. Creen que es lo que usó el asesino.

—¿Fue allí donde lo mataron? ¿En la habitación?

—Esa es la teoría. Ali dijo que no había signos de lucha en la habitación, pero el marco de cuadro sin el cable es una especie de señal. Cree que el cliente estuvo con la víctima allí y las cosas se torcieron y lo mató. Metió el cadáver en un coche y luego lo llevó al callejón donde lo dejó. Por el caso de catorce meses antes, pidieron un perfil a Comportamiento que dice que el asesino era probablemente un tipo con mujer e hijos en casa y que de alguna manera culpaba a la víctima de que él hubiera cruzado la línea con esa clase de actividad. Así que mató a Allen, lo dejó allí, y volvió a su vida normal en el valle de San Fernando o donde fuera. Puro psicópata.

Bosch no la corrigió, pero no creía que hubiera suficiente información en el perfil o en el sumario del caso para declarar al sospechoso un puro psicópata. Era la respuesta fácil de una detective joven. Pero sobre la base de los hechos que conocía, el asesinato parecía espontáneo. El asesino no había llevado un arma y no había otras pruebas de planificación previa. La posibilidad de que el asesinato de Allen estuviera relacionado con un crimen anterior era la única indicación real de psicopatía.

—Entonces ¿han relacionado oficialmente el caso con el de hace catorce meses? —preguntó.

—Todavía no —dijo Soto—. West Bureau aún se ocupa del primero. Ali dice que hay un poco de tira y afloja, pero que hay elementos de los casos que no coinciden.

No era inusual que los detectives de brigadas divisionales se resistieran a entregar sus casos a los peces gordos del centro. En homicidios no trabajaba gente tímida, sino investigadores seguros de sí mismos que creían que podían resolver cualquier caso, con el suficiente tiempo y apoyo.

—¿Ali dijo si encontraron ADN en el cadáver? —preguntó.

—No, nada de ADN directamente en el cuerpo. La víctima buscaba sexo seguro, vi fotos de la habitación y el tipo tenía un viejo dispensador de condones de tamaño industrial. Como los que usaban para poner regaliz y caramelos en la sala de espera de una clínica. Pero barrieron la habitación y encontraron lo que cabía esperar de una habitación así, una tonelada de pelos y fibras. Nada de eso ha llevado a ninguna parte.

Bosch pensó un momento en qué más podía preguntar. Sintió que había algo que se le había pasado, quizá una consecuencia de la información que ella acababa de darle. No se le ocurrió y decidió dejarlo ahí. Soto ya le había ayudado suficiente.

—Gracias, Lucía —dijo por fin—. Te debo una.

—De nada —dijo ella—. ¿Te ha ayudado?

Bosch asintió con la cabeza, aunque ella no podía verlo.

—Creo que sí.

—Pues llámame para comer un día.

—No sé si quieres que te vean conmigo. Soy *persona non grata*, ¿recuerdas?

—Que les den, Harry. Llámame.

Bosch rio.

—Lo haré.

16

Bosch leyó las notas que había tomado durante la llamada telefónica y trató de poner las cosas en contexto. Dos días después de que Da'Quan Foster fuera detenido por matar a Lexi Parks en West Hollywood, el hombre que afirmaba que era su coartada para el momento en que se cometió ese asesinato fue a su vez asesinado en Hollywood, posiblemente por un asesino en serie. No había ninguna prueba, ni ningún indicio, de que se tratara de nada más que de una funesta coincidencia: la profesión de Allen hacía que sus posibilidades de ser víctima de asesinato fueran más altas. Pero a Bosch no le gustaban las coincidencias.

El perfil de la víctima, la escena del crimen y el método utilizado eran diferentes en los dos crímenes, al menos hasta donde Bosch había visto en las fotos de uno y la descripción verbal del otro. Aun así, la posible conexión requería un mayor escrutinio. Bosch consideró lo que Lucía le había contado sobre la investigación del caso Allen. La habitación del motel había sido procesada por un equipo forense. Bosch se preguntó cuáles eran las posibilidades de que pelo o fibras dejados allí seis semanas antes por Foster hubieran sido recogidos durante el barrido de la habitación. ¿Y ADN? ¿Y huellas dactilares?

De todas formas, sabía que el período de seis semanas entre la muerte de Allen y la noche del asesinato de Lexi Parks haría que cualquier prueba fuera inconcluyente en términos legales. No sería viable para establecer una coartada y ningún juez la autorizaría. No habría forma de determinar cuándo llegó ese indicio a la habitación del motel. Pero Bosch no era un tribunal de justicia. Trabajaba por instinto. Si Da'Quan Foster había dejado alguna prueba microscópica en la habitación de motel de Allen, eso ayudaría mucho a convencer a Bosch de que el relato de su paradero la noche en que murió Lexi Parks era cierto.

Bosch se levantó de la mesa y fue a la terraza de atrás. Al abrir la puerta corredera de cristal le recibió el siempre presente sonido de la autovía al fondo del paso de Cahuenga. Apoyó los codos en la barandilla de madera y miró abajo, sin ver realmente el espectáculo de la autovía abarrotada. Estaba pensando. Lucía había dicho que Mike Stotter y Ali Karim habían solicitado un perfil psicológico. Quería leerlo, compararlo con el del caso Parks y ver si había algunos vínculos psicológicos entre los dos crímenes. El problema era que no podía acudir a Stotter y Karim sin revelar lo que tramaba y sabía que no podía volver a recurrir a Soto. Pedirle que hiciera algo más podría ponerla en peligro.

Bosch visualizó la enorme sala de brigada de la División de Robos y Homicidios y fue avanzando entre filas de cubículos, recordando quién se sentaba allí, tratando de visualizar la cara de alguien a quien pudiera recurrir para pedir ayuda. De repente, se dio cuenta de que estaba buscando donde no debía. Volvió a entrar y se dirigió a la mesa donde había dejado el teléfono.

Bajó por su lista de contactos hasta que llegó al nombre que buscaba. Llamó calculando que tendría que dejar un mensaje y le sorprendió que contestaran la llamada.

—Doctora Hinojos.

—Doctora, soy Harry Bosch.

—Vaya, Harry... ¿cómo está? ¿Cómo va la jubilación?

—Eh, la jubilación no está tan mal. ¿Cómo está?

—Estoy bien, pero muy enfadada con usted.

—¿Conmigo? ¿Por qué?

—No recibí una invitación a su cena de despedida. Pensaba que seguro que...

—Doctora, no invité a nadie a mi cena de jubilación. No hubo cena.

—¿Qué? ¿Por qué no? Todos los detectives hacen una fiesta de despedida.

—En la que la gente siempre cuenta historias que todos los demás han oído cien veces antes. No quería eso. Además, no me fui de buenas. No quería poner a nadie en un compromiso al pedirle que viniera a mi fiesta de jubilación.

—Estoy segura de que habrían ido todos. ¿Cómo está su hija?

—Está bien. En realidad es el motivo de mi llamada.

Bosch e Hinojos se conocían desde hacía veinte años. Ella era jefa de la Unidad de Ciencias del Comportamiento, pero cuando empezaron a tratarse era la psiquiatra del departamento encargada de determinar si Bosch estaba apto para volver al trabajo después de que este incurriera en una suspensión al empujar a un supervisor por una ventana de cristal por interferir en el interrogatorio de Bosch a un sospechoso de asesinato. No fue esa la última vez que Hinojos tuvo que examinarlo para autorizar su vuelta al trabajo.

Su relación continuó de otra manera cinco años antes cuando Maddie llegó a Los Ángeles para vivir con Bosch y trató de superar la pena que la envolvía después de la muerte de su madre. Hinojos había ofrecido gratuitamente sus servicios y fueron esas sesiones de terapia las que ayudaron a Maddie a superar finalmente el trauma. Bosch estaba en deuda con Hinojos a muchos niveles y a pesar de eso iba a intentar usarla de manera solapada. Le hizo sentirse culpable antes de empezar.

—¿Quiere venir y hablar? —preguntó Hinojos—. Miraré mi agenda.

—En realidad no, la verdad es que no necesita hablar —dijo Bosch—. Irá a la facultad en septiembre. A Chapman, en Orange.

—Buena facultad. ¿Qué va a estudiar?

—Psicología. Quiere ser como usted, criminóloga.

—Bueno, para mí los perfiles son solo una parte del trabajo, pero he de decir que me halaga.

Bosch no había mentido hasta ese momento. Y lo que estaba a punto de pedir podía defenderlo hasta cierto punto. Haría lo que decía, si Hinojos aceptaba.

—Bueno, estaba pensando —dijo— que la mayor parte de lo que conoce Maddie es de ver la tele y leer libros, pero nunca ha visto un perfil de un caso real. Por eso llamaba. Me preguntaba si tendría algunos perfiles de casos recientes que pudiera dejarme para que se los muestre. Bueno, puede cambiar los nombres o lo que tenga que hacer. Solo me gustaría que viera realmente una de estas cosas para que pueda tener una idea más clara de cómo es el trabajo.

Hinojos se tomó un momento para contestar.

—Bueno —contestó por fin—, creo que podría preparar algo. Pero ¿está seguro de que está lista para esto, Harry? Ya sabe que estos perfiles son muy detallados y no se quedan cortos al describir los aspectos más atroces de estos casos. Las agresiones sexuales en particular. No son explícitos de forma gratuita, pero los detalles son importantes.

—Eso lo sé —dijo Bosch—. Solo me preocupa que Maddie pudiera no comprender de qué se trata. Se ha visto de un tirón dieciséis temporadas de *Ley y orden* y cosas parecidas y ahora quiere ser criminóloga. Quiero que lo tenga claro y que no piense que es como un programa de la tele.

Bosch esperó.

—Déjeme ver qué puedo preparar —accedió Hinojos—. Deme hasta el final del día. En realidad está siendo una temporada tranquila con los perfiles, pero hemos tenido algunos casos este año. Y podría mirar también en los archivos. Quizá sería mejor sacarlos de casos cerrados.

Bosch no quería eso.

—Como prefiera, doctora —dijo—. Pero creo que cuanto más reciente, mejor. No sé, mostraría cómo se hace y cómo se prepara ahora mismo. Sin embargo, lo dejo a su criterio y Maddie estará muy agradecida de lo que pueda conseguirle. Me aseguraré de que la llama para contarle lo que piensa.

—Espero que esto la ayude a tomar su decisión —dijo Hinojos.

—¿La llamo después?

—Claro, Harry.

17

Bosch llegaba tarde a su cita cuando aparcó delante de la casa en Orlando. Supuestamente tenía que ver a la agente inmobiliaria que vendía la vivienda donde Lexi Parks fue asesinada, pero no vio ningún coche en el sendero ni nadie esperando cerca de la puerta de entrada. Pensó que tal vez la mujer había venido y se había ido al ver que él no llegaba a tiempo.

Bosch bajó del coche y marcó el número que figuraba debajo del nombre de la agente en el letrero de venta. La mujer respondió enseguida.

—Taylor Mitchell.

—¿Señora Mitchell? Soy Harry Bosch. Estoy en la casa de Orlando y creo que se me ha escapado. Siento llegar tan tarde. He quedado atrapado con...

Bosch en realidad no tenía una excusa válida y no se había tomado tiempo para pensar en una. Recurrió a la más fiable.

—... el tráfico de esta mañana.

—Oh, no se preocupe por eso —dijo la mujer con alegría—. Y no me he escapado. Estoy esperándole dentro de la casa.

Bosch cruzó la calle hacia la casa.

—Ah, vale —dijo—. Yo también estoy aquí y no veía ningún coche ni nadie alrededor. Pensaba que se había marchado.

—Vivo en el barrio y he venido caminando. Le recibiré en la puerta.

—Hasta ahora.

Bosch colgó y entró a través del arco cortado en el seto alto que rodeaba la casa. Estaba subiendo los tres escalones del porche cuando una mujer joven con el cabello rubio rojizo abrió la puerta. Era atractiva, con una sonrisa sincera. Le tendió la mano y lo invitó a pasar.

—Gracias por recibirme. Siento haber avisado con tan poca antelación —dijo Bosch.

—No hay problema —respondió ella—. Como le decía, vivo cerca. Trabajo desde casa la mayor parte de los días y en este caso era muy fácil acercarme.

Bosch se volvió y asimiló lo que podía ver de la casa desde la zona de entrada.

—Deje que se la muestre —sugirió Mitchell.

Empezaron en la sala de estar y se dirigieron hacia los dormitorios de la parte de atrás. La casa estaba amueblada, pero no daba la impresión de que viviera nadie. Ninguno de los signos de ocupación diaria eran visibles. No había fotos en la repisa de la chimenea ni lista de la compra sujeta con un imán en la nevera. Bosch se preguntó si Vincent Harrick, el marido de Lexi Parks, se había mudado.

Finalmente, Mitchell continuó con la visita llevando a Bosch por el pasillo hacia los dormitorios. Primero entraron en la habitación que se había convertido en una oficina. Simulando estar interesado en el espacio de almacenamiento que ofrecía, Bosch abrió las puertas correderas del armario para examinarlo. Daba la impresión de que no habían tocado el armario desde que se habían tomado las fotos de la escena del crimen. Lo más notable, el estuche de cuero marrón del reloj continuaba en el estante superior. Bosch se apartó, pero dejó las puertas del armario abiertas por si acaso tenía la oportunidad de separarse de Mitchell y examinar su contenido.

Caminando en círculos por el cuarto, actuando como si estuviera captando una sensación como potencial comprador, se acercó al diploma enmarcado colgado en la pared de al lado del escritorio. Se comportó como si estuviera leyendo con desinterés los detalles del título de Alexandra Parks, pero en realidad estaba mirando la tarjeta de identificación del jurado, tratando de ver si había algún identificador.

Al mirar más de cerca se dio cuenta de que la tarjeta no era real. Era una fotocopia de una etiqueta de jurado auténtica que se había usado en una broma o tal vez en una presentación del trabajo y Parks la había guardado como recuerdo. Escrito a lápiz, invisible en la foto de la escena del crimen, alguien había escrito:

Alexandra Parks
Juez y jurado

Bosch no estaba seguro de para qué se había usado la tarjeta, pero la descartó como una vía de investigación. También se dio cuenta de que debía a Cornell y Schmidt, los investigadores del sheriff, una disculpa mental por haber cuestionado su competencia cuando estaba revisando las fotos de la escena del crimen.

La siguiente parada fue en el dormitorio de invitados. Allí Bosch vio señales de vida. La cama estaba hecha, pero no muy bien, como si se hubiera hecho con rapidez, y Bosch vio un par de sandalias de ducha asomando por debajo. En la cómoda, había un cepillo de dientes y unas monedas en un platito. Bosch suponía que Harrick podría estar usando la habitación de invitados porque el asesinato se había producido en la principal.

Comprobó también el tamaño del armario de esa habitación, aunque no estaba tan interesado en su contenido.

Al retroceder hacia el pasillo, Mitchell habló por fin de lo que había ocurrido en el dormitorio del fondo.

—Tengo que contarle algo de la siguiente habitación —confesó—. Hubo un crimen, una mujer murió en esta habitación.

Se acercaron a la habitación que Bosch había visto en las fotos de la escena del crimen. Pero estaba completamente vacía. Habían retirado todos los muebles, y las puertas dobles del armario, abiertas de par en par, revelaban que ese espacio también estaba vacío. Bosch se sintió decepcionado. Su propósito al visitar la escena del crimen era absorberla y crearse una composición espacial de las cosas. Iba a resultarle difícil, porque estaba en medio de una habitación vacía.

—¿En serio? —preguntó—. ¿Un crimen? ¿Qué ocurrió?

—Bueno, la mujer que vivía aquí estaba durmiendo y un hombre entró y la mató —dijo Mitchell—, pero lo detuvieron y está en la cárcel, así que no hay de qué preocuparse en ese sentido.

Bosch notó el olor de pintura fresca en la habitación. Las manchas de salpicaduras de sangre en la pared de detrás de la cama y en el techo se habían cubierto.

—¿El asesino la conocía? —preguntó—. ¿Quién era?

—No, fue una cosa aleatoria. Era un pandillero del centro o algo así. De todas formas, comprendemos que algo así es desconcertante. Por eso el precio de la propiedad es el que es. No sería ético ocultar la historia.

—¿Cuándo ocurrió?

—Este año.

—Uf, es reciente. ¿Y usted conocía a la mujer? Como ha dicho que es del barrio y eso…

—Sí. Le vendí esta casa a ella y a su marido hace cuatro años. Lexi era una gran persona y es espantoso lo que ocurrió. Horrible. ¡Podría haberme pasado a mí! Vivo a una manzana.

—Sí, llamarlo violencia aleatoria no necesariamente hace que uno se sienta mejor.

—No, supongo que no. Pero puedo asegurarle que este siempre ha sido un barrio muy seguro. Mis hijos juegan con sus amigos en el jardín delantero. Lo que ocurrió aquí fue realmente una aberración.

—Entiendo.

—¿Quiere ver el porche de atrás? Hay una barbacoa incorporada que le encantará.

—Enseguida. Quiero tomar las medidas de las habitaciones para ver si me cabe todo lo que tengo.

Bosch se colocó en el lugar donde sabía que había estado la cama. Recurriendo a su recuerdo de las fotos de la escena del crimen, se quedó en el lugar donde fue hallada la víctima, en el lado derecho de la cama. Examinó la habitación, mirando lo que habría visto Lexi Parks. Había dos ventanas en la pared de enfrente, que ofrecían vistas del patio lateral y el seto. Cerró un momento los ojos para concentrarse y asimilarlo.

—Señor Bosch, ¿se encuentra bien?

Bosch abrió los ojos. La mujer lo estaba mirando.

—Sí. ¿No tendrá por casualidad una cinta métrica?

—Puede que tenga una en el maletero; oh, vaya, no he venido en coche. Lo siento. Pero tengo las dimensiones en la hoja de datos. Hay una pila en la cocina.

—Tendré que conformarme con eso pues.

La mujer se dirigió a la puerta y extendió el brazo para que Bosch saliera de la habitación delante de ella. Bosch entró en el pasillo y empezó a volver hacia la cocina. Cuando llegó a la puerta del despacho, hizo una pausa para dejarla pasar.

—Quiero mirar esta habitación otra vez —pidió—. Tengo dos hijas y si una tiene una habitación más grande que la otra voy a tener un problema.

—Por supuesto —accedió ella—. Iré a buscar la hoja.

Mitchell continuó por el pasillo y Bosch entró en el despacho. Se acercó rápidamente al armario abierto y cogió el estuche del reloj. Se dio cuenta de que parecería un ladrón si Mitchell volvía y lo encontraba con él en la mano. Trató de abrirlo con rapidez pero la fina artesanía de la caja hacía que fuera difícil hacerlo. Por fin se dio cuenta de que el panel central se abría como un cajón.

Oyó la voz de Mitchell desde la cocina. Estaba hablando excitadamente con alguien. Bosch pensó que era una llamada telefónica, pero entonces oyó el sonido grave de una voz de hombre en respuesta. Había alguien más en la casa con ellos.

En cuanto abrió la caja, Bosch vio que no contenía ningún reloj. Había un acolchado de terciopelo marrón donde debería haber estado el reloj cuando no se llevaba puesto. Pero no había nada, solo un librito de instrucciones y un sobrecito cuadrado en el que habían escrito a mano con tinta.

Recibo. ¡No lo mires! (A menos que vayas a devolverlo ☹ *)*

Bosch se puso rápidamente el estuche bajo la axila y abrió el sobre. Sacó el recibo y lo desdobló. El reloj había sido fabricado por Audemars Piguet y comprado en una joyería de Sunset Boulevard llamada Nelson Grant & Sons. El modelo se llamaba Royal Oak Offshore y había costado 6.322 dólares cuando se compró en diciembre de 2014. El nombre del comprador que figuraba en el recibo era el de Vincent Harrick.

Bosch supuso que el reloj había sido adquirido por Harrick para regalárselo a su mujer en Navidad. Se planteó brevemente cómo un agente del sheriff podía permitirse un reloj tan caro, pero la pregunta no se elevó a la categoría de sospecha. La gente hacía toda clase de concesiones al amor, y las decisiones relacionadas con el dinero eran las menos importantes.

Enseguida volvió a poner el recibo en el sobre y lo dejó en su sitio. Empujó el panel central del estuche para cerrarlo y oyó el zumbido de la salida de aire. Volvió a dejar el estuche en su sitio en el estante y se apartó. Estaba en medio de la habitación cuando entró Mitchell con la hoja de datos.

—Aquí dice que las dos habitaciones son de cuatro veinte por tres sesenta —confirmó—. Probablemente esta se ve más pequeña por la estantería.

Bosch miró los estantes de detrás del escritorio y asintió.

—Ah, vale —dijo—. Eso tiene sentido.

Mitchell le pasó la hoja. Bosch la miró como si estuviera auténticamente interesado.

—¿Quiere ver la barbacoa ahora? —preguntó ella.

—Claro —dijo Bosch—. Pero ¿hay alguien aquí? La he oído hablar.

—Era el propietario. Pensaba que ya habríamos terminado, pero le he dicho que hemos empezado tarde.

—Oh, puedo marcharme.

—No, está bien. No le importa. Vamos a la terraza.

Bosch la siguió por la casa hasta la puerta corredera de la cocina. No vio a Harrick en ninguna parte. Salieron a una terraza de tablones con una celosía cubierta por una enredadera para proteger del sol y una barbacoa de obra. La barbacoa se encontraba en buen estado, aunque no parecía que se hubiera utilizado en mucho tiempo. El patio de atrás era pequeño pero íntimo. El seto delantero recorría los laterales y giraba para delimitar la parte posterior de la propiedad dando intimidad al patio y a la parte de atrás de la casa.

—Probablemente hay el espacio justo para un *jacuzzi* si estuviera interesado —sugirió Mitchell.

—Sí, pero me pregunto cómo lo meterían aquí —dijo Bosch—. Tirando el seto supongo.

—No, con una grúa. Es lo que hacen siempre.

Detrás de Bosch oyó que la puerta de cristal se abría.

—¿Taylor? —dijo un hombre—. ¿Puedo hablar contigo un momento?

—Claro —respondió Mitchell.

Bosch se volvió y vio a Vincent Harrick junto a la puerta abierta. Lo saludó con la cabeza y el viudo le devolvió el saludo.

—Lo siento. No la entretendré mucho —dijo Harrick.

—No importa —dijo Bosch.

Mitchell entró y Harrick cerró la puerta, con lo que Bosch no pudo oír su conversación. Empezó a notar que el sudor se formaba en su cuero cabelludo. Temía haber puesto el reloj en una mala posición o que lo hubieran visto de algún modo.

Antes de que pudiera seguir preocupándose por el tema, la puerta corredera se abrió y Mitchell volvió a salir.

—Bueno, ¿qué le parece? —preguntó.

Bosch asintió.

—Es bonita —dijo—. Muy bonita. Tendré que pensarlo y hablar con mis hijas.

Miró a la cocina a través del cristal al hablar, pero no vio a Harrick.

—La llamaré mañana —dijo.

—Avíseme si las niñas quieren venir a verla —ofreció Mitchell con alegría—. Estoy a solo una manzana y no me cuesta nada.

—Fantástico.

Bosch se dirigió a la puerta. Todavía sostenía la hoja de datos. La dobló en vertical y se la guardó en el bolsillo de la cazadora. Dudó antes de volver a entrar en la casa.

—¿Cree que debería rodear la casa para no molestar al propietario? —preguntó.

—Oh, se ha ido —dijo Mitchell—. Cuando le dije que no habíamos terminado, me ha dicho que iba a ir a buscar algo al supermercado.

Mitchell se acercó a Bosch y abrió la puerta corredera. Él entró y recorrió la casa hasta la puerta de entrada. A continuación le dio otra vez las gracias y salió.

Al pasar por el arco tallado en el seto y llegar a la acera, Bosch vio a un hombre apoyado en su Cherokee al otro lado de la calle. Era Harrick y estaba esperándolo con los brazos cruzados sobre el pecho.

Bosch cruzó la calle hacia su coche, sin saber cómo iba a manejar una situación que podría ponerse fea.

—Bosch, ¿no? —dijo Harrick.

—Exacto —dijo Bosch—. Siento haber tardado tanto...

—Ahórrese las tonterías.

Bosch se detuvo delante de él. No tenía mucho sentido continuar el juego porque Harrick no iba a creerlo. Bosch levantó las manos como para decir «me ha pillado».

135

—Pensaba que era un puto periodista —dijo Harrick—. Un coche de mierda como este, no puede pagar una casa así. Así que he mirado su matrícula y está protegida por el departamento de policía. He hecho un par de llamadas y tengo la historia. Policía retirado. Policía de homicidios retirado. Así que dígame, detective Bosch, ¿qué está haciendo en mi casa?

Bosch sabía que la situación podía torcerse muy pronto. Estaba actuando como una extensión de la defensa de Haller de Da'Quan Foster. Una queja que cuestionara la ética de su estratagema con Taylor Mitchell ante un juez podría suponer un revés para Haller. Tenía que salvarlo de alguna manera.

—Miré, seré sincero con usted —dijo él—. Alguien que tiene razones para creer que tendieron una trampa a Da'Quan Foster y que él no mató a su mujer me ha pedido que examine el caso en privado.

Los ojos de Harrick desaparecieron en una mueca. Su tez rubicunda adoptó un tono más oscuro.

—¿De qué coño está hablando? —dijo—. ¿Quién tiene razones para creer eso?

—No puedo decírselo —dijo Bosch—. Es una cuestión de confidencialidad del cliente. Accedí a investigar el caso y quería ver la escena del crimen. Le pido disculpas. No esperaba que estuviera aquí y tuviera que enfrentarse a esto. Fue un error.

Antes de que Harrick pudiera responder, Mitchell los llamó desde el otro lado de la calle al salir de la casa.

—¿Me necesitan para algo, caballeros?

Tanto Bosch como Harrick se volvieron hacia ella.

—Estamos bien, Taylor —le respondió Harrick en voz alta—. Gracias.

Añadió un saludo con la mano para que continuara. Estaba a una casa de la esquina. En cuanto llegó allí, Mitchell giró a la izquierda y se perdió de vista.

—Ponga las manos en el capó —dijo Harrick.

—¿Disculpe? —preguntó Bosch.

—En el capó. Póngase en posición.

—No, no voy a hacer eso.

—¿Quiere ir al calabozo, Bosch?

—Puede llevarme al calabozo, pero no creo que me quede mucho tiempo. No he cometido ningún delito.

—Usted decide. Pone las manos en el capó para que pueda cachearle. O va al calabozo. —Harrick sacó el teléfono del bolsillo y se preparó para hacer una llamada.

—Estoy desarmado —dijo Bosch y dio un paso adelante, puso las manos en el capó delantero y separó los pies.

Harrick cacheó rápidamente a Bosch y no encontró armas. A Bosch no le gustaba el rumbo que estaba tomando la situación. Tenía que cambiarlo.

—¿Qué pasó con el reloj de su mujer? —preguntó.

Las manos de Harrick se congelaron un momento mientras estaban palpando la parte delantera de los pantalones de Bosch. Entonces se puso recto, agarró a Bosch del brazo y lo apartó del capó del coche.

—¿Qué ha dicho? —preguntó Harrick.

—El reloj de su mujer —dijo Bosch con calma—. El que le regaló. El Audemars Piguet (no sé si lo pronuncio bien). No estaba en su muñeca y no estaba en ningún informe de propiedad de la escena del crimen. No apareció en el registro de la casa, estudio y furgoneta de Da'Quan Foster. Tampoco está en su estuche. Entonces ¿qué le pasó?

Harrick dio medio paso atrás al considerar lo que Bosch acababa de decir. Bosch lo reconoció como un movimiento para crear espacio entre ellos y como un potencial preludio a un puñetazo. Se preparó para bloquearlo, pero Harrick logró controlar su rabia y no llegó a asestar el golpe.

—Lárguese —dijo Harrick—. No sabe de qué está hablando. Fuera de aquí.

Bosch buscó las llaves en el bolsillo y rodeó el coche hasta la parte delantera. Cuando llegó a la puerta del conductor miró a Harrick, que no se había movido.

—No importa para quién trabajo si estoy tratando de descubrir la verdad —dijo—. Si Foster no lo hizo, alguien lo hizo. Y sigue libre. Piénselo.

Harrick negó con la cabeza.

—¿Quién coño se cree, Batman? —dijo—. No sabe de qué está hablando. El reloj estaba roto. Lo estaban arreglando. No tiene nada que ver con esto.

—Entonces ¿dónde está? ¿Ya lo tiene?

Harrick abrió la boca para decir algo, pero hizo una pausa y negó con la cabeza.

—No voy a hablar con usted. —Se volvió, comprobó que no venía ningún coche y cruzó la calle hacia su casa.

Bosch lo observó desaparecer a través del arco del seto, luego se metió en el Cherokee y se alejó. Golpeó enfadado el volante con la palma de la mano. Era consciente de que su anonimato en el caso había terminado. Harrick no sabía para quién trabajaba Bosch, pero pronto lo descubriría. Podría presentarse una queja. Ocurriera eso o no, Bosch tenía que prepararse para la arremetida de rabia que se le venía encima.

18

El Haven House era un viejo motel de dos plantas con anuncios de neón que prometían HBO y Wi-Fi gratis. Era la clase de local que probablemente ya parecía raído el día que abrió en la década de 1940 y solo había ido cuesta abajo desde entonces. Uno de esos moteles que servían de refugio de último recurso antes de que el coche se convirtiera en domicilio principal. Bosch entró en el aparcamiento de al lado de Santa Monica y siguió avanzando despacio. El motel estaba situado en lo que se conocía por su forma como una parcela de bandera. La estrecha entrada en Santa Monica Boulevard era el asta de la bandera, que conducía a una parte mucho más ancha de la propiedad que se extendía detrás de otros comercios. Esto concedía al aparcamiento trasero y a las habitaciones del motel una intimidad significativa. No era de extrañar que se hubiera convertido en un lugar preferido de gente que participaba en transacciones sexuales ilícitas.

Bosch vio un 6 pintado en una puerta y aparcó delante. Se dio cuenta de que iba a dar la misma clase de paso que cuando trabajaba en Casos Abiertos: visitar la escena del crimen mucho después de que el crimen se hubiera cometido. Harry lo llamaba buscar fantasmas. Creía que cada asesinato dejaba un rastro en el entorno, por mucho tiempo que hubiera pasado.

En este caso solo habían transcurrido unos meses, pero eso bastaba para convertirlo en un caso paralizado.

Bosch bajó y miró a su alrededor. Había unos cuantos coches en el aparcamiento, que estaba rodeado por las fachadas traseras sin ventanas de los negocios que daban a Santa Monica en un lado y por un edificio de apartamentos en forma de L en los otros dos. Había una fila de cipreses altos que servían de barrera entre el estacionamiento y el edificio de apartamentos. El cuarto lado estaba bordeado por una cerca de madera que recorría el patio de atrás de una residencia privada.

Bosch pensó en el informe de Lucía Soto sobre el caso de James Allen. La hipótesis consistía en que Allen había sido asesinado en la habitación 6 y después su cuerpo se había sacado y arrojado en el callejón de El Centro. Dejando de lado la cuestión de por qué trasladaron el cadáver, Bosch vio que esa operación podía llevarse a cabo sin correr un gran riesgo. En plena noche, el aparcamiento estaría desierto y no podría verse desde el bulevar. Bosch miró alrededor en busca de cámaras, pero no vio ninguna. No era la clase de lugar donde los clientes quisieran ser fotografiados.

Bosch rodeó la esquina hasta la oficina, en la fachada del edificio. La oficina no estaba abierta al público. La puerta tenía un estante debajo de una ventanilla corredera. Había un timbre allí y Bosch lo presionó tres veces en rápida sucesión con la palma de la mano. Esperó y estaba a punto de pulsarlo de nuevo cuando un hombre asiático abrió la ventanilla y miró a Bosch con ojos llorosos.

—Necesito una habitación —dijo Bosch—. Quiero la número 6.

—Entrada a las tres —dijo el hombre.

Faltaban cuatro horas. Bosch miró el aparcamiento y vio un total de seis coches, incluido el suyo. Miró otra vez al hombre.

—La necesito ahora. ¿Cuánto?

—Entrada a las tres, salida a las doce del mediodía. Son las normas.

—¿Y si me registré ayer a las tres y salgo hoy a mediodía?

El hombre lo estudió. Bosch no parecía un cliente como los demás.

—¿Es policía?

Bosch negó con la cabeza.

—No, no soy policía. Solo quiero mirar la habitación 6. ¿Cuánto? Saldré a las doce. Menos de una hora.

—Cuarenta dólares.

—Hecho.

Bosch sacó los billetes.

—Sesenta —dijo el hombre.

Bosch levantó la mirada del dinero y comunicó en silencio el mensaje de que estaba jugando con quien no debía.

—Vale, cuarenta —dijo el hombre.

Bosch puso dos billetes de veinte en la ventanilla del mostrador. El hombre deslizó una tarjeta de 7,5 × 12,5 pero no pidió identificación formal que confirmara la información que Bosch rápidamente escribió en ella.

El hombre le pasó a continuación una llave unida a un trozo de plástico en forma de diamante con el número 6.

—Una hora —dijo.

Bosch asintió y cogió la llave.

—Claro —dijo.

Volvió a rodear la esquina del edificio y abrió la habitación 6. Entró y cerró la puerta tras de sí. Se quedó allí, asimilando toda la estancia. En lo primero en que se fijó fue en la decoloración rectangular en la pared donde obviamente había estado colgado el cuadro de Marilyn Monroe. Había desaparecido; muy probablemente se lo habían llevado como prueba.

Volvió la cabeza y examinó la habitación con calma, buscando cualquier cosa inusual en ella y memorizando bien los muebles gastados y las cortinas descoloridas. Cualquier cosa que hubiera pertenecido a James Allen había desaparecido hacía mucho. Era solo una habitación vacía con sus muebles envejecidos. Resultaba deprimente pensar que alguien había vivido allí. Más todavía pensar que alguien podría haber muerto allí.

Sonó su teléfono y vio que era Haller.

—Sí.

—¿Dónde estamos?

—¿Estamos? Estamos en una habitación cutrísima en un motel de mierda de Hollywood. El sitio donde Da'Quan afirma que estuvo cuando Lexi Parks fue asesinada.

—¿Y?

—Y nada. Un montón de nada. Podría haber ayudado si hubiera marcado sus iniciales en la cabecera de la cama o si hubiera hecho un grafiti de la banda en la cortina de la ducha. Ya sabes, para demostrar que estuvo aquí.

—Quería decir: «¿Y qué estás haciendo ahí?».

—Mi trabajo. Cubrirlo todo. Absorber. Pensar. Buscar fantasmas.

Las palabras de Bosch sonaron bruscas. No le gustó la interrupción. Estaba en medio de un proceso establecido. También estaba enfadado consigo mismo por lo que tenía que decir a continuación.

—Mira, puede que haya patinado.

—¿Qué?

—Me presenté como un posible comprador y estuve en la casa de la víctima para echar un vistazo.

—¿Y buscar fantasmas? ¿Qué ocurrió?

—Su marido, el ayudante del sheriff, llegó y comprobó mi matrícula porque creía que era periodista o algo por el estilo. Y descubrió que era un policía retirado y que estaba trabajando en el caso.

—Eso no es un patinazo. Es una cagada en toda regla. ¿Sabes que si el tipo denuncia, yo terminaré ante el juez?

—Lo sé. He patinado, la he cagado. Solo quería ver...

—Seguro. Pero ahora ya no podemos hacer nada. ¿Ahora qué? ¿Por qué estás en el motel?

—Por la misma razón.

—Fantasmas. ¿En serio?

—Cuando investigo un asesinato, quiero estar donde se produjo el crimen o donde podría haberse producido.

Hubo una pausa antes de que Haller respondiera.

—Entonces supongo que te dejaré hacerlo —dijo.

—Te llamo luego —dijo Bosch.

Bosch colgó y continuó mirando la habitación hasta que finalmente se acercó a la cama.

Treinta minutos más tarde, salió de la habitación igual que cuando había entrado. Si había quedado algo para probar que Da'Quan Foster estuvo allí la noche del asesinato de Lexi Parks había sido barrido por el equipo de ciencia forense. Al dirigirse a su coche, Bosch se preguntó si había podido quedar algo más que indicios forenses para ayudar a Foster. Al fin y al cabo, James Allen se prostituía. Y muchas prostitutas tenían registros. En estos tiempos digitales, la libretita negra de una prostituta era probablemente un teléfono móvil negro. Después de su conversación con Ali Karim, Soto no había mencionado nada sobre la recuperación de un teléfono móvil en el cadáver o en la habitación 6.

Bosch se desvió y volvió a la ventanilla de la oficina. Pulsó otra vez el timbre y el mismo hombre abrió la ventanilla. Bosch dejó la llave en el mostrador.

—Me voy —dijo—. Ni siquiera tiene que hacer la cama.

—Vale, muy bien, gracias —dijo el hombre.

Empezó a cerrar la ventanilla, pero Bosch la bloqueó con la mano.

—Espere un segundo —dijo—. El hombre que tenía esta habitación en marzo fue asesinado, ¿lo recuerda?

—No asesinaron a nadie aquí.

—No aquí. O tal vez no aquí. Su cuerpo lo encontraron en un callejón. Pero tenía la habitación 6 y la policía vino a investigar. James Allen. ¿Lo recuerda ahora?

—No, aquí no.

—Sí, aquí. Mire, estoy tratando de descubrir lo que ocurrió con todas sus pertenencias. Su propiedad. La policía se lleva cosas, eso lo sé. ¿Se lo llevó todo?

—No, vinieron sus amigos. Se llevaron ropa y cosas.

—¿Amigos? ¿Le dieron algún nombre?

—No, no hay nombres aquí.

—¿Hacían lo mismo que él? ¿Están aquí?

—A veces se quedan aquí.

—¿Hay alguno de ellos aquí ahora?

—No, ahora no. No hay nadie aquí.

Bosch sacó su libreta y anotó su nombre y su número. Arrancó la hoja y se la pasó a través de la ventanilla.

—Si alguno de sus amigos vuelve, me llama y le pagaré.

—¿Cuánto me pagará?

—Cincuenta pavos.

—Pague ahora.

—No, pagaré cuando me diga que están aquí.

Bosch tamborileó con los nudillos en el estante de debajo de la ventana y se volvió hacia el aparcamiento. Dobló la esquina y se metió en su coche. Antes de arrancar, llamó a Haller, que contestó de inmediato.

—Hemos de hablar.

—Tiene gracia, porque te he llamado hace media hora y estaba claro que no querías hablar conmigo.

—Eso ha sido antes. Hemos de hablar de los siguientes pasos. Esto es tu película y no quiero hacer algo que estropee las cosas en el juicio.

—¿Quieres decir como que te pillen fisgoneando en la casa de la víctima?

—Te he dicho que fue un error. No volverá a ocurrir. Por eso te llamo.

—¿Has descubierto algo?

—No, nada. Todavía necesito mirar la calle, pero por el momento nada. Estoy hablando de otras cosas. El siguiente paso, si lo das tú en el tribunal o lo doy yo aquí.

—Suena misterioso. ¿Dónde estás? Puedo ir ahora.

—En Santa Monica. Cerca de Gower. He de trabajarme un poco la calle.

—Iré hacia allí. ¿Vas en el Cherokee? ¿El que dices que es un clásico?

—Sí, y lo es.

Bosch colgó y arrancó el coche. Condujo hasta la salida del aparcamiento del motel en Santa Monica e hizo una pausa allí mientras miraba a la derecha y luego a la izquierda a los pequeños comercios que se sucedían en el bulevar de cuatro carriles. Había una mezcla de negocios industriales y comerciales. Varios de los grandes estudios estaban cerca, veía la famosa torre de agua de la Paramount que se alzaba detrás de las tiendas que daban a Santa Monica. Eso significaba que también había toda clase de negocios en el barrio que vivían de los restos de los monstruos —fabricantes de atrezo, tiendas de disfraces, alquiler de cámaras y equipo—, entremezclados con la habitual variedad de locales de comida rápida. Había un autolavado de coches, y al otro lado de la calle y a media manzana estaba la entrada a Hollywood Forever, el que había sido el cementerio de las estrellas.

Bosch asintió. El cementerio era su mejor pista. Sabía que Rodolfo Valentino estaba enterrado allí, igual que muchos otros grandes pioneros de Hollywood, como Douglas Fairbanks Jr., Cecil B. DeMille y John Huston. Muchos años antes, Bosch había investigado un caso de suicidio en Hollywood Forever. La víctima era una mujer que se tumbó encima de la cripta de Tyrone Power y se cortó las venas de la muñeca. Antes de morir, la mujer había logrado escribir su nombre con sangre debajo del nombre del actor en la lápida. Bosch calculó la edad de la mujer muerta y determinó que había nacido cinco años después de la muerte de Power. El caso parecía subrayar lo que muchos sabían en el trabajo de homicidios: la locura no se puede explicar.

Bosch sabía que en cualquier ciudad del país el cementerio local atraía a cierta clase de gente rara. En Hollywood, esa atracción se ampliaba de manera exponencial, porque había tumbas con nombres famosos grabados en ellas. Eso significaba que habría seguridad. Y eso significaba cámaras. La mujer que se suicidó en la cripta de Tyrone Power lo hizo bajo una cámara. El problema era que nadie estaba mirando las imágenes y se desangró.

Cuando el tráfico se despejó momentáneamente, Bosch salió del aparcamiento hacia la izquierda y condujo hacia Hollywood Forever. El cementerio estaba rodeado por un muro de piedra de dos metros y medio, solo interrumpido por los carriles de entrada y salida. Cuando Bosch aparcó, vio cámaras fijadas a los muros y enfocadas a los carriles de coches. Bosch no podía saber con ese vistazo rápido si estaban en posición para grabar también actividades a media manzana de distancia en Santa Monica Boulevard, pero reconoció que las cámaras estaban colocadas en posiciones claramente visibles para que actuaran como factor disuasorio además de como dispositivo de grabación. Estaba interesado en ellas, pero también en las cámaras que nadie podía ver.

Una vez que pasó el muro, Harry vio una zona de aparcamiento y un complejo que incluía la oficina del cementerio, así como una capilla y una sala de exposición de ataúdes y lápidas. Era un negocio completo. Detrás, se extendía el cementerio, que quedaba dividido en secciones por varias sendas circulables y otras zonas de aparcamiento más pequeñas. Bosch divisó por encima de la pared del fondo los escenarios gigantes de Paramount Studios y su famosa torre de agua. Vio cámaras en la torre.

Había varios coches aparcados en diversas secciones del cementerio y gente moviéndose entre las lápidas. Era un día ajetreado. Bosch también vio un minibús turístico de Hollywood que pasaba lentamente junto a uno de los monumentos más grandes. Estaba pintado de un color chillón, con el techo abierto para ofrecer un espectáculo al aire libre desde las seis filas de asientos que había detrás del conductor. El minibús iba repleto de turistas. Bosch bajó la ventanilla y oyó la voz amplificada del guía resonando en los mausoleos y transmitiéndose por las filas de piedras.

«Mickey Rooney es el último grande de Hollywood en unirse a los demás aquí, en Hollywood Forever, el lugar de reposo de las estrellas...».

Bosch volvió a subir la ventanilla y bajó del coche. De camino a la oficina llamó a Haller y le dijo dónde iba a estar.

El hombre a cargo de la seguridad en Hollywood Forever se llamaba Óscar Gascón. Era un expolicía, pero se había retirado hacía tanto tiempo que no tenía sentido cruzar nombres para ver quién conocía a quién. Bosch se contentó con la conexión entre expolicías y esperaba que eso le sirviera de ayuda. Fue directo al grano.

—Estoy trabajando en un caso, tratando de establecer una coartada para alguien acusado de un crimen.

—¿Qué, aquí?

—No, en realidad calle abajo, en el Haven House.

—¿Ese antro? Deberían derribarlo.

—Eso no lo discutiré.

—Entonces ¿qué tiene que ver HoFo con ello?

Bosch tardó un momento en traducir HoFo en Hollywood Forever. Estaban en la minúscula oficina de Gascón, sentados uno a cada lado de un mesita que servía de escritorio. Había una pila de folletos que mostraban lápidas y estatuas, y Bosch comprendió que Gascón no solo era director de seguridad del lugar. También se ocupaba de las ventas.

—Bueno, en realidad, nada, pero estoy interesado en sus cámaras —dijo Bosch—. Me preguntaba si alguna de ellas grababa la fachada del Haven House calle abajo.

Gascón silbó como si Bosch acabara de pedir la luna y las estrellas en una caja y con un lazo.

—¿De qué fecha estamos hablando? —preguntó.

—9 de febrero —dijo Bosch—. ¿Guardan vídeos de hace tanto tiempo?

Gascón asintió y dio unos golpecitos en la pantalla de un viejo ordenador en una segunda mesa que tenía a su lado.

—Sí, tenemos copia de seguridad en la nube —dijo—. El seguro nos hace guardar un año entero. Pero no lo sé. Está a una manzana. Dudo que se vea algo enfocado de tan lejos.

Se detuvo y esperó. Bosch sabía lo que estaba haciendo. Cogió uno de los folletos y lo miró.

—¿También vende esto? —preguntó.

—Sí, es un extra —dijo Gascón.

—¿Cuánto saca por uno de estos como vendedor?

—Depende de la lápida. Saqué mil pavos por la estatua de Johnny Ramone. Hubo que diseñarla y fue un pedido especial.

Bosch volvió a dejar el folleto.

—Mire —dijo—, mi jefe está de camino para reunirse conmigo. Estaría dispuesto a comprar una lápida si hay algo que nos sirva en las cámaras.

Los hombres se estudiaron el uno al otro. Gascón parecía muy interesado por la perspectiva de ganar dinero.

—¿Tiene acceso a la cámara de la torre Paramount? —preguntó Bosch—. Parece que está enfocada hacia aquí.

—Sí, es nuestra —dijo Gascón—. Necesitábamos una perspectiva general. Tenemos un acuerdo conjunto con ellos. Ellos también tienen acceso a ella.

Bosch asintió.

—Bueno, ¿echamos un vistazo? —preguntó.

—Sí, claro —dijo Gascón—. ¿Por qué no? No está pasando nada por aquí. O sea, está todo muerto.

Bosch no dijo nada.

—¿Lo pilla? —preguntó Gascón.

Bosch asintió. Estaba seguro de que Gascón usaba esa broma siempre que podía.

—Sí, lo pillo —respondió.

Gascón se volvió al ordenador y se puso a trabajar. Estaba escribiendo órdenes. Bosch adoptó un tono desenfadado y cotilla cuando planteó la siguiente pregunta.

—¿Sabía que hubo un asesinato en el Haven House en marzo?

—Quizá lo hubo —dijo Gascón—. Los polis que vinieron aquí dijeron que no estaban seguros de dónde ocurrió, pero que el tipo que mataron vivía allí. Dijeron que era un dragón.

Era un viejo término del departamento para referirse a una *drag queen*. La palabra se aplicaba a todo el rango de clasificaciones diferentes que iban de travesti a transgénero. Incluso a veces se había utilizado en los informes, algo que hoy en día causaría una protesta. La mención de Gascón hizo que Bosch recordara que los informes oficiales de la policía a menudo abreviaban *drag queen* como DQ. Se preguntó si eso era conocido por Da'Quan Foster y era el motivo de su apodo.

—¿Así que también vinieron a mirar el vídeo? —preguntó Bosch.

—Sí, estuvieron aquí —dijo Gascón—. Pero como descubrirá usted no se ve mucho de ese lugar en nuestras cámaras.

Bosch esperó a Haller en el aparcamiento. Quería hablar con él antes de volver a entrar para hablar con Gascón y reproducir el vídeo otra vez.

Cuando el Lincoln aparcó por fin, Bosch vio que Haller iba en el asiento de atrás. Sacó su maletín.

—Tienes chófer —dijo Bosch.

—Por fuerza —dijo Haller—. Me han suspendido el carné por ese pequeño incidente con los polis de la otra noche. ¿Por qué nos reunimos en un cementerio?

Bosch señaló la extensión del cementerio hasta la pared del fondo. La torre de agua de Paramount Studios era la estructura de perfil más alto detrás de la pared.

—Cámaras —dijo—. Tienen un acuerdo de seguridad recíproco con la Paramount aquí. Tú me cubres la espalda, yo te la cubro a ti. Hay una cámara en esa torre. Abarca todo el cementerio y algo más.

Se dirigieron a la puerta de la oficina.

—Vas a tener que comprarle una lápida a este tipo —susurró Bosch.

Haller se paró en seco.

—¿Qué?

—Para que coopere. Yo ya no tengo placa, lo sabes. Él vende lápidas para sacarse un extra y le dije que si cooperaba comprarías una.

—Para empezar ¿para qué quiero una lápida? ¿Qué nombre pondría en ella? Y segundo y más importante, no podemos pagar a testigos potenciales. ¿Sabes cómo se vería eso en el tribunal?

—No importa. Lo que importa es el vídeo.

—Pero podría necesitarlo para introducir el vídeo en el juicio. Para autentificarlo. ¿Te das cuenta? Y no quiero que el fiscal le pregunte cuánto le pagamos. No queda bien ante el jurado.

—Mira, si no quieres comprar una lápida, no compres una lápida, pero el hombre necesita que lo compensen por su cooperación. Lo que tiene es importante. Cambia cosas.

Cinco minutos más tarde, Bosch y Haller estaban de pie detrás de Gascón, que estaba sentado manipulando el vídeo en reproducción de la cámara de la torre de agua de la Paramount.

En la pantalla estaba el cementerio entero. Era una macroimagen de seguridad. Los confines de la imagen se extendían a Santa Monica Boulevard. En la esquina superior izquierda se veía la entrada de Santa Monica al motel Haven House. La imagen no llegaba a mostrar el motel ni su aparcamiento trasero. Un código a lo largo de la imagen inferior mostraba la hora 21:44 del 9 de febrero de 2015.

—Vale ¿qué estoy mirando? —preguntó Haller.

Bosch señaló los detalles.

—Esto es Santa Monica Boulevard y esto es la entrada al Haven House, donde DQ dice que estuvo la noche del 9.

—Vale.

—El Haven House está en una parcela en bandera. ¿Sabes lo que es?

—Sí.

—Bueno, este es el único punto de acceso y salida. Entras y pasas junto a la oficina y el aparcamiento está en la parte de atrás, al lado de las habitaciones. Muy privado.

—Entiendo.

—Vale, ahora observa esta furgoneta. Adelante, Óscar.

Gascón puso en marcha el vídeo. Bosch se estiró sobre su hombro para señalar la furgoneta blanca que circulaba en dirección oeste por Santa Monica. Estaba cruzando delante del cementerio. Añadió el comentario.

—Los informes que me diste decían que el sheriff confiscó y registró una Ford Econoline blanca de Foster del año 93 y no encontraron ninguna prueba del caso. Eso de la pantalla es una Ford Econoline blanca. Lo sé por las luces. No puedo saber el año, pero no es nueva. Gira en el Haven House a las 21:45 del 9 de febrero.

—Vale, esto está bien.

—Óscar, salta.

Gascón puso la reproducción en velocidad rápida y observaron el tráfico en Santa Monica acelerado y los minutos en el contador pasando como segundos hasta que Gascón frenó la reproducción en el punto de las 23:40.

—Mira ahora —dijo Bosch.

A las 23:43 la furgoneta volvió a aparecer en la imagen, esperando a girar a la izquierda desde el aparcamiento del motel. Finalmente hubo un hueco en el tráfico y la furgoneta salió del aparcamiento del motel y se dirigió al este por Santa Monica, volviendo por donde había venido.

—Si tu cliente venía de su estudio, habría tomado la 110 hasta la 101 y luego habría salido en Santa Monica —dijo Bosch—. Habría conducido al oeste hasta el motel y luego al este de vuelta.

—¿El Departamento del Sheriff tiene esto? —preguntó Haller.

—Todavía no —contestó Bosch.

—Hemos de confirmar que es la furgoneta de Foster —dijo Haller.

—Óscar, ¿puede hacer una copia de esto? Mickey, tendrás que encontrar a alguien que lo mejore.

—Tengo una persona.

—¿Y yo? —preguntó Óscar sin apartar los ojos de la pantalla.

—¿A usted qué le pasa? —dijo Haller—. El señor Bosch habló demasiado deprisa. No quiero comprar una lápida. No me serviría de mucho, pero tengo un USB en mi llavero y, si copia el vídeo en él, le pagaré por su tiempo. Y le pagaré bien.

Bosch asintió. Era la mejor manera de hacerlo.

—Claro, creo que eso servirá —dijo Gascón.

Haller miró a Bosch al sacar sus llaves.

—Esperaré fuera mientras hablan de negocios —comentó Bosch.

19

Bosch estaba de pie al borde de una de las parcelas de césped del cementerio, mirando la tumba de Mel Blanc, la voz de más de mil dibujos animados. En la lápida decía: «¡Esto es todo, amigos!».

Se volvió cuando Haller se acercó después de salir de la oficina.

—Buen material —dijo Haller.

—¿Cuánto le has pagado? —preguntó Bosch.

—Doscientos. Una ganga si tuviera un cliente de pago.

—Tal vez deberías haberle ofrecido una pintura.

—Gascón no me ha parecido un amante del arte.

Empezaron a caminar a través del cementerio sin ninguna dirección clara más que la de intentar quedarse entre las tumbas si era posible.

—El informe del forense sitúa la hora de la muerte entre las diez y la medianoche —dijo Haller—. Argumentarán que es una ventana inexacta y que Foster todavía tenía el tiempo justo.

—Y un jurado sabrá que lo están exagerando —dijo Bosch—. Además, si estuvo dos horas con el travesti, ¿cuál es la motivación para subirse a una furgoneta y apresurarse a West Hollywood para violar y matar a Lexi Parks? Aparte de eso, va en dirección contraria (se aleja de West Hollywood) cuando sale.

—Lo sé, lo sé. Solo estoy buscando todos los argumentos que tiene la acusación. Hay un montón de vehículos que entran y salen del motel en el vídeo. Dirán que podría haberse metido en otro coche para ir a cometer el crimen.

Bosch no discutió. Pensó que había hecho un hallazgo significativo con el vídeo. De pronto, la excitación se estaba disipando.

—Solo estoy diciendo que hemos de estar preparados para todo —dijo Haller—. Aun así, prefiero tener este vídeo que no tenerlo.

Bosch asintió.

—¿Cuánto tiempo van a necesitar para analizar el vídeo?

—No lo sé, pero me pondré ahora mismo.

—Bien.

Caminaron un rato en silencio. Bosch iba leyendo los nombres de las lápidas, pero sin asimilarlos.

—Bueno, ¿qué estás pensando? —preguntó Haller.

—Estoy pensando mucho —dijo Bosch—. Un montón de posibilidades. Un montón de escenarios. Tengo que ver el expediente de James Allen.

Haller asintió.

—Pasaron la aspiradora en la habitación —informó—. Pelo, fibras, huellas dactilares. Podrían tener pruebas que sitúen a Da'Quan en esa habitación.

—Exacto. Y con la furgoneta en el vídeo, se puede fijar a ese día: 9 de febrero.

—Muy bien. Por eso acudí a ti, Harry.

—Creo que acudiste a mí porque sabías que trabajaría gratis.

—Tonterías. Vas a cobrar. Eres un mecenas del arte.

—Sí, tonterías, tonterías. Tu investigador habría llegado al mismo punto tarde o temprano.

—Tal vez.

—Bueno, ¿cómo quieres hacer esto? Si vas al tribunal y pides acceso a los análisis forenses del caso Allen, mostrarás la mano a la fiscalía. ¿Te parece bien eso?

—Nunca me gusta enseñar nada a la acusación. Veamos qué consigue mi chica del vídeo con la furgoneta antes de dar el siguiente paso y anunciar lo que estamos haciendo.

Bosch asintió.

—Es cosa tuya. Estoy pensando que probablemente es una posibilidad muy remota, sobre todo lo de las huellas. Si mataron a Allen en esa habitación, el asesino podría haberla limpiado. De hecho, seguramente lo hiciera. Si hubiera huellas en esa habitación que coincidieran con las de Foster, deberían haber ido a visitarlo a la prisión del condado para preguntarle qué sabía de Allen.

—O hablaron con el sheriff antes y decidieron no meterse. No era posible que hubiera sido DQ porque estaba en prisión.

—Hablas como un auténtico abogado defensor. Buscando siempre la conspiración.

—Te vendría bien empezar a pensar de esa forma.

—Tal vez.

Eso pareció poner fin a la conversación, pero siguieron caminando. Pasaron junto a un monumento con un ángel arrodillado encima. Tenía las alas rotas y recortadas de haber sido previamente derribado, por vándalos y terremotos.

Bosch habló por fin.

—Por ahora, puedo intentar echar un vistazo al sumario de Allen por una vía trasera. Intentaré ser discreto.

—Vale. Ten cuidado.

—Creo que hay algo más que deberías hacer.

—¿Qué?

—La empresa que te hace los análisis de ADN. Mira si pueden examinar la muestra para IUC.

—¿Qué es IUC?

—Indicios de uso de condón.

—No te sigo.

—Si la ciencia es sólida y tu laboratorio confirma el resultado de la fiscalía, necesitarás explicar cómo llegó el ADN de Foster a la escena del crimen. Tendrás que explicar la trampa. Si tu cliente es inocente, ¿cómo consiguieron su ADN y cómo lo transportaron?

Haller dejó de caminar al considerar esto.

—Joder —dijo—. Me gusta. Podría hacer grandes cosas con eso en el tribunal, Bosch. Me gusta mucho.

—Bueno, que no te guste tanto todavía —matizó Bosch—. Faltan partes. Un montón de partes. Pero estoy trabajando en eso.

—¿El laboratorio del sheriff no comprobó ese IUC?

—No. Los laboratorios del sheriff y de la policía están en el mismo edificio. Sé que no forma parte del protocolo de ADN de ninguno. Cuesta demasiado caro. Así que solo se hace bajo solicitud y en esos casos se externaliza. La única vez que tuve un caso donde necesitamos que comprobaran el IUC, la muestra se envió a un laboratorio de San Diego al experto en la materia. Un tipo llamado Blackledge. Pero me enteré de que se había jubilado.

—Un montón de tipos que se jubilan en el sector público terminan trabajando en el sector privado.

—Tal vez sea lo que esté haciendo.

Haller asintió. Tenía el rastro en la nariz e iba a seguirlo.

—¿Adónde vas desde aquí? —preguntó—. ¿A revisar el callejón donde dejaron a Allen?

Bosch negó con la cabeza. Se fijó en que un pavo real los estaba siguiendo por el cementerio.

—No sin ver las fotos de la escena del crimen —dijo—. No sirve de nada ir allí hasta que conozca la disposición de la escena. Pero no te preocupes, estoy ocupado. Todavía hay mucho que puedo hacer en el caso Parks.

Pensó por un instante en el estuche de reloj vacío. La explicación de Harrick le molestaba. Si el reloj estaba roto y lo estaban arreglando, ¿por qué el estuche seguía en la casa?

—No estoy preocupado —dijo Haller.

Haller bajó la mirada y vio una placa conmemorativa en la hierba en el lugar donde se había detenido.

—Mira eso —dijo—. Carl Switzer. Alfalfa en *La pandilla*. Veía las reposiciones de niño.

—Sí, yo también —dijo Bosch.

Haller señaló las fechas con el dedo de su zapato lustrado.

—Murió joven. Treinta y un años.

—Le dispararon en una pelea por un perro en el valle de San Fernando.

Haller miró de la lápida a Bosch.

—¿Estás de broma?

—No, es lo que ocurrió. Y nunca acusaron a nadie, lo consideraron homicidio justificado.

—No, me refiero a que... ¿cómo demonios sabes eso?

—Está en los diarios de homicidios que guardaban en el Edificio de Administración de la Policía. Los leía mientras esperaba que llegaran casos.

—¿Estás diciendo que leías los diarios de casos de homicidios y recuerdas los detalles de un crimen de 1959?

—No los recuerdo todos, pero algunos sí. Has de recordarlo cuando se trata de Alfalfa.

—Joder, Bosch, no estoy seguro de que esto de la jubilación vaya a ser lo tuyo.

—Ya, veremos.

Se volvieron y se dirigieron a sus coches.

20

Ellis y Long vigilaban el cementerio aparcados en el lado norte de Santa Monica Boulevard. Long estaba enviando un mensaje de texto a alguien en su móvil, pero Ellis mantenía la vigilancia. Tenía los prismáticos en el regazo y de vez en cuando los levantaba para ver de cerca a Bosch y Haller.

A Ellis le fascinaba Bosch y lo que estaba haciendo. Habían investigado al hombre y habían descubierto que era casi una leyenda en el departamento. Y ahí estaba. Trabajando en un caso para un abogado defensor de mierda. Ya no quedaba lealtad. Nadie tenía una brújula moral.

—¿Qué crees que están haciendo? —preguntó Long sin levantar la mirada de la pantalla de su móvil.

—Hablar de lo que han encontrado en la oficina —dijo Ellis.

—¿Qué es?

—Supongo que un vídeo. Hay una cámara en la torre de agua de la Paramount.

Eso captó la atención de Long y levantó la mirada de su teléfono.

—Joder. Crees...

—No lo sé. No hay forma de saberlo a menos que entremos y hagamos las mismas preguntas que han hecho ellos. Pero no podemos. Así que estamos vigilando.

—Joder, no entiendo nada.

—No me digas.

—Se van.

—Tengo ojos.

—¿Nos quedamos con el pintor?

Long había empezado a llamar así a Bosch por su nombre. Eso molestaba a Ellis.

—Nos quedamos con Bosch —dijo.

—Apuesto a que sé adónde va —aventuró Long.

—¿Adónde?

—Al callejón. Es el siguiente paso lógico.

—Tal vez. Este tipo es diferente.

—¿Cuándo vamos a hablar de sacarlo de en medio?

—No. Ya eliminamos al primero. Si lo hacemos con los dos investigadores del mismo caso, no parecerá una coincidencia. Hemos de pensar otra cosa.

Long se equivocaba. Bosch salió del cementerio y giró al este por Santa Monica. Ellis tenía su coche encarado hacia la otra dirección y tuvo que hacer una maniobra para seguirlo.

Siguieron a Bosch al este por Santa Monica hasta que giró por Normandie y se dirigió al sur. El tráfico era terrible como de costumbre y no hablaron durante veinte minutos, hasta que Bosch giró a la derecha por Wilshire y casi de inmediato se metió en el garaje de un gris edificio de oficinas en Koreatown.

—¿Qué cojones...? —dijo Long.

—Va a Comportamiento —dijo Ellis.

—Sí, pero está retirado.

—Probablemente algún tipo de terapia posjubilación. Mató a un montón de gente. A lo largo de los años.

—El campeón reinante hasta que entregó la placa.

—Oficialmente, al menos.

Los dos sonrieron al mismo tiempo. Ellis pasó junto al coche de Bosch y luego se detuvo media manzana calle abajo. Empezó a colocar los espejos parar poder controlar el coche de Bosch.

—¿Quieres que entre? —preguntó Long.

—No, quédate —dijo Ellis—. Esto será rápido.

—¿Cómo lo sabes?

—No ha puesto dinero en el parquímetro. Ahora es un ciudadano y tiene que cumplir. Así que habrá entrado a buscar una receta o algo.

—Viagra.

Ellis notó que su teléfono vibraba. Miró la pantalla. Era el teniente González.

—Es Gonzo —dijo, haciendo una señal a Long para que estuviera callado.

Cerró el coche y respondió.

—Hola, teniente.

—¿En qué andas, Ellis?

—Vigilando la ubicación de las sospechosas. Como nos ordenaron.

—¿Alguna cosa?

—Todavía no.

—¿Están en casa? ¿No trabajan en el valle?

—Eso no se ha confirmado, teniente. La denuncia usa la expresión «día y noche». Estaba pensando que si no vemos alguna señal de vida pronto, discurriremos algo y llamaremos a la puerta.

—Mira, no quiero que la caguéis. Si no están allí, hemos de pasar a otra cosa. Estoy pensado que estéis un día más con esto, y si no, los asustáis, que se larguen a West Hollywood y que se ocupe el sheriff.

—Sí, señor. Parece un buen plan.

—Y llamad de cuando en cuando, Ellis. No debería tener que perseguiros.

—Sí, señor. Desde luego.

—Y dile a tu compañero que se limpie la sonrisa de comemierda de la cara.

González colgó. Ellis bajó el teléfono, miró a Long y vio que de verdad estaba sonriendo.

—Gonzo te ha calado, compañero. Será mejor que tengas cuidado con eso.

—Desde luego.

Long rio mientras Ellis negaba con la cabeza. Ellis vio entonces que Bosch salía por la puerta de cristal de la zona de ascensores.

—Ha vuelto —dijo.

Observó en el espejo retrovisor mientras Bosch volvía a su coche.

—Lleva una carpeta —dijo—. No una receta.

—¿De qué color? —preguntó Long.

—Normal.

—¿Qué es normal?

—Papel manila.

—No es un informe de psiquiatra. Esos los ponen en azul.

Mientras Ellis observaba, el coche de Bosch arrancó, hizo un giro de ciento ochenta grados en Hill y se dirigió otra vez hacia la autovía. Ellis puso el motor en marcha.

Después de seguir a Bosch a Woodrow Wilson Drive, abandonaron la vigilancia para evitar que los detectaran. No necesitaban quedarse todo el tiempo porque habían puesto un LoJack en su Cherokee la noche anterior. Long se había colocado debajo con una plataforma rodante y había colgado el localizador GPS. Había configurado la aplicación en su móvil para que lo alertara si el vehículo se movía.

Imaginaban que Bosch se quedaría en su casa unas horas, y eso les daría la oportunidad de bajar a Crescent Arms, donde se suponía que debían estar en una misión de vigilancia.

Ellis y Long se referían al objeto de su supuesta vigilancia como las Gemelas Subeybaja. Eso era por la forma en que sus cabezas subían y bajaban al unísono durante una doble felación en uno de los vídeos que habían colgado en Internet. Eran dos chicas del porno que se habían mudado a un apartamento de dos habitaciones en Crescent Arms dos meses antes. Anteriormente habían colgado diversos vídeos cortos en sitios porno gratuitos de Internet. Estos servían para establecer sus credenciales y atraer visitantes a su web, donde había ventanas de pago que permitían a los seguidores contactar en directo. Había un proceso de veto personal en ese punto diseñado para descartar peticiones de policías, y, finalmente, se hacían invitaciones y los seguidores más intrépidos podían pagar por un encuentro cara a cara con una artista o las dos y todo el abandono sexual que eso conllevaría. Algunos clientes habían llegado de lugares tan remotos como Japón para retozar con las chicas. La mayoría de ellos no sabían que estaban siendo grabados en vídeo en secreto desde el momento en que entraban en el apartamento hasta el momento en que salían.

El problema con el montaje era que el negocio les iba muy bien e invariablemente demasiados hombres entraban y salían del apartamento a todas horas del día y de la noche. En cuestión de días, los otros inquilinos del complejo de apartamentos se fijaron en este tráfico. En cuestión de semanas hubo quejas a la administración y al cabo de un mes el problema había captado la atención del Departamento de Policía de Los Ángeles. Era un ciclo constante. Las chicas del porno, cuyos nombres artísticos eran Ashley Juggs y Annie Minx, se habían mudado de casa cada ocho semanas como promedio en el último año. Encontrar sitios nuevos para montar la operación se había convertido en una tarea interminable para Ellis y Long. Asegurarse de que eran ellos los que se ocupaban de las denuncias cuando estas llegaban a la unidad de antivicio también era exigente. Pero la operación era demasiado lucrativa para abandonarla.

El Crescent Arms era un edificio de apartamentos de dos plantas con un patio interior y escaleras y pasarelas en el lado exterior.

Cuando Ellis y Long llegaron al apartamento 2B, Ellis usó una llave para abrir la puerta sin llamar. Una de las Gemelas Subeybaja estaba sentada en el sofá mirando un programa de televenta en la pantalla plana. No pareció sorprendida de verlos. Siguió mirando la pantalla, donde había una cuenta atrás de ventas de una batidora que podía comprarse en tres cómodos plazos.

—¿Dónde está Ashley? —preguntó Ellis.

—Soy Ashley —dijo la mujer.

—Lo siento. ¿Dónde está Annie?

—En su dormitorio.

—¿Tiene una cita? No he visto el osito.

El procedimiento era que ponían un osito de peluche en la ventana de al lado de la puerta cuando el apartamento era zona prohibida por la visita de un cliente.

—No, creo que está durmiendo —dijo Ashley.

—Bueno, ve a buscarla —ordenó Ellis.

—Rapidito —apremió Long.

Ashley se levantó del sofá. Solo llevaba una camiseta rosa que apenas le cubría la entrepierna depilada. En la camiseta se leía Porn Star y las letras se extendían por debajo de sus pechos antinaturalmente grandes. Enseguida desapareció en un pasillo que conducía a las habitaciones del fondo. Ellis y Long no hablaron mientras esperaban. Ellis pasó por encima de una mesa de Ikea colocada delante del sofá y apagó la televisión con el mando a distancia. Luego se dirigió al armario que había junto a la puerta de entrada, lo abrió con la llave y vio el equipo de vigilancia apilado en un estante de acero. Había una pantalla de nueve pulgadas arriba y pudo retroceder y reproducir el vídeo de vigilancia de las citas más recientes de las gemelas. Cada uno de sus dormitorios estaba equipado con cámaras *pinhole,* una en el ventilador del techo, la otra en el falso termostato de la pared, al lado de la puerta. Había dos cámaras más ocultas en el salón.

Ellis puso el reproductor en velocidad rápida para pasar todas las escenas de sexo. A intervalos detenía la grabación y congelaba la imagen para poder echar un vistazo al cliente. Normalmente hacía esto cuando el hombre todavía estaba vestido, para buscar pistas que le permitieran juzgar su riqueza y su profesión. Todo eso se perdía cuando los tipos se desnudaban. Normalmente, los ricos eran gordos y feos. Ellis necesitaba verlos con su ropa y su seguridad. También buscaba anillos de boda o marcas en los dedos donde recientemente hubiera habido anillos.

Long se acercó y miró por encima de su hombro, pero no dijo nada. Ellis examinó cinco fechas separadas. Dos solos para cada una de las gemelas y luego un trío en el sofá del salón. Ninguno de los clientes parecía un buen candidato para Ellis.

—¿Algo? —preguntó Long.

—No parece —dijo Ellis.

Volvió a dejar el equipo listo para grabar y cerró la puerta con llave. Cuando se volvió, Ashley y Annie estaban sentadas juntas en el sofá. Annie llevaba bragas rosas y un sujetador negro. Parecía que compartían partes del mismo conjunto. Las dos eran rubias de bote con aumentos de pecho y bronceado artificial. Sus labios estaban distendidos más allá de los límites naturales. No había nada en ellas que pareciera real y últimamente más de un cliente se había arrepentido. Los vídeos en los sitios web porno eran de cinco años atrás y filmados antes de que las chicas hubieran llevado a cabo las supuestas mejoras de sus cuerpos. Colgar vídeos nuevos no resolvería el problema, porque en el porno cinco años era toda una vida. Era un negocio de mujeres jóvenes. En este caso la sinceridad en la publicidad resultaría contraproducente.

—Es hora de mudarse otra vez —dijo Ellis—. Así que mañana por la mañana preparáis las maletas y guardáis vuestras cosas. Vendremos a buscaros a las dos de la tarde.

—¿Adónde vamos? —preguntó Annie con voz de gemido.

—Cerca de Beverly, junto al Farmer's Market. Es grande, hay muchos apartamentos y quizá podremos estar más tiempo esta vez. Hay un Starbucks allí al que podéis ir andando.

Hizo una pausa para ver si se quejaban. No lo hicieron. Sabían que no les convenía.

—Vale —dijo—. ¿Qué tenéis programado hoy?

—Tenemos un doble a las diez —dijo Annie—. Nada más por ahora.

—¿Cuánto?

—Dos.

Ellis mostró su decepción con su silencio. El mínimo para un doble se suponía que estaba en tres mil.

—Mejor que nada —dijo Long.

Ellis lo fulminó con la mirada. Acababa de arruinar a Ellis la oportunidad de convertirlo en un momento didáctico.

—Vamos —dijo en cambio.

Caminó hasta la puerta. Antes de abrir se volvió hacia las gemelas.

—Acordaos, mañana a las dos —dijo.

21

La doctora Hinojos había preparado tres perfiles diferentes en una carpeta para Bosch. Todos estaban editados en cuestiones muy menores —más que nada los nombres de las víctimas y testigos borrados con rotulador negro— y no se adjuntaban fotos de la escena del crimen.

El segundo perfil de la carpeta era el del caso James Allen. Resultó obvio para Bosch, porque en el resumen se nombraba el Haven House y por la fecha del asesinato. Bosch dejó los otros dos al lado y se zambulló. Siempre había encontrado una similitud en todos los perfiles que examinó como detective, ya vinieran de la Unidad de Ciencias del Comportamiento del departamento o del FBI en Quantico. No había muchas formas de describir a un psicópata y las urgencias no contenidas de un depredador sexual. Aun así, después de leer el perfil del asesinato de Allen, releyó el perfil del Departamento del Sheriff sobre el asesinato de Lexi Parks, redactado antes de que el ADN hallado en la víctima se relacionara con Da'Quan Foster. Los perfiles contenían algunas similitudes básicas, pero sus conclusiones sobre el asesino de cada caso eran claramente diferentes.

El informe del caso Parks calificaba al asesino de depredador sexual emergente que probablemente había acosado a Parks y planeado con meticulosidad el ataque letal, pero se había desorganizado al llevarlo a cabo y había cometido varios errores, el principal de los cuales fue dejar ADN. La culminación de su plan en el asesinato había dejado al asesino una sensación de culpabilidad suficiente para que intentara cubrir psicológicamente su crimen colocando la almohada sobre el rostro de la víctima. Eso era indicador de un depredador sexual que era nuevo matando, que había subido un peldaño desde otros crímenes sexuales menores, posiblemente por primera vez.

El perfil del asesino de James Allen era diferente. Por la ocupación de la víctima, se concluía que el asesinato surgía de un acuerdo de prostitución y no estaba motivado por una urgencia psicosexual compulsiva. Sin embargo, como sucedía con el asesinato de Parks, había pruebas de que la culpa era un factor motivador, esta vez mediante transferencia, con el asesino culpando y castigando a la víctima por sus propias acciones. El perfil sugería que el asesino de Allen era probablemente un homosexual que no había salido del armario, que escondía su orientación sexual detrás de la fachada de un estilo de vida heterosexual. Se conjeturaba que el asesino probablemente estuviera casado, tuviera hijos y una carrera profesional, todo lo cual consideraría amenazado por una relación sexual con Allen. La sensación de amenaza se convirtió en rabia y luego se dirigió a Allen porque este intentara «aprovecharse de las debilidades del sospechoso». El asesino culpó a Allen y buscó terminar con la amenaza a su familia y su estilo de vida eliminándolo. Deshacerse del cuerpo en el callejón subrayaba el desprecio del sospechoso por Allen, al que consideraba tan solo un desecho. Era basura humana dejada en el callejón para que se la llevaran.

También se sugería que este asesino podía haber actuado del mismo modo antes. Detalles de un asesinato previo que Ali había mencionado a Soto estaban contenidos en el perfil, pero también editados. No se proporcionaba el nombre de la víctima, pero un resumen de los hechos del caso mostraba tanto siniestras similitudes como bruscas diferencias.

Las principales similitudes eran que las víctimas eran en los dos casos varones dedicados a la prostitución que fueron asesinados en otro lugar y «exhibidos» en el callejón casi en el mismo lugar y en la misma postura. Las diferencias eran el tipo de víctima. Más allá de que se trataba de dos varones dedicados a la prostitución, uno era un hombre blanco pequeño y el otro un negro de constitución grande. El perfil decía que sus perfiles «de penetración» eran diferentes: Allen era pasivo y la otra víctima activa. Estos roles indicaban bases de clientes diferentes y por lo tanto asesinos diferentes.

Los investigadores del primer caso no habían encontrado la escena del crimen. La víctima vivía en un apartamento compartido en East Hollywood pero no lo mataron allí, lo cual indicaba un punto de encuentro desconocido con su asesino, mientras que en el caso de Allen, las pruebas indicaban que fue asesinado en su habitación de motel y luego trasladado al callejón y arrojado allí.

La criminóloga —la doctora Hinojos— concluía que los dos asesinatos eran obra de dos sospechosos distintos. También proponía que el asesino de Allen podría tener conocimiento del primer asesinato por los medios o por cotilleo de calle o incluso por fuentes policiales e intentó copiar aspectos del crimen para despistar la investigación.

El perfil señalaba varios aspectos más del crimen para que los investigadores los consideraran. No se recogieron pruebas de ADN en el cuerpo de Allen y durante la autopsia no se halló ninguna prueba de agresión sexual o sexo consentido. Esto parecía sugerir que la rabia asesina surgió antes de que hubiera un acto sexual. El perfil también descartaba cualquier sugerencia de que el acto sexual se hubiera producido mucho antes y que el asesino hubiera regresado a la habitación del motel para matar a Allen. El uso del cable de la foto enmarcada para estrangular a la víctima indicaba que el crimen fue una decisión del momento tomada cuando el asesino estaba en la habitación. Mientras Allen estaba en el cuarto de baño o distraído o incapacitado de alguna otra manera, el cable fue sacado del cuadro y luego usado para estrangularlo.

Bosch puso los dos perfiles en la carpeta que le había dado Hinojos. Se levantó y empezó a caminar por la sala de estar mientras pensaba en lo que había leído y lo que sabía. Era el momento de revisar los casos y establecer hipótesis teóricas claras.

Dos asesinatos, dos asesinos distintos. Los perfiles sugerían dos clases diferentes de motivación psicológica. Da'Quan Foster fue acusado del asesinato de Lexi Parks, pero el perfil forense trazado antes de que se estableciera la relación de ADN no coincidía con él en un plano psicológico o probatorio. Entretanto, la ironía era que esos aspectos de su vida sí encajaban en el perfil del caso James Allen, para el cual tenía una coartada a prueba de bombas: estaba en prisión.

Bosch dejó de caminar hacia la puerta corredera para mirar al cañón. Pero lo que vio fue su propio reflejo en el cristal. Negó con la cabeza al pensar en la complicada senda que había trazado entre los dos casos. Allen era la coartada de Foster para el asesinato de Parks, y con la muerte de Allen murió también gran parte de la defensa de Foster.

Y luego estaba el ADN. Si Foster estaba con Allen en el momento del asesinato de Parks, como él reveló a regañadientes y como el vídeo de Hollywood Forever parecía confirmar, entonces el ADN fue colocado en Parks en un intento de desorientar la investigación y posiblemente acusar a Foster.

Bosch se apartó del cristal y empezó otra vez a moverse por la habitación. Notó que su energía aumentaba. Sintió que se estaba acercando a algo, pero no estaba seguro de a qué. Todavía estaba muy apartado del caso y necesitaba un mejor acceso, pero estaba centrándose de todos modos. Creía que Lexi Parks todavía retenía el secreto de ambos casos. ¿Por qué la mataron? Bosch sabía que si respondía eso, todo se desenredaría.

Los cabos sueltos y los detalles no explicados siempre molestaban a Bosch. Preguntas sin respuesta. Eran la maldición en la vida de un detective de homicidios. En ocasiones se trataba de grandes preguntas, en ocasiones no, pero siempre eran una piedra en el zapato. El reloj desaparecido todavía le incomodaba. La explicación del marido solo respondía una pregunta con otra. ¿Por qué Parks no había mandado el reloj a reparar en su estuche? ¿Simplemente había dejado el caro reloj en la joyería?

Eso no tenía ningún sentido para Bosch, y no podía dejarlo de lado.

También estaba ansioso por el caso Allen y la necesidad de seguir avanzando. Cuando un caso se estancaba, a menudo resultaba difícil recuperar el impulso. En ocasiones era como intentar arrancar un coche con una batería agotada.

Llamó al móvil de Lucía Soto.

—¿Sigues en el edificio?

—Sí. A punto de mover el imán rojo.

Bosch recordó la tabla que había puesto el capitán en la sala de brigada. Cada detective deslizaba un imán rojo al cuadrado de fuera de servicio cuando terminaba la jornada. Un pequeño dispositivo estúpido para darle al capitán sensación de control. Probablemente había sacado la idea de un libro de gestión corporativa. Bosch siempre había pasado de los imanes cuando estaba en el departamento. Sentía que siempre estaba de servicio.

—¿Te apetece tomar algo esta noche? —preguntó.

—¿Esta noche? Eh…

—Quiero exprimirte un poco el cerebro sobre lo que viste en el archivo Allen.

—Ah, bueno, sí, supongo que podríamos vernos. ¿Cuándo?

—Cuando sea y donde sea.

—¿En serio? ¿Vendrás a mi terreno? —Soto sonó impresionada.

—Tu terreno es mi terreno. Dime el sitio y la hora.

—Vale ¿qué tal a las ocho? Estaré en mi local en Boyle Heights.

—¿Cuál es?

—El Eastside Luv, en la Primera, a un par de manzanas de Hollenbeck Station.

Bosch oyó que la puerta de la cochera a la cocina se abría y supo que su hija estaba en casa. Había estado tan centrado en la llamada de teléfono que no había oído el coche.

—Vale, allí estaré —dijo al teléfono.

—Bien —respondió Soto—. Te veo allí.

Bosch colgó. Oyó a Maddie parar en la nevera antes de que saliera de la cocina, con una botella de zumo en la mano y la mochila al hombro.

—Hola, papá.

—Hola, Mads.

—¿Qué estás haciendo?

—Acabo de terminar una llamada. ¿Cómo han ido las clases?

—Bien.

—¿Deberes?

—Montones.

—Lo siento. Escucha, voy a tener que salir un par de horas dentro de un rato. ¿Quieres hacer cena o la pido?

—No hay problema.

—Comerás algo, ¿no?

—Sí, lo prometo.

—Vale.

Le agradecía eso y también que hasta el momento ella no hubiera mencionado nada del trabajo en el caso de la defensa de Mickey Haller.

—¿Con quién sales? ¿Con Virginia?

—No, voy a ver a mi antigua compañera para tomar una copa.

—¿Qué antigua compañera?

—Lucía.

—Ah, vale.

—Eh, hay algo que debería decirte de Virginia. Hemos cortado.

—¿En serio? ¿Qué ha pasado?

—Eh, hum..., no lo sé, no nos estábamos viendo mucho y...

—Te ha dejado.

A Bosch no le gustaba nada la expresión.

—No es tan sencillo. Hablamos el otro día en la cena y más o menos decidimos dejarlo estar por ahora.

—Te ha dejado.

—Eh, sí, supongo que sí.

—¿Estás bien?

—Sí, estoy bien. Lo veía venir. Estoy aliviado.

—Si estás seguro, me voy a estudiar.

—Estoy bien, seguro.

—Vale, lo siento, papá.

—No lo lamentes. Yo no lo hago.

—Vale.

Bosch estaba contento de terminar con la conversación incómoda. Maddie se volvió hacia el pasillo. Siempre desaparecía en su habitación para hacer los deberes. Entonces Bosch recordó algo.

—Eh, espera. Echa un vistazo a esto.

Bosch fue a la mesa y cogió la carpeta que contenía los perfiles.

—¿Recuerdas a la doctora Hinojos? La he visto hoy y le he pedido perfiles de casos que pudiera tener para mostrártelos. Le dije que querías estudiar Psicología e ir en esa dirección. Criminología.

—Papá, no le digas eso a la gente.

Su tono daba a entender que la había humillado. Harry no comprendía su mal paso.

—¿Qué quieres decir? Pensaba que era eso lo que querías.

—Lo es, pero no se lo has de contar a la gente.

—Entonces ¿es un secreto? No...

—No es un secreto, pero no me gusta que la gente conozca mis asuntos.

—Bueno, no se lo he dicho a todo el mundo. Se lo he dicho a una criminóloga que podría ser de gran ayuda más adelante.

—Da igual.

Bosch levantó la carpeta. Había renunciado a intentar entender la forma de pensar de Maddie y tratar de identificar y leer lo que la tensaba. Siempre fracasaba y decía lo que no debía o celebraba el logro equivocado o la felicitaba por lo que no debía.

Maddie cogió la carpeta sin darle las gracias y se dirigió hacia el pasillo que conducía a su habitación con una mochila pesada colgada al hombro. En la época de los portátiles, los iPad y toda clase de medios digitales, todavía llevaba una buena carga de libros a todas partes.

Otra cosa que Bosch no comprendía.

—¿Por qué estabas hablando con Hinojos? —dijo sin mirar atrás—. ¿Es por ese asqueroso que quieres salvar?

Bosch observó cómo su hija se iba. No respondió y ella no se detuvo para escuchar una respuesta.

22

El Eastside Luv era un bar de esquina con un mural en el exterior que mostraba a un viejo mariachi con bigotes blancos y sombrero de ala ancha. Bosch había pasado por delante cientos de veces a lo largo de los años, pero nunca había entrado. Era un local exclusivo para *hipsters* chicanos que estaban reinventando Boyle Heights calle por calle.

La barra que era el centro del local estaba repleta con filas de dos y de tres y la mayoría de esa gente se volvió para ver a Bosch cuando entró por la puerta. Los Lobos atronaban en el equipo de música, una canción sobre una lluvia malvada. Bosch paseó la mirada por el espacio y encontró a Soto sentada sola en una mesa del rincón del fondo. Bosch caminó hasta ella y retiró la silla que había enfrente.

—No te tomaba por una *chipster* —dijo—. Pensaba que eras más una chica de Las Palomas.

Las Palomas era el bar de al lado, una taberna obrera con iluminación fuerte y bebidas más fuertes. Bosch había estado allí varias veces a lo largo de los años, buscando gente.

Soto se rio del comentario.

—A veces termino allí, pero no muy a menudo.

Ella ya había pedido dos botellas de Modelo. Las levantaron y brindaron.

—Gracias por quedar conmigo —gritó Bosch justo cuando la música se detenía.

Eso le valió otra ronda de atención, y tanto él como Soto rieron.

Soto tenía aspecto de que estaba yéndole bien. Se había soltado el pelo y vestía una camiseta negra sin mangas y pantalones desteñidos. Sus brazos morenos exhibían los tatuajes que no estaba autorizada a mostrar en el trabajo. Había una lista RIP en la cara anterior del antebrazo con los nombres de amigos perdidos de su adolescencia en Westlake, y un tatuaje en el brazo derecho que era una lista de palabras en español que rodeaba su bíceps en una tipografía que recordaba al alambre de espino.

—Es difícil aparcar aquí —dijo Bosch—. No he visto tu coche atrás.

—No lo he traído —dijo—. He tirado de Uber. Si me pararan borracha perdería el puesto de detective y terminaría en la patrulla.

Brindaron y bebieron más cerveza.

—¿Uber es eso de los taxis? —preguntó Bosch.

—Sí, es una *app,* Harry —dijo ella—. Deberías probarla.

—Claro. ¿Qué es una *app?*

Soto sonrió, porque sabía que Bosch sabía qué era una *app,* aunque también sabía que nunca probaría Uber ni nada parecido.

—¿Así que quieres exprimirme el cerebro?

—Sí, solo tengo una preguntas más sobre...

—No hace falta. Puedes mirar el expediente.

Del asiento vacío que estaba a su lado levantó una bolsa de lona roja en la mesa y la bajó en torno a una gruesa carpeta azul. Bosch reconoció que era un expediente de homicidios del Departamento de Policía de Los Ángeles, pero no entendía cómo y por qué lo tenía ella.

—¿Es el caso Allen? —preguntó.

—Sí —dijo—. Lo he cogido prestado del escritorio de Ali después de que se marchara a casa.

Bosch estaba estupefacto. Era una infracción mucho más grave que la que le había costado a él la suspensión y que lo apartaran del departamento.

—Lucía, no puedes hacer esto —dijo—. Lo último que quiero que hagas por mí es algo que podría hundir tu carrera mucho más que conducir borracha. Has…

—Harry, calma —le tranquilizó ella—. Nadie se va a enterar. Puedes mirarlo ahora mismo y yo lo devolveré esta noche. Además, él rompió las reglas. Tendría que haberlo dejado cerrado en el armario por la noche.

—No me preocupa él. ¿Vas a entrar allí tan campante después de unas cervezas y ponerlo en su mesa?

—Sí, ¿por qué no?

—Estás arriesgando mucho, Lucía. No quiero cargar con eso si la cosa va mal. Ya has hecho suficiente. Solo quería hacerte unas consultas, nada más.

Ella asintió como hacía su hija cuando Bosch le hablaba con gravedad. Soto tenía diez años más que Maddie, pero en ocasiones no lo parecía. Había sido una idea estúpida.

—Mira, Harry, el año pasado tú te arriesgaste mucho por mí cuando éramos compañeros —dijo—. Te debo esto y estoy contenta de poder hacerlo. Así que ¿por qué no dejamos de hablar de ello y miras lo que necesites? Confío en ti. Sé que estás trabajando para un abogado, pero te creo cuando dices que estás buscando la verdad, sea la que sea.

Esta vez le tocó a Bosch asentir. Se estiró por encima de la mesa y lentamente arrastró la carpeta. La música había empezado a subir otra vez, en esta ocasión en español con trompas sonando bruscamente en el fondo.

—¿Y si vamos a sentarnos a mi coche? —preguntó—. Hay tanto ruido aquí que no puedo pensar.

Soto sonrió y negó con la cabeza.

—Menudo viejo —dijo—. Vamos.

Bosch dio un último trago a su botella de cerveza y se levantó.

23

Bosch miró primero las fotos de la escena del crimen. Era lo más cerca que podía estar de que lo llamaran a la escena, a observar los detalles y llevar a cabo una investigación sobre el terreno.

El cadáver de James Allen se encontró completamente vestido y apoyado contra la pared posterior de un taller de repuestos para coches en un callejón entre Santa Monica Boulevard y El Centro Avenue. Era similar a cualquier otro callejón de cualquier otra ciudad donde la infraestructura se estuviera desmoronando, de cualquier otro estado donde la infraestructura se estuviera desmoronando. Era un mosaico de parches de asfalto y gravilla suelta sobre una base de cemento que tenía varias décadas y se desmoronaba.

Las fotos de entorno del lugar donde se encontró el cadáver mostraban que esa parte del callejón estaba bien oculta por el garaje por un lado y la parte de atrás del edificio de apartamentos por el otro. Las únicas ventanas del edificio de apartamentos con vistas al callejón eran las típicas de cuarto de baño glaseadas. Quince metros más adelante, entrando desde El Centro, el callejón se abría más para dar cabida a un gran aparcamiento detrás de un edificio de ladrillo de cuatro plantas. La impresión inmediata que Bosch sacó de las fotos era que el asesino que dejó allí el cuerpo de Allen conocía el callejón y sabía que podía abandonar el cadáver en el extremo del taller sin ser visto. Posiblemente también supiera que el cadáver sería descubierto a la mañana siguiente, cuando los trabajadores del edificio de apartamentos entraran en el callejón para llegar a su aparcamiento.

A continuación, Bosch estudió los primeros planos del cadáver. La víctima iba vestida con unos pantalones grises cortos de correr y una blusa rosa de cuello. No llevaba zapatos, pero sí esos forros que se ponían las mujeres para protegerse de las ampollas cuando no llevaban calcetines ni medias. En la cabeza tenía un gorro de punto que podría haberse puesto bajo una peluca. La blusa ayudaba a ocultar el alambre trenzado que le ceñía el cuello. Habían tensado tanto el alambre que este había cortado la piel. La hemorragia era mínima porque el corazón había dejado de bombear poco después de que el alambre atravesara la piel.

La víctima tenía las piernas depiladas extendidas en el callejón y las manos en el regazo. Primeros planos de las manos revelaban que no había uñas rotas ni sangre. Eso hizo que Bosch se preguntara si a Allen se le había impedido de alguna manera luchar contra el alambre cuando lo tensaban en torno a su cuello.

—¿Qué pasa? —preguntó Soto.

Estaba sentada en el asiento del pasajero, a su lado, y había permanecido en silencio mientras Bosch repasaba las fotos. Había salido del bar con la cerveza y había estado dando sorbos mientras observaba a Bosch examinando el expediente.

—¿Qué quieres decir? —preguntó Bosch.

—Te he visto mirar un expediente antes —dijo—. Me doy cuenta de cuándo ves algo que no cuadra.

Bosch asintió.

—Bueno, no hay trauma en las manos. Ni sangre, ni uñas rotas. Si alguien te pone un alambre en el cuello utilizarías las manos para resistirte.

—Entonces ¿qué te dice eso?

—Bueno, que o bien no estaba consciente cuando lo asfixiaron o bien algo o alguien le sujetaba las manos. No hay signos de marcas de ataduras en las muñecas, así que… —No terminó.

—¿Qué? No hay señal de ataduras, ¿qué significa?

—Que tal vez eran dos.

—¿Dos asesinos?

—Uno para sujetarlo y controlarle las manos, otro con el alambre. También hay otras cosas.

—No creo que Karim y Stotter hayan reparado en eso. ¿Qué otras cosas?

Bosch se encogió de hombros.

—Los pies. No hay zapatos pero llevaba forros.

—Se llaman Peds.

—Vale, Peds. No veo ninguna abrasión en las piernas ni en ningún otro sitio del cuerpo de ser arrastrado.

Soto se inclinó sobre la consola central para mirar más de cerca la foto que Bosch estaba examinando.

—Vale —dijo ella.

—El cadáver está apoyado en la pared —dijo Bosch—. Presumiblemente lo sacaron de un coche y lo pusieron allí. Lo cargaron. La víctima no es un tipo grande. Seguro, pudo hacerlo una persona, pero aun así. ¿Una persona llevándolo de un vehículo a ese lugar? No lo sé. Me da que pensar, Lucía.

Soto se limitó a asentir después de recostarse en su asiento y dar otro sorbo a su cerveza.

Las imágenes estaban contenidas en fundas de plástico con tres agujeros que permitían unirlas con tres anillas a la carpeta. Bosch fue pasando de una foto a otra, verificando sus afirmaciones. Entonces sacó su teléfono y fotografió una de las imágenes, una foto a media distancia del cuerpo completamente derrumbado contra la pared trasera del taller, cubierta de grafitis.

—Harry, no puedes —dijo Soto.

Bosch sabía lo que su excompañera iba a decirle. Si una foto de la escena del crimen aparecía en un tribunal o en cualquier otro sitio, sería obvio que Bosch tenía acceso al expediente. Eso podía desencadenar una investigación que conduciría a Soto.

—Lo sé —dijo Bosch—. Solo la hago para situar el cuerpo en la pared. Para tomar una referencia cuando examine el callejón. Quiero saber bien la ubicación y este grafiti ayudará. Después de que vaya allí y compruebe las cosas, borraré la foto. ¿Está bien así?

—Sí, supongo.

Bosch pasó al siguiente conjunto de fotos. Las habían tomado dentro de la habitación número 6 del Haven House cuando esta todavía estaba repleta con las pertenencias de James Allen. Había ropa en el armario, varios pares de zapatos y botas altas en el suelo. Dos pelucas —una rubia y otra morena— en sus soportes en la cómoda. Había también varias velas en la habitación: en la cómoda, en las dos mesitas y en el estante de encima de la cabecera de la cama. En ese mismo estante había un contenedor de plástico grande medio lleno de preservativos. La marca del contenedor era Rainbow Pride. La etiqueta anunciaba que contenía trecientos condones lubricados de seis colores distintos. Bosch sacó su libreta y anotó los detalles para pasárselos a Haller después. Se fijó en que la observación de Soto al informar de las fotos el día anterior era correcta. El contenedor de preservativos era similar a las cajas de caramelos que recordaba haber visto en las consultas de médicos y en cajas registradoras de grandes almacenes.

Bosch examinó con atención las fotos de la habitación del motel en busca de cualquier signo de teléfono móvil, pero no vio ninguno. Sabía que tenía que haber alguno en algún sitio porque Da'Quan Foster le había dicho durante la entrevista en la cárcel del condado que había llamado a Allen para quedar con él la noche del asesinato de Lexi Parks.

Bosch pasó a la sección quinta del expediente, que sabía que contenía el listado de pertenencias. Estudió las listas de elementos recuperados por los investigadores en las dos escenas del crimen, el callejón y la habitación del motel donde vivía Allen. No había mención a ningún teléfono en ninguna lista.

La conclusión: el asesino se había llevado el teléfono de Allen porque aparecía en su lista de contactos.

Bosch repasó rápidamente el sumario para ver si Karim y Stotter habían pedido una autorización para obtener los registros telefónicos. No constaba que se hubiera escrito o presentado esa solicitud de autorización, lo que llevó a Bosch a creer que, o bien Allen usaba un teléfono legal que estaba registrado a nombre de otra persona, o usaba uno prepago que no podría proporcionar registros si no se entregaban en mano el teléfono o su número y proveedor de servicios.

Bosch tomó nota de volver a Da'Quan Foster y conseguir el número que usó para contactar con Allen. Eso sería un punto de partida para rastrear las actividades telefónicas de Allen.

—Lo siento —dijo Bosch.

—¿De qué estás hablando? —preguntó Soto.

—Estoy seguro de que no pensabas pasar la noche sentada en mi coche.

—Está bien. La cosa no se anima hasta más tarde. Es cuando la gente empieza a bailar en la barra y a quitarse la ropa.

—Claro.

—Hablo en serio.

—Oh, entonces me daré prisa para que no te lo pierdas.

—Tal vez deberías quedarte para no perdértelo tú. A lo mejor te relajaría un poco, Harry.

Bosch miró a Soto y volvió a mirar la carpeta. Estaba con el informe de la autopsia.

—Crees que soy muy estirado, ¿eh?

—Bueno, conmigo, al menos. Creo que siempre has pensado que era demasiado frágil para el trabajo. En el fondo, creo que piensas que es un trabajo de hombres.

—No, no es cierto. Durante mucho tiempo mi hija quería hacer lo que tú haces. Lo que yo hago. Y no la desalenté.

—Pero ahora quiere ser criminóloga, ¿no?

—Creo, pero nunca se sabe.

—Probablemente ella recibió el mismo mensaje que yo recibí de ti: «No estás preparada para esto».

—Sí, bueno, tal vez estoy pasado de moda. Detesto la idea de que las mujeres vean el mal que hacen los hombres. Algo así.

Encontró la autopsia. Había leído un millar de informes de autopsias durante su carrera. Conocía la forma del documento de memoria y esa forma apenas había cambiado en las últimas cuatro décadas. Pasó con rapidez a las medidas del cadáver. No necesitaba ninguna de las conclusiones. Solo quería saber cuánto pesaba la víctima.

—Aquí está —dijo—. El tipo pesaba 68 kilos. No es mucho, pero estoy pensando que un asesino solitario arrastraría 68 kilos, no los cargaría.

—Se lo diré a Ali y a Mike —dijo Soto.

—No, no puedes. Nunca has tenido esta conversación.

—Claro, claro.

Bosch miró su reloj. Ya llevaban una hora en el coche. Nada le habría gustado más que pasar varias horas examinando el expediente. Todavía tenía que mirar los informes del primer crimen, en el cual la víctima había sido dejada en el mismo callejón. Pero sabía que tenía que dejar marchar a Soto pronto. Ella ya había superado con creces su deber con un antiguo compañero. Sobre todo uno que ya no era poli.

—Permíteme que eche un vistazo rápido al resto de esto y te dejaré marchar —dijo.

—Está bien, Harry —dijo Soto—. Mira, desde que saliste por la puerta de la brigada pensé que no tendría ocasión de verte trabajar de nuevo. Me gusta esto. Aprendo de ti.

—¿Qué? ¿Solo sentada ahí viéndome mirar un expediente?

—Sí. Aprendo lo que piensas que es importante, cómo juntar las cosas, llegar a conclusiones. Una vez me dijiste que todas las respuestas están en el expediente del caso. Simplemente no las vemos.

Bosch asintió.

—Sí, lo recuerdo.

Estaba mirando el largo historial de detenciones de James Allen. Ocupaba seis páginas en el archivo. Las examinó con rapidez porque era muy repetitivo, con varias detenciones por prostitución y vagabundeo además de otras por posesión de drogas que se extendían a lo largo de los últimos siete años. Eran unos antecedentes muy comunes para alguien dedicado a la prostitución. Varias de las detenciones habían sido suspendidas o no llevadas ante un tribunal, porque Allen fue desviado antes del juicio a programas de rehabilitación de trabajadores del sexo y drogadictos. Una vez que se agotó esa vía, sus detenciones empezaron a resultar en condenas y tiempo en prisión. Nunca nada en una prisión estatal, solo pequeñas condenas en la cárcel del condado. Treinta días aquí, cuarenta allí, la cárcel convertida no tanto en elemento disuasorio como en una puerta giratoria, la triste norma para un trabajador del sexo reincidente.

La única cosa inusual sobre los antecedentes de Allen era su última detención por merodear con intención de cometer prostitución. Lo que captó la atención de Bosch era que la detención se había producido catorce meses antes de su muerte y había resultado en un sobreseimiento, lo cual significaba que no se presentaron cargos contra él. Allen simplemente fue puesto en libertad.

—Espera un momento —dijo Bosch.

Pasó al inicio del expediente y examinó el informe del crimen y luego al primer documento archivado por Karim y Stotter.

—¿Qué ocurre? —preguntó Soto.

—Este tipo no había sido detenido en más de un año —dijo Bosch mientras estaba leyendo.

—¿Y?

—Bueno, casi estaba acampado en Santa Monica...

—¿Y?

Bosch volvió a la hoja de antecedentes y giró la carpeta para que ella pudiera verlo. Empezó a pasar las páginas.

—A este tipo lo detuvieron tres o cuatro veces al año durante cinco años y luego nada en los últimos catorce meses antes de que lo mataran —dijo—. Eso me hace pensar que tenía un ángel de la guarda.

—¿Qué quieres decir?, ¿que alguien del departamento lo protegía?

—Sí, que estaba trabajando para alguien. Pero no hay nada aquí de que sea un chivato. Ningún número de IC, ningún informe.

Había protocolos para tratar con los informantes confidenciales, incluido el caso de que uno de ellos fuera asesinado. Pero no había nada en el expediente que indicara con claridad que James Allen fuera un informante.

—Tal vez solo tuvo suerte y evitó las detenciones en el último año —dijo Soto—. No sé, han disminuido en estos meses. Todos esos tiroteos con polis y Ferguson y Baltimore y todo eso, los uniformados hacen lo mínimo exigido. Ya nadie es proactivo.

—Haz el cálculo —dijo Bosch—. Estos catorce meses se remontan a antes de Baltimore, antes de Ferguson.

Bosch negó con la cabeza. Había contado diecisiete detenciones en cinco años en los antecedentes de Allen, luego más de un año limpio.

—Creo que estaba trabajando para alguien —dijo—. Extraoficialmente.

Era una violación de la normativa departamental que un agente trabajara con un chivato sin registrar al individuo con un supervisor e introducir su nombre en la base de datos del Sistema de Control de Informantes Confidenciales. Sin embargo, Bosch sabía que ocurría con frecuencia. Los chivatos se conseguían con el tiempo y a menudo se utilizaban en situaciones de test. Aun así, catorce meses parecía mucho tiempo para verificar si Allen era un informante fiable.

Stotter y Karim habían sacado todos los informes de detención y Bosch empezó a hojearlos. Los nombres de los agentes que realizaron las detenciones no figuraban en los resúmenes abreviados, pero sí constaban sus identificadores. Bosch se fijó en que un código se repetía en tres de las cinco últimas detenciones de Allen antes de los catorce meses sin actividad. Era 6-Víctor-55. La División de Hollywood se identificaba con el 6, Víctor significaba antivicio y 55 indicaba que era un equipo encubierto de dos agentes. Bosch lo anotó en una página de su libreta, luego lo escribió otra vez en la página siguiente. Arrancó la segunda hoja y se la entregó a Soto.

—Creo que estos son probablemente los tipos que estaban trabajando con él —dijo—. La próxima vez que estés delante del ordenador, mira a ver si puedes conseguirme sus nombres de antivicio de Hollywood. Quiero hablar con ellos.

Soto miró el código, luego dobló el papel y se lo guardó en el bolsillo de los tejanos.

—Claro.

Bosch cerró la carpeta y se la entregó a ella. Soto la metió de nuevo en la bolsa de lona roja.

—¿Seguro que puedes devolverlo sin causar revuelo? —preguntó.

—Nunca lo sabrán —dijo ella.

—Está bien. Y gracias, Lucía. Me va a ayudar mucho.

—A las órdenes. ¿Quieres volver a entrar y tomar una cerveza?

Bosch pensó un momento y negó con la cabeza.

—No, estoy lanzado con esto. Voy a continuar.

—El gran impulso ¿eh?

—Sí, he recuperado el impulso, gracias a ti.

—Vale, Harry, sigue con eso. Cuídate.

—Tú también.

Soto abrió la puerta y bajó. Bosch arrancó el motor, pero no movió el coche hasta que la vio entrar por la puerta de atrás del bar.

24

Bosch aparcó en el callejón que salía de El Centro Avenue y miró su reloj. Eran las 22:40 y sabía que estaba dentro del período durante el cual se calculaba que James Allen fue asesinado y apoyado contra la pared de detrás del taller en la noche del 21 de marzo. Aunque la hora de la muerte en la autopsia se calculaba que se había producido entre las diez de la noche y la una de la mañana, Bosch sabía que se encontraría con las mismas condiciones ambientales generales que la noche del asesinato. La temperatura nocturna en Los Ángeles no fluctuaba mucho entre marzo y mayo. Pero más allá del clima, Bosch estaba interesado en la iluminación de la zona y sus fuentes, en captar una sensación de cómo se trasmitía el sonido en el callejón y cualesquiera otros factores que pudieran haber estado en juego la noche que se deshicieron del cadáver de James Allen.

Bosch pasó junto al taller y paró en el aparcamiento detrás del edificio de apartamentos. Estaba desierto. Apagó el motor, sacó una linterna de la guantera y bajó del coche.

Al caminar hacia el taller, se detuvo una vez para hacer una foto amplia del callejón y la escena del crimen con su teléfono. Luego avanzó hacia la fachada posterior del taller. Para su decepción, descubrió que desde la noche en que el cadáver de James Allen había sido abandonado en el callejón habían tapado con pintura el grafiti de la pared. Solo había un dibujo en la pintura fresca, una descripción de una serpiente que formaba el número 18, la marca de la notoria banda Calle 18, originada en Rampart y que tenía grupos en toda la ciudad, incluido Hollywood.

Bosch abrió la foto de la pared que había tomado antes y usando una porción del asfalto desmenuzado en la imagen logró determinar el sitio donde habían apoyado el cuerpo de James Allen.

Se acercó a ese lugar y apoyó la espalda en la pared. Miró arriba y abajo del callejón, luego al edificio de apartamentos que tenía enfrente. Una de las pequeñas ventanas de cuarto de baño en el segundo piso tenía una luz encendida y estaba entreabierta unos centímetros. Bosch se enfadó más consigo mismo. Había estado tan preocupado con no robarle a Soto toda la noche que no se había tomado el tiempo preciso —o al menos tanto tiempo como ella le concediera— para leer todas las secciones del expediente. No había visto un informe sobre un barrido del barrio después del hallazgo del cadáver. En ese momento estaba viendo una ventana abierta e iluminada que posiblemente tenía una visión de la escena del crimen. ¿El residente de esa vivienda había sido interrogado por la policía? Probablemente, pero Bosch no estaba seguro.

Consideró llamar a Soto y pedirle que mirara el expediente para él, pero decidió que ya había recurrido demasiado a ella. Con cada llamada y solicitud, la estaba poniendo en más peligro de que la descubrieran relacionándose con el enemigo. Pensó en el cartel que estaba colgado en la mampara de separación en su cubículo cuando había llevado una placa: «Levanta el trasero y sal a la calle».

Bosch se apartó de la pared y salió a El Centro. El edificio de apartamentos del fondo del callejón era una obra de estuco rosa construida con poco tiempo y poco dinero durante el bum de los años ochenta. Sus florituras arquitectónicas eran escasas, a menos que se contara el dibujo con filigrana de la puerta de entrada. Bosch tuvo que retroceder y levantar la mirada a la estructura de dos plantas para tratar de descubrir a qué número de apartamento podía pertenecer la ventana iluminada del cuarto de baño.

En la lista del interfono situado al lado de la puerta constaban ocho apartamentos: del 101 al 104 y del 201 al 204. Bosch optó por los doscientos y se decidió por el apartamento 203. Cogió el interfono y siguió las instrucciones, pero la llamada quedó sin respuesta. Probó con el 204 a continuación y esta vez obtuvo respuesta.

—¿Qué?

—Hola —dijo Bosch en español con voz entrecortada—. Policía. Abra por favor.

Se dio cuenta de que solo contaba con un rudimentario español de policía. No sabía cómo decir que era un investigador privado.

La persona al otro lado de la línea —una mujer— dijo algo demasiado deprisa para que lo entendiera. Bosch respondió con su frase de siempre, dicha con más gravedad.

—Policía. Abra.

Sonó la cerradura de la puerta metálica y Bosch abrió. Entró. Había escaleras a ambos lados del edificio. Tomó las de la derecha que lo llevaron a una pasarela que conducía a dos puertas de apartamentos en el lateral del edificio que daba al callejón. Aunque había sido la persona del 204 la que le había hecho pasar, Bosch confirmó que era el apartamento 203 el que tenía la ventana abierta y la luz encendida en el cuarto de baño. Fue a esa puerta primero y llamó. Mientras esperaba una respuesta, la puerta del 204 se abrió y una mujer mayor asomó la cabeza para mirarlo. Bosch llamó otra vez, más fuerte en esta ocasión, en la puerta del 203 pero luego caminó hacia la mujer que le había abierto.

—¿Habla inglés? —preguntó.

—Poquito —dijo la mujer.

—¿El asesinato en el callejón? Hace dos meses. ¿El asesinato?

—Sí.

Bosch señaló su oreja y luego su ojo.

—¿Oyó algo? ¿Vio algo?

—No. Ellos mucho silencio. Oí nada.

—¿Ellos?

—Los matadores.

Bosch ahora levantó dos dedos.

—¿Matadores? ¿Dos?

La mujer se encogió de hombros.

—No sé.

—¿Por qué ha dicho ellos?

La mujer señaló a la puerta a la que Bosch acababa de llamar.

—Ella dice.

Boch miró la puerta que no habían abierto y luego se volvió hacia la anciana.

—¿Dónde está?

—Trabaja ahora.

—¿Sabe dónde?

La mujer juntó los brazos en un movimiento de acunar.

—¿Canguro? —preguntó Bosch—. ¿Cuida niños?

—Sí, sí, sí.

—¿Sabe cuándo viene a casa?

La mujer lo miró y Bosch se dio cuenta de que no lo había entendido.

—Eh, ¿final?

Bosch pasó dos dedos por la palma de su mano como si caminara y señaló la puerta del apartamento 203. La mujer negó con la cabeza. O bien no lo sabía o todavía no lo entendía. Bosch asintió. Era lo mejor que podía hacer por el momento.

—Gracias.

Se dirigió otra vez a la escalera y bajó. Antes de llegar a la puerta de la calle oyó una voz detrás.

—Eh, policía.

Bosch se volvió. Había un hombre de pie en el hueco junto a la puerta del apartamento 103. Estaba fumando un cigarrillo bajo la luz de encima de la puerta. Bosch volvió caminando a él.

—¿Es policía? —preguntó el hombre.

De cerca, Bosch vio que el hombre latino tenía unos treinta años y constitución fuerte. Llevaba una camiseta blanca que se había decolorado tantas veces que brillaba bajo la luz. No tenía ningún tatuaje visible, lo cual llevó a Bosch a pensar que no era miembro de ninguna banda.

—Detective —dijo Bosch—. Estoy trabajando en el asesinato que ocurrió en el callejón en marzo. ¿Sabe algo de eso?

—Solo que a un marica le cortaron la garganta o algo así —dijo el hombre.

—¿Estaba en casa esa noche?

—Claro.

—¿Vio algo?

—No, señor, no vi nada. Estaba en la cama.

—¿Oyó algo?

—Bueno, sí, los oí pero no pensé que fuera nada y no me levanté a mirar.

—¿Qué oyó?

—Oí que sacaban al tipo.

—¿Cómo fue el ruido?

—Bueno, oí un maletero. Eh, como un maletero cerrándose. En el callejón.

—Un maletero.

—Sí, un maletero. El sonido de un maletero es distinto del sonido de la puerta de un coche. Era un maletero.

—¿También oyó una puerta de coche?

—Sí, lo oí. Oí el maletero, luego oí que se cerraban las puertas.

—¿Puertas?

—Sí, dos puertas.

—¿Oyó que se cerraban dos puertas? ¿Está seguro?

El hombre se encogió de hombros.

—Oigo toda clase de cosas en ese callejón. A veces durante toda la noche.

—Vale. ¿Le dijo lo que acaba de decirme a la policía?

—No.

—¿Por qué no?

—No lo sé, dejaron una tarjeta en mi puerta un día, pidiendo que llamara. No tuve ocasión de llamar. Estoy ocupado, ¿sabe?

—¿Se refiere a una tarjeta de visita? ¿Todavía la tiene?

—Sí, en la nevera. Supongo que todavía podría llamar, pero estoy hablando con usted.

—Sí. ¿Puedo verla? Quiero saber el nombre.

—Sí, claro. Espere.

El hombre abrió la puerta y entró. Dejó la puerta abierta y Bosch vio un salón escasamente amueblado. Había un crucifijo en la pared y un sofá cubierto con mantas mexicanas. Eso sí, no habían ahorrado en gastos con la gran televisión de pantalla plana montada en la pared en la que se veía un partido de fútbol.

El hombre llegó de la cocina y cerró la puerta al salir. Entregó a Bosch una tarjeta de visita del Departamento de Policía de Los Ángeles con el nombre de Edward Montez. En el dorso había una nota manuscrita en dos idiomas: «Por favor, llame».

Bosch conocía a Montez solo de nombre. Stotter y Karim debían de haber encargado a él y su compañero que se ocuparan del barrido de la zona. Montez había hecho un mal trabajo si había dejado tarjetas y no había hecho luego ningún seguimiento. Aunque no era sorprendente. En barrios poblados por minorías había tan poca gente dispuesta a implicarse como testigos en los casos que la mayor parte de los esfuerzos se concentraban en buscar testigos no humanos: cámaras.

—Entonces nunca ha hablado con la policía acerca de esa noche —dijo Bosch.

—No, señor. No vino nadie esa noche y trabajo durante el día. Fue entonces cuando dejaron la tarjeta.

—¿Sabe si alguien de este edificio habló con la policía?

—La señora Jiménez. Vive arriba. Pero no ve un carajo y tampoco oye muy bien.

—¿Qué más oyó además del sonido del maletero y luego las puertas?

—Nada, señor, eso fue todo.

—¿No miró por la ventana para ver de qué se trataba?

—No, señor. Estaba cansado. No me quería levantar. Además...

—Además, ¿qué?

—Si te entrometes en algo así puedes tener un problema.

—¿Se refiere a un problema con bandas?

—Sí, eso.

Bosch asintió. La banda de la Calle 18 no era conocida por su coexistencia pacífica en los barrios que reivindicaba como su territorio. No podía criticar a alguien por no correr a su ventana para mirar lo que ocurría en un callejón.

—¿Recuerda qué hora era cuando oyó el maletero y las puertas?

—No, ya no. Pero seguro que fue la noche del asesinato porque a la mañana siguiente la policía estaba en el callejón. Los vi cuando me fui a trabajar.

—¿Dónde trabaja?

—En LAX.

—¿Administración de Seguridad en el Transporte?

El hombre rio como si Bosch hubiera hecho una broma.

—No, señor, equipajes. Trabajo para Delta.

Bosch asintió.

—Vale. ¿Cómo se llama?

—Ricardo.

—¿Apellido?

—No es policía, ¿eh?

—Lo era.

—¿Lo era? ¿Qué significa eso?

—No estoy seguro.

—Solo Ricardo, ¿vale?

—Claro. Gracias, Ricardo.

Ricardo soltó el cigarrillo, lo aplastó con el pie y luego le dio una patada hacia un parterre cercano.

—Buenas noches, señor Era-Policía.

—Sí, buenas noches.

Bosch salió y se paró para mirar el listado. Confirmó el nombre de Jiménez en el apartamento 203 y vio el nombre de R. Benítez en la línea contigua, 103. Volvió al callejón donde lo estaba esperando su coche.

Una vez que estuvo al volante, Bosch puso la llave en el contacto pero no la giró. Se quedó sentado un momento mirando por el parabrisas al lugar donde habían abandonado el cadáver de James Allen y pensando en lo que Ricardo Benítez acababa de decir. Oyó el maletero del coche que se cerraba seguido por dos puertas de coche. Bosch imaginó un coche entrando en el callejón con las luces apagadas. Bajan dos personas, dejan las puertas abiertas y se acercan al maletero. Sacan el cadáver, lo apoyan contra la pared, luego vuelven al coche. Uno cierra el maletero al rodear el coche por detrás. Entran, cierran sus puertas y el coche se marcha. Entrar y salir, ¿qué? ¿Treinta segundos máximo?

Bosch asintió.

Dos personas, pensó.

Giró la llave de contacto.

25

Había una línea de luz bajo la puerta de la habitación de su hija cuando Bosch llegó a casa. Dudó en el pasillo un momento y luego llamó con suavidad. No esperaba recibir respuesta, porque normalmente Maddie llevaba los auriculares puestos para escuchar música. Pero le sorprendió.

—Puedes pasar —dijo.

Bosch abrió la puerta y entró. Maddie estaba bajo las colchas con el portátil abierto delante de ella. Tenía los auriculares puestos.

—Hola, estoy en casa —saludó.

Maddie se quitó los auriculares.

—Lo sé.

—¿Qué estás haciendo?

—Solo música.

Bosch se acercó y se sentó al borde de la cama, tratando de no mostrar ninguna frustración por sus respuestas de una o dos palabras.

—¿Qué música?

—Death Cab.

—¿Eso es la canción o la banda?

—El grupo es Death Cab for Cutie. La canción que me gusta es *Black Sun*.

—Suena inspirador.

—Es una gran canción, papá. Me recuerda a ti.

—¿Por qué?

—No lo sé. Porque sí.

—¿Has mirado esos perfiles?

—Sí.

—¿Y?

—Bueno, para empezar, son muy repetitivos. Como si pudieras aplicar lo mismo a cada caso, aunque sean casos diferentes y clases de crímenes diferentes.

—Bueno, dicen que es una ciencia inexacta.

Maddie cruzó los brazos sobre el pecho.

—¿Qué significa eso? —preguntó.

—No lo sé, que tratan de no dejar nada al azar —dijo—. Así cuando pillan a alguien lo tienen cubierto por las generalidades.

—Deja que te pregunte algo, papá. ¿Alguna vez un perfil de un asesino o una escena del crimen te ha ayudado a resolver un caso? Dime la verdad.

Bosch tuvo que pensar un momento, porque no tenía una respuesta preparada.

—Supongo que eso responde mi pregunta —dijo Maddie.

—No, espera —dijo Bosch—. Solo estaba pensando. No he tenido ningún caso en que me dieran un perfil y fuera tan preciso que me señalara directamente al asesino. Pero han sido útiles para mí muchas veces. Tu madre...

Maddie esperó, pero él no continuó.

—Mi madre ¿qué?

—No, solo iba a decir que no era realmente especialista en perfiles, pero aun así era la mejor que he conocido. Podía interpretar a la gente. Creo que sus experiencias vitales la ayudaban a ser empática. Siempre entendía bien la escena del crimen y las motivaciones del asesino. Yo le enseñaba fotos de mis casos y ella me decía lo que pensaba.

—Nunca me contó eso.

—Bueno, eras pequeña. Creo que no quería hablar de homicidios contigo.

Bosch se quedó un momento en silencio al darse cuenta de que no había pensado en Eleanor Wish en mucho tiempo. Eso le hizo sentirse mal.

—Mira, tenía esta teoría —dijo en voz baja—. Siempre decía que la motivación para todos los asesinatos podía remontarse a la vergüenza.

—¿Solo vergüenza? —preguntó Maddie.

—Sí, solo vergüenza. Gente ocultando la vergüenza y recurriendo a cualquier medio para hacerlo. No lo sé, creo que era muy inteligente.

Maddie asintió.

—La echo de menos —confesó.

Bosch asintió.

—Sí —dijo—. Lo entiendo. Probablemente siempre será así.

—Pienso, no sé, ¿cómo sería si todavía estuviera aquí? —se preguntó Maddie—. Cuando tengo que decidir cosas, deseo que estuviera ahí.

—Siempre puedes hablar conmigo —le ofreció Bosch—. Lo sabes, ¿verdad?

—Me refiero a cosas de chicas.

—Claro.

Bosch no sabía qué decir. Estaba contento de que Maddie se abriera por primera vez en mucho tiempo, pero no se sentía preparado para aprovechar la oportunidad. Y eso subrayaba sus fallos como padre.

—¿Es la facultad? —preguntó—. ¿Te preocupa algo?

—No, la facultad es la facultad. Es que todas las chicas cuentan que sus madres son tontas o que quieren controlarlas y controlar la graduación y la facultad y todo eso. Y a mí me gustaría tener eso a veces. No sé, una madre que me contara cosas.

Bosch asintió.

—No debería quejarme —reconoció ella—. Tú no tuviste madre ni padre.

—Creo que fue un poco diferente —dijo Bosch—. Creo que una chica necesita una madre.

—Oh, bueno. Perdí mi oportunidad.

Bosch se inclinó y la besó en el pelo. Por primera vez en mucho tiempo no captó ninguna vibración de resistencia por su parte. Se levantó de la cama y vio la gran bolsa gris en el suelo, con todo empaquetado y listo para la marcha. Se dio cuenta de que Maddie iba a irse de acampada al día siguiente.

—Mierda —dijo.

—¿Qué?

—Olvidé que te vas mañana. No debería haber salido.

—No pasa nada. Tenía que terminar de preparar las cosas. Solo me iré tres noches.

Bosch se sentó en la cama.

—Lo siento —dijo.

—No lo sientas —replicó ella.

—Espero que te lo pases bien.

—Lo dudo.

—Bueno, inténtalo. ¿Vale?

—Vale.

—Y envíame un mensaje de texto.

—Nos dijeron que la cobertura es muy mala.

—Bueno, si tienes señal, dime que todo va bien.

Se inclinó y la besó en el pelo otra vez, con cuidado de no soltar el aire y revelar que tenía aliento a cerveza.

Se levantó y se dirigió a la puerta.

—Te quiero, niña —dijo—. Te veré por la mañana antes de que te vayas.

—Te quiero, papá —contestó ella.

Bosch notó que lo decía en serio.

26

A la mañana siguiente, Maddie permitió a regañadientes que Bosch le acercara su mochila al coche. Luego se marchó al instituto y a su viaje de acampada obligatorio, después de contarle a su padre que un autobús los recogería en el instituto y los llevaría a las montañas.

Harry vio a su hija conduciendo calle abajo y le entristeció pensar que no estaría en casa en las tres noches siguientes. Volvió a entrar, preparó una jarra de café y se acomodó con una taza en la mesa del comedor convertida en escritorio de trabajo. Hizo lo que hacía siempre cuando trabajaba con placa. Volver al expediente.

Para Bosch el expediente del caso era una herramienta en evolución. Era cierto que en esta ocasión solo contaba con una copia y no podría añadir nada de su propia investigación. Por más que lo mirara, el número de páginas no cambiaría y todas las palabras seguirían igual. Pero no importaba. El significado de las cosas cambiaba a medida que las investigaciones progresaban. El hecho simple era que Bosch sabía más del caso en ese momento que la última vez que había mirado el expediente del caso de Lexi Parks. Eso significaba que el sentido de la información cambiaría al pasarla por el tamiz de su creciente conocimiento del caso.

Empezó a releer los documentos desde la página uno y finalmente llegó a los registros telefónicos. Los investigadores del caso habían empezado a examinar el registro de llamadas de los teléfonos personal y laboral de la víctima durante los tres meses anteriores a su muerte. Estaban en el proceso de identificar e interrogar a las personas implicadas en esas llamadas con Lexi Parks cuando llegaron los resultados de ADN del laboratorio relacionando a Da'Quan Foster con la escena del crimen. Eso hizo que todo cambiara de dirección y Bosch tuvo la impresión de que el estudio de las listas de llamadas se abandonó cuando Foster se convirtió en el foco intensivo y único de la investigación. Aun así, ya se había hecho gran parte del trabajo con las listas. Había una hoja de cálculo en la que figuraban los números con una o dos frases explicativas o la sigla NS, no sospechoso.

Bosch había estudiado la hoja de cálculo antes, pero al examinarla esta vez un nombre quedó capturado por sus filtros. Cuatro días antes de su asesinato, Alexandra Parks había llamado a la joyería Nelson Grant & Sons. La llamada había recibido una designación de NS por parte de los investigadores.

Parecía obvio que la llamada estaba relacionada con su reloj roto y no había generado sospecha en los investigadores del sheriff. Sin embargo, el reloj estaba en el radar de Bosch por el estuche vacío en su casa. Se planteó si Parks había llamado para preguntar si su reloj se podía reparar. Examinó el resto de la lista de llamadas y saltó a la de números marcados desde la línea de su oficina. No vio ninguna llamada más a la joyería.

La hoja de cálculo de la línea de la oficina estaba incompleta. Parks había hecho centenares de llamadas desde esa línea en los meses anteriores a su muerte y el proyecto era desalentador. Cornell y Schmidt probablemente se alegraron de aparcarlo cuando llegó el resultado del ADN que colgaba el caso a Da'Quan Foster. Lo único que tenían que hacer en ese punto era comprobar las listas de llamadas para ver si se había producido algún contacto entre la víctima y el sospechoso. No había sido así, y el análisis de la lista de llamadas se había interrumpido. Era una forma sutil de visión de túnel. Ahora ya tenían el pájaro en mano —Foster—, así que no les hacía falta revisar centenares de llamadas telefónicas y números sin vínculos directos con su sospechoso.

Bosch abrió su portátil y buscó la joyería Nelson Grant & Sons. Con Google Maps, localizó su dirección en Sunset Boulevard, en la elegante zona comercial de Sunset Plaza, y descubrió que la tienda abría cada día a las diez de la mañana.

Decidió visitar el comercio en cuanto abriera, pero faltaba casi una hora. Consultó su web y determinó que la tienda ofrecía distintos artículos de joyería y relojes y también se ocupaba de ventas de objetos procedentes de herencias. Pero no encontró ninguna referencia a los relojes Audemars Piguet.

Luego buscó en Google al fabricante del reloj y encontró varios distribuidores en línea. Hizo clic en uno de ellos y enseguida estuvo mirando una serie de relojes fabricados por la compañía suiza. Refinó más la búsqueda al modelo Royal Oak Offshore y se encontró con un reloj con un precio de venta de 14.000 dólares.

Bosch silbó. La discrepancia entre lo que Harrick había pagado un año antes por el mismo modelo y el precio de venta oficial era de casi diez mil dólares.

Volvió al sitio web del fabricante e hizo clic en la lista de distribuidores autorizados de Audemars Piguet. Solo había tres tiendas y centros de servicio en Estados Unidos y el más cercano a Los Ángeles estaba en Las Vegas. Bosch encontró dos números del centro de servicio y luego volvió a los registros telefónicos del sumario del caso. Examinar las llamadas en busca de coincidencias fue fácil y rápido por el código de área 702 de las Vegas. Bosch encontró dos llamadas relacionadas con el centro de servicio. El jueves 5 de febrero, el mismo día que llamó a Nelson Grant & Sons, Lexi Parks había hecho una llamada desde la línea de la oficina al centro de servicio de Audemars Piguet. La llamada duró casi seis minutos. Luego había una devolución de llamada del centro de servicio a la oficina de Parks cuatro horas más tarde. La llamada duró dos minutos.

Bosch supuso que todas las llamadas estaban relacionadas con el reloj y su reparación. Sacó su propio teléfono y estaba a punto de llamar al primer número cuando decidió esperar. Necesitaba recopilar más información antes de hacer la llamada a ciegas.

En la cubierta interior de la carpeta escribió una cronología relacionada con las llamadas que Parks había hecho y recibido. La primera llamada era al centro de servicio en Las Vegas. Suponía que era una llamada en la que Parks preguntaba por la reparación de su reloj.

Pero al cabo de solo catorce minutos llamó a Nelson Grant & Sons, la tienda donde su marido había comprado el reloj. Esta llamada solo duró setenta y siete segundos.

Luego, cuatro horas más tarde, alguien del centro de servicio de Las Vegas llamó a Parks a la línea de su oficina. Esa llamada duró dos minutos y dos segundos.

Bosch no tenía ni idea de qué significaba nada de esto ni de si guardaba relación con el asesinato que se produciría cuatro días después. Pero era una anomalía y no podría dejarla estar hasta que la comprendiera. El reloj ni siquiera había aparecido en el radar de los investigadores del sheriff. Estaban demasiado metidos en el túnel. Eso se lo dejaba a Bosch. Decidió que empezaría en la joyería donde el marido de la víctima había comprado el reloj con lo que parecía un descuento enorme. De allí iría al centro de servicio del fabricante.

Recopiló todos los informes en una sola pila, cuadró los bordes y dejó el montón sobre la mesa con su portátil. En la cocina se sirvió otra dosis de café en su taza de viaje y cogió las llaves. Estaba a punto de salir a la cochera por la puerta de la cocina cuando oyó el sonido de la puerta principal. Dejó el café en la encimera y fue a abrir.

Había un hombre y una mujer en la puerta. Los dos tenían complexión fuerte y llevaban traje, el hombre con corbata. No sonrieron y había una frialdad en sus miradas que hizo que Bosch supiera que eran policías antes de que se identificaran.

—¿Señor Bosch? —preguntó el hombre.

—Soy yo —dijo Bosch—, ¿en qué puedo ayudarles?

—Somos investigadores del Departamento del Sheriff. Ella es la detective Schmidt y yo soy Cornell. Nos gustaría hablar con usted si tiene tiempo.

—Claro. Tengo un rato.

Hubo una pausa incómoda cuando Bosch no hizo ningún movimiento para invitarlos a entrar en la casa.

—¿Quiere hacerlo aquí en la puerta? —preguntó Cornell.

—Claro —dijo Bosch—. Supongo que será rápido. ¿Se trata de que fuera a la casa ayer?

—¿Está trabajando para la defensa en el caso Parks?

—Sí.

—¿Es investigador privado con licencia, señor?

—Lo fui hace una docena de años, pero caducó la licencia. Así que trabajo para un investigador privado con licencia estatal mientras solicito que se restablezca la mía. Tengo una carta de participación de él que explica esto y lo deja claro, y es legal.

—¿Podemos echar un vistazo a esa carta, señor Bosch?

—Claro. Ahora vuelvo.

Bosch cerró la puerta y los dejó allí. Fue a buscar la carta que le había proporcionado Haller y volvió a la puerta con ella. Schmidt, que no había dicho nada hasta entonces, la cogió y la leyó mientras su compañero sermoneaba a Bosch.

—No estuvo bien lo que hizo ayer —dijo Cornell.

—¿Qué? —preguntó Bosch.

—Ya lo sabe. Se presentó con una excusa falsa para conseguir acceso a la escena del crimen.

—No sé de qué está hablando. Fui a ver una casa que estaba en venta. He estado pensando en vender esta. Tengo una hija con cuatro años de universidad por delante y me vendría bien la hipoteca que tengo.

—Mire, Bosch, no voy a andarme con tonterías. Si vuelve a cruzar la línea habrá consecuencias. Le voy a dar una oportunidad. Lo hemos investigado y era de fiar. Era. Ahora no tanto.

—A la mierda, Cornell. He visto su trabajo en esto. Es malo.

Schmidt fue a devolverle la carta a Bosch, pero Cornell se la cogió de la mano antes de que Bosch la alcanzara.

—Esto es lo que pienso de su carta —dijo.

La pasó por debajo de la chaqueta del traje y detrás de sus pantalones. Hizo el gesto de limpiarse el trasero con la carta y luego se la devolvió a Bosch. Él no la cogió.

—Muy bonito —dijo Bosch—. Elegante e inteligente.

Bosch dio un paso atrás para poder cerrarles la puerta en las narices. Cornell enseguida usó las dos manos para arrugar la carta en una bola y lanzársela a Bosch mientras estaba cerrando la puerta. Rebotó en su pecho y cayó al suelo.

Bosch se quedó en la puerta, escuchando las pisadas mientras Cornell y Schmidt se alejaban. Notaba que le ardía la cara por la humillación. Si lo habían investigado, significaba que en el Departamento de Policía de Los Ángeles todo el mundo sabía que había cruzado al otro lado. No les importaría que Bosch creyera realmente que había muchas posibilidades de que el hombre acusado del crimen fuera inocente. El resumen sería que Bosch era ahora un investigador de la defensa.

Apoyó la frente en la puerta. Una semana antes era un detective retirado del Departamento de Policía de Los Ángeles. De pronto parecía tener una identidad completamente distinta. Oyó que el coche arrancaba. Esperó a que se alejara, con la cabeza contra la puerta, antes de marcharse él también.

27

Bosch había aparcado en la calle delante de Nelson Grant & Sons antes de que abriera. Primero vio que se encendían las luces y luego a las 10:05 observó a un joven asiático dentro de la tienda que acudía a la puerta y se agachaba para abrirla desde abajo. Luego salió con un cartel plegable que anunciaba ventas de herencias, lo colocó en la acera y regresó al comercio. Nelson Grant & Sons estaba abierto. Bosch dio el último sorbo a su café y bajó del Cherokee. A media mañana el tráfico era denso en Sunset, pero las aceras y las tiendas de Sunset Plaza estaban desiertas. Era un destino para ir a comprar y a comer que estaba de moda entre los visitantes europeos, y las cosas no empezaban a animarse hasta la hora del almuerzo y más tarde.

No parecía haber nadie en la tienda cuando la entrada de Bosch hizo que sonara un timbre grave en la parte de atrás. Al cabo de unos segundos el hombre que había visto antes salió de la trastienda con la boca llena y masticando. Se colocó detrás de la parte central del mostrador en forma de U y levantó un dedo para pedir un momento. Finalmente, tragó lo que estaba comiendo, sonrió y preguntó a Bosch si podía ayudarle.

—Eso espero —dijo Bosch, acercándose al mostrador que estaba frente al hombre—. ¿Venden relojes Audemars Piguet?

—Audemars Piguet —dijo el hombre, pronunciándolo de forma muy diferente—. No somos distribuidores. Pero en ocasiones vendemos relojes AP por liquidación de herencias. Tuvimos dos el año pasado, pero se vendieron. Son artículos de coleccionista y cuando los tenemos se despachan enseguida.

—Entonces serían usados.

—Preferimos decir que han sido poseídos.

—Entiendo. Poseídos. Sabe, ahora que lo menciona, creo que estuve aquí el año pasado y vi uno. ¿Era un reloj de mujer? ¿Fue en diciembre cuando lo tuvieron?

—Eh, sí, eso creo. Ese fue el último que tuvimos.

—¿Un Royal Oak?

—En realidad, el modelo era un Royal Oak Offshore. ¿Es usted coleccionista, señor?

—¿Coleccionista? En cierto modo, sí. También tengo un amigo. ¿Vincent Harrick? ¿Lo conoce? Fue el que compró el reloj AP en diciembre, ¿no?

El hombre parecía receloso y desconcertado al mismo tiempo.

—No tengo libertad para hablar de nuestros clientes, señor. ¿Hay algún reloj de los que tengamos aquí que pueda enseñarle?

Hizo un gesto con el brazo sobre el cristal de la vitrina. Bosch lo miró sin responder. Había algo que iba mal. En cuanto Bosch mencionó a Harrick y el reloj comprado en diciembre, el hombre parecía haberse puesto nervioso. Había echado una mirada furtiva atrás a la puerta de la trastienda.

Bosch decidió presionar un poco para calibrar las reacciones del hombre.

—Entonces ¿quién murió? —preguntó.

—¿De qué está hablando? —repuso el hombre, con la voz casi estridente.

—Para que haya una liquidación de herencia alguien tiene que morir, ¿no?

—No, no siempre es así. Conocemos a gente que, por la razón que sea, decide vender sus colecciones de joyas. Sus relojes. Se consideran herencia.

Se volvió levemente y miró otra vez hacia la puerta.

—¿Está el señor Grant? —preguntó Bosch.

—¿Quién?

—Nelson Grant. ¿Está allí atrás?

—No hay ningún Nelson Grant. Es solo un nombre en un cartel. Mi padre se lo inventó cuando abrió la tienda. La gente tendría problemas para pronunciar nuestro apellido.

—¿Está su padre allí?

—No, no hay nadie atrás y mi padre se jubiló hace mucho. Mi hermano y yo llevamos el negocio. ¿De qué se trata esto exactamente?

—De un asesinato. ¿Cómo se llama, señor?

—No he de darle mi nombre. Voy a tener que pedirle que salga ahora, señor, si no está interesado en comprar nada.

Bosch sonrió.

—¿En serio?

—Sí, en serio. Márchese, por favor.

Bosch vio un tarjetero de plástico encima de la vitrina de la derecha. Se acercó con calma y cogió la de encima de la pila. Había dos nombres en la tarjeta. Los hermanos. Lo leyó en voz alta.

—Peter y Paul Nguyen. ¿Lo he pronunciado bien?

—Sí. Por favor, puede marcharse ahora.

—Entiendo por qué el viejo se decidió por Grant. ¿Es usted Peter o Paul?

—¿Para qué quiere saberlo?

—Porque estoy llevando a cabo una investigación.

Bosch sacó su cartera y extrajo su identificación del departamento. Cuando se la mostró al hombre, la sostuvo entre los dedos, con el dedo de delante tapando estratégicamente la palabra «Retirado». Había practicado el movimiento delante del espejo sobre la cómoda de su dormitorio.

—Bueno, ¿y una placa? —dijo el hombre—. ¿No tiene placa?

—No necesito placa para hacerle unas preguntas… si está dispuesto a cooperar.

—Lo que sea para terminar pronto con esto.

—Bien. Vale, entonces ¿quién es?, ¿Peter o Paul?

—Peter.

—Muy bien, Peter. Eche un vistazo a esto.

Bosch buscó el archivo de fotos de su teléfono. Enseguida abrió la foto de Lexi Parks que había sacado de uno de los artículos del *Times* sobre el asesinato. Se la mostró a Nguyen.

—¿Reconoce a esta mujer? ¿Estuvo en su tienda en la primera parte de este año?

Nguyen negó con la cabeza como si estuviera completamente perdido.

—¿Sabe cuánta gente ha estado en esta tienda desde principio de año? —preguntó—. Ni siquiera estoy aquí a todas horas. Mi hermano y yo tenemos empleados. Su pregunta es imposible de responder.

—La asesinaron.

—Lo siento, pero no tiene nada que ver con la tienda.

—Llamó aquí cuatro días antes de ser asesinada. En febrero.

El hombre pareció quedarse paralizado y su boca formó una O, como si recordara algo.

—¿Qué? —preguntó Bosch.

—Ahora lo recuerdo —dijo el hombre—. El Departamento del Sheriff llamó por eso. Una detective llamó y preguntó por la mujer que fue asesinada e hizo la llamada telefónica.

—¿Se llamaba Schmidt? ¿Qué le dijo?

—No recuerdo el nombre. Tuve que preguntar a mi hermano, que fue quien estuvo aquí el día del que hablaban. Dijo que la mujer que llamó preguntó cómo arreglar el reloj y él le dijo que buscara la web de la marca y contactara con ellos. No reparamos relojes. Solo vendemos.

Bosch lo miró. Pensó que o bien estaba mintiendo o su hermano le había mentido a él. La llamada a la tienda se produjo después de que Lexi Parks hubiera llamado al centro de reparaciones de

Audemars Piguet en Las Vegas. Parecía improbable que llamara para preguntar cómo reparar su reloj. Llamó por otra razón y ese tipo y su hermano se lo estaban ocultando.

—¿Dónde está su hermano? —preguntó—. Tengo que hablar con él.

—Está de vacaciones —dijo el hombre del mostrador.

—¿Hasta cuándo?

—Hasta que vuelva. Mire, aquí no hicimos nada malo. Paul contestó el teléfono y le dijo qué hacer.

—Eso es mentira, Peter, y los dos lo sabemos. Cuando descubra porque está mintiendo volveré. Es decir, a menos que quiera ahorrarse problemas y me cuente toda la historia ahora.

Nguyen lo miró sin responder. Bosch probó otra táctica.

—Y si tengo que arrastrar a su padre en esto, lo haré.

—Mi padre está muerto. Cuando murió, este negocio era una mierda. Mi hermano y yo levantamos todo esto.

Hizo un movimiento de barrido con el brazo como para abarcar todos los estuches en exposición y las joyas brillantes que contenían. Justo entonces entró un cliente por la puerta de cristal que se acercó hacia los estuches en exposición de la derecha. Llevaba un sombrero de ala ancha. Empezó a inclinarse sobre el cristal para poder ver mejor las joyas.

Bosch lo miró y volvió a mirar a Nguyen.

—Tengo un cliente —dijo Nguyen—. Tiene que irse.

Bosch buscó una tarjeta en el bolsillo. Era una vieja tarjeta de cuando trabajaba en el Departamento de Policía de Los Ángeles. Había borrado el número de la Unidad de Casos Abiertos y había escrito su número de móvil. También había garabateado «Retirado» en letra apenas legible en la tarjeta por si acaso caía en malas manos y la usaban contra él.

La dejó en el mostrador delante de Nguyen.

—Piénselo —dijo—. Que su hermano me llame antes de que sea demasiado tarde.

Bosch se acercó a su coche. No había recopilado ninguna información fiable dentro de la joyería, pero sentía que había agitado el avispero y reunido algo posiblemente más importante. Sospecha. Sentía que se estaba acercando al punto de encuentro, al lugar donde Lexi Parks había pisado una mina que provocó su muerte.

Se sentó al volante sin girar la llave de contacto y pensó en sus siguientes movimientos. Cogió su taza de café, pero recordó que se lo había terminado. Por primera vez se dio cuenta de la libertad con la que contaba para seguir su instinto y lanzar su red en la dirección que quisiera. Con el departamento desde luego había empleado su instinto, pero siempre había un teniente o en ocasiones un capitán al que informar y al que solicitar aprobación. Había reglas de procedimiento y reglas de pruebas. Había un compañero y una división del trabajo. Había un presupuesto y estaba el conocimiento constante e implacable de que cada movimiento que hiciera, cada palabra que escribiera sería revisada y probablemente se volvería contra él.

Bosch ya no llevaba esas cargas y por primera vez comprendió y notó el cambio. Su voz interior le decía que ese reloj con una marca que ni siquiera sabía pronunciar correctamente era la clave del misterio. Nguyen había actuado de manera tan sospechosa en la joyería —su propio territorio y zona de confort— que el reloj no podía pasarse por alto. Bosch consideró esperar hasta que su cliente se marchara y volver a la tienda para presionar más a Nguyen, o tal vez sentarse en la calle y observar para ver si aparecía el otro hermano. Pero entonces decidió usar la libertad que tenía para seguir su instinto sin permiso ni aprobación.

Arrancó el Cherokee y se separó del bordillo.

28

Long volvió al coche y examinó Sunset Boulevard.

—¿Adónde ha ido? —preguntó.

Desde detrás del volante, Ellis señaló al este.

—Probablemente a su casa —dijo—. ¿Qué ha dicho Nguyen?

—Bosch ha preguntado por el reloj y por la llamada telefónica que hizo Parks. Nguyen se ha hecho el tonto, le ha dicho que se ocupó su hermano. Pero Bosch volverá, seguro. Esto se está poniendo serio, compañero. Se está acercando.

Ellis se quedó pensando. Todavía no había arrancado el coche.

—¿Qué más? —preguntó.

—Dice que nada más —respondió Long—. Estaba asustado. Si hubiera más, lo habría dicho.

Ellis iba ya a coger la llave de contacto, pero dejó caer la mano.

—¿Dónde coño está su hermano?

—Dice que no lo sabe. Cree que en México.

—¿Qué oíste cuando has estado dentro?

—Solo he oído el final. Bosch no se tragaba lo que le vendían, eso seguro. Creo que hemos de cerrar esto. Liquidarlo. No es un movimiento de precaución como con el tío de la moto. Bosch está apuntando bien.

—Hemos de esperar hasta que los hermanos estén juntos. Esa historia de México es una trola.

—Es lo que pensaba. ¿Quieres esperar?

El silencio llenó el coche cuando Ellis no habló. Finalmente, Long insistió.

—Entonces ¿qué?

—Comprueba tu teléfono. ¿Adónde va Bosch?

—Has dicho que probablemente a casa.

—Sí, bueno, asegúrate.

Long abrió la aplicación en su móvil. Tardó unos segundos en localizar a Bosch.

—En realidad, va por La Cienega hacia la 10.

—Podría ir a cualquier parte.

Ellis giró la llave y arrancó el motor.

—Así pues, ¿qué hacemos con él? —preguntó Long—. ¿Nos lo cargamos y terminamos con el problema?

Ellis negó con la cabeza.

—No es tan fácil —dijo—. Tiene amigos. Y si Haller pierde a su segundo investigador en esto habrá preguntas. No queremos esa clase de atención.

Ellis miró en su retrovisor y estaba a punto de ponerse en marcha.

—Va a llegar a un punto —dijo Long— en que no tendremos elección.

—Tal vez —aceptó Ellis—, pero todavía no hemos llegado ahí.

Vio en el espejo que una figura familiar cruzaba Sunset.

—El que sabe esperar tiene recompensa —dijo—. Ahí está el hermano.

—¿Dónde? —preguntó Long.

—Detrás de nosotros. Llegando a la tienda. Sabía que era mentira.

Ellis apagó el contacto. Los dos hermanos intercambiaban cosas.

29

Bosch tomó La Cienega hacia el sur desde Sunset para tomar la I-10. Por el camino paró a poner gasolina en el Cherokee y poco después estaba abriéndose paso hacia el este por la autopista en dirección a las torres de cristal y piedra del centro de la ciudad. No se relajó hasta que dejó atrás el centro de la ciudad y se incorporó a la I-15, donde puso rumbo hacia el norte, directo a Las Vegas. Había decidido seguir la pista del reloj en persona y no por teléfono. Con placa o sin ella, sabía que la mejor manera de obtener información era preguntar en persona. Es fácil colgar un teléfono, mucho más difícil cerrarle a alguien la puerta en las narices.

Además, necesitaba pensar y darle vueltas a las cosas. Sabía que los amplios espacios de desierto entre Los Ángeles y Las Vegas le ayudarían a abrir su mente a los matices y posibilidades de la investigación. Por eso siempre había preferido el coche al avión para ir a la meca del juego en el desierto de Nevada.

A medio camino, decidió llamar a Haller. No lo había visto ni había tenido noticias suyas desde su paseo entre las lápidas. La llamada fue al buzón de voz. Bosch le contó que iba de camino a Las Vegas y tenía tiempo para hablar.

Veinte minutos después, Haller le llamó diciendo que acababa de salir de la vista de un caso sin ninguna relación con el de Parks.

—¿Las Vegas? —dijo—. ¿Qué hay en Las Vegas?

—No estoy seguro —dijo Bosch—. Estoy siguiendo el hilo. Si sirve de algo, serás el primero en saberlo.

—¿No podías llamar allí? Son cuatro horas de viaje.

—Siempre puedes llamar, si sabes a quién llamar. Pero en ocasiones el instinto te dice que conduzcas.

—Muy zen, Harry.

—No, más bien el abecé de homicidios.

Bosch estaba pasando por Primm, en la frontera de Nevada. Estaría en su destino en una hora.

—Entonces ¿qué está pasando con el vídeo del cementerio? —preguntó.

—He puesto a una profesional a trabajar con él hoy —dijo Haller—. Cuando sepa algo, te cuento.

—Vale.

—Tu pequeña excursión a la casa del homicidio ha estallado. Los agentes del sheriff se quejaron al fiscal, y el fiscal se ha quejado al juez. Tengo que verlo en privado hoy para explicar mis acciones.

—Mierda. Lo siento. ¿Quieres que vaya? Daré la vuelta.

—No quiero ni que te acerques. De hecho, me alegro de que estés en Las Vegas. Es mi excusa. Me las arreglaré. Conozco al juez. Fue abogado defensor, así que se compadecerá de mi situación. Le diré que no puedo conseguir buena ayuda hoy en día.

Bosch sonrió. Estaba seguro de que Haller también lo estaba haciendo.

—Sí, dile que no sabía lo que hacía, que soy nuevo en esto.

—Desde luego.

Se desviaron del tema y hablaron de sus hijas y de la graduación. Haller propuso hacer un regalo conjunto a las chicas, un crucero por la costa oeste de Canadá a Alaska, donde podrían ir en trineo por los glaciares mientras se conocían mejor antes de compartir habitación en la Chapman en otoño. A Bosch lo pilló por sorpresa, porque no había pensado en el regalo de graduación. No se había dado cuenta de que debería haber un regalo.

Al final, aceptó la idea del crucero y Haller le dijo que se encargaría. Conocía a un agente de viajes con el que trabajaba. Se despidieron y Bosch volvió a sus reflexiones sobre el caso y a prepararse para su destino.

Había pasado mucho tiempo desde que Bosch hubiera viajado a Las Vegas en un caso y descubrió que una vez más la ciudad se había redefinido con nuevos casinos, nuevas direcciones de tráfico y nuevas mecas del comercio. La tienda y servicio técnico de Audemars Piguet se hallaba en un nuevo centro comercial del Strip. Formaba parte de un enorme complejo acristalado de casinos, hoteles y estructuras comerciales y residenciales que empequeñecían todo lo que lo rodeaba. Todo se había construido desde la última vez que Bosch había estado en la ciudad. Rodeó el complejo dos veces —un trayecto de quince minutos por el tráfico— antes de encontrar una entrada al aparcamiento. Poco después, estaba caminando por un centro comercial con la colección de tiendas de mayor lujo que hubiera visto en un único lugar, incluido Rodeo Drive en Beverly Hills.

La tienda de Audemars Piguet era todo estuches de madera oscura y cristal donde los relojes se exhibían en pedestales individuales. Había un vigilante de seguridad —al que no le faltaba el auricular estilo servicio secreto— apostado en la entrada. Llevaba un traje más elegante que ninguno de los que Bosch hubiera tenido. Una mujer que parecía vestida para la ópera estaba sentada detrás de un escritorio de recepción y recibió a Bosch con una sonrisa sincera. Sabía que no debía juzgar a Bosch por sus tejanos y cazadora de pana. Los jugadores de Las Vegas a menudo elegían esconder su riqueza detrás de una apariencia desgreñada. Bosch, al menos, tenía la apariencia. Se sintió afortunado de que el puño de su chaqueta fuera lo bastante largo para ocultar que llevaba un Timex en su muñeca derecha.

—¿Hay una entrada diferente para el servicio técnico? —preguntó Bosch.

—No, esto es nuestra sala de exposición y servicio técnico —respondió la mujer con alegría—. ¿Ha venido a recoger un reloj?

—No exactamente. Me preguntaba si hay un director del servicio técnico con el que pueda hablar. Necesito preguntar sobre un reloj que llegó aquí para reparación este año.

Las cejas de la mujer se elevaron en un ángulo de cuarenta y cinco grados al poner ceño.

—Deje que vaya a buscar al señor Gerard —dijo.

La mujer se levantó y desapareció por el umbral situado detrás de su puesto. Bosch pasó el tiempo de espera mirando los distintos expositores, sin dejar de sentir en ningún momento los ojos del vigilante de seguridad en la nuca.

—¿Señor?

Bosch se volvió y vio a un hombre de pie junto a uno de los mostradores. Llevaba traje y corbata y barba poblada, quizá para disimular la falta de cabello, y gafas con una lente de aumento abatible sobre el cristal izquierdo.

—¿Puedo ayudarle? —preguntó.

—Sí —dijo Bosch—. Quiero hacer unas preguntas sobre un reloj que creo que se les envió a reparar este año.

—No sé si le estoy entendiendo. ¿Es usted el propietario?

Hablaba con un acento que Bosch no pudo identificar de inmediato. Algo europeo. Tal vez suizo, tal vez alemán.

—No, no soy el propietario. Soy investigador de Los Ángeles y estoy tratando de localizar el reloj y descubrir los detalles que lo rodeaban.

—Esto es muy inusual. ¿Es usted policía?

—Acabo de retirarme de la policía de Los Ángeles. Me han pedido que investigue esta cuestión. Hay un asesinato de por medio.

La última frase pareció llenar de sospecha la cara del hombre.

—Un asesinato.

—Sí. Yo era detective de homicidios. Si le preocupa hablar conmigo, puedo darle los nombres y los números de gente en el Departamento de Policía de Los Ángeles que pueden responder por mí.

—¿Puede mostrarme una identificación?

—Por supuesto.

Bosch sacó su cartera y le mostró su identificación del departamento de policía. No había necesidad de intentar tapar la marca de retirado en esta ocasión.

—¿De qué reloj está hablando? —preguntó el hombre al devolverle la identificación.

—¿Es usted el señor Gerard? —preguntó Bosch.

—Sí, Bertrand Gerard. Soy director de ventas y del servicio técnico. ¿A quién asesinaron?

—Una mujer llamada Alexandra Parks. En febrero. ¿Se enteraron aquí?

El hombre negó con la cabeza como si no estuviera seguro de lo que había oído. Bosch tuvo la sensación de que el nombre de Parks no le resultaba conocido.

—Causó una gran conmoción en Los Ángeles —dijo Bosch—. Pero quizá ella podría haber usado el apellido de su marido en lo relacionado con el reloj. Su nombre es Harrick.

Esta vez Bosch consiguió una reacción. No una alerta de ningún tipo, sino un reconocimiento claro.

—¿La conoce? —preguntó Bosch.

—Sí, conozco el nombre —respondió Gerard—. Pero no sabía lo que ocurrió. Su número de teléfono estaba desconectado y el propietario original no quiso recuperar el reloj. Así que... todavía lo tenemos aquí.

Bosch se detuvo. Gerard acababa de desvelar algo que Bosch no sabía o no comprendía. Quería que el hombre siguiera hablando, pero no quería dar un mal paso que pudiera estropear la cooperación.

—El propietario original —dijo tentativamente—. ¿Y por qué ella no quería recuperar el reloj?

—Técnicamente no era ella —contestó Gerard—. El comprador era un hombre, aunque lo compró para su mujer. ¿Quién le pidió que estudiara esta cuestión?

Ahí estaba el mal paso. Bosch miró a su alrededor. Tenía que cambiar de tema.

—Señor Gerard, ¿tiene un despacho donde podamos hablar en privado?

Gerard hizo una pausa, probablemente decidiendo hasta dónde quería implicarse en esto.

—Sí, sígame, por favor —sugirió por fin.

Gerard saludó con la cabeza al vigilante de seguridad, una señal de que todo iba bien, y acompañó a Bosch por la puerta de detrás de los expositores.

Gerard tenía un pequeño despacho privado situado cerca de una gran trastienda donde había un banco de trabajo con varias pequeñas herramientas en un estante. Contra la pared del fondo, Bosch vio una caja fuerte de suelo a techo donde probablemente se guardaban los relojes. No había nadie en la trastienda. Eso y la lupa unida a sus gafas dejaban claro que Gerard mandaba y que también era el técnico que hacía las reparaciones y ajustes a los relojes.

Gerard se sentó detrás de un escritorio perfectamente limpio y abrió una agenda. Pasó hojas hasta que encontró un nombre o una anotación, luego abrió un cajón y sacó la carpeta correspondiente con un reloj unido a él en una bolsita acolchada. Gerard desabrochó el cierre, sacó el reloj, lo dejó cuidadosamente en el escritorio y abrió la carpeta.

—El reloj nos lo envió a reparar Alexandra Harrick —dijo—. Lo envió desde West Hollywood, California, pero eso ya lo sabe.

—Sí —dijo Bosch.

Viendo que Gerard hablaba, Bosch dijo lo menos posible, porque no quería mencionar nada que pudiera ser un freno a que revelara información.

—Nuestro sitio web proporciona detalles precisos sobre cómo proceder para revisar o reparar un reloj.

—¿Qué le pasaba al reloj? —preguntó Bosch, lamentando de inmediato haber dicho nada.

Gerard cogió el reloj y usó el dedo para trazar un círculo sobre su esfera.

—El cristal estaba fracturado —dijo—. No se dio ninguna explicación. Pero era una reparación simple. Solo había que cambiar el cristal. Tuve que pedirlo a Suiza y tardó unos diez días.

Gerard levantó la mirada y se fijó en Bosch, esperando la siguiente pregunta. Bosch había malogrado el impulso de la conversación y tenía que intentar recuperarlo.

—¿Cuándo le enviaron el reloj? —preguntó.

Gerard consultó las notas en la carpeta.

—Recibido el 2 de febrero —dijo—. Enviado por FedEx.

Bosch anotó la fecha, una semana antes del asesinato de Alexandra Parks.

—Fue entonces cuando se recibió, lo documentamos —dijo Gerard—. Pero no abrí la caja ni examiné su contenido hasta tres días después, el 5.

—¿Qué ocurrió entonces? —preguntó Bosch.

—Bueno, todas nuestras piezas se registran después de la compra —dijo Gerard—. En el caso de que se revendan, el nuevo comprador puede volver a registrarlas, y después de eso disfruta de los beneficios del servicio al cliente. Lo que ocurrió en este caso fue que este reloj no estaba registrado a nombre de Harrick. Todavía estaba registrado a nombre del comprador original.

—Fue comprado como regalo —dijo Bosch—. Una venta de herencia.

—El problema es que yo conocía este reloj en concreto —dijo Gerard—, porque lo vendí yo mismo.

No dijo nada más y Bosch no estaba seguro de qué preguntar a continuación. La historia del reloj, fuera la que fuese, obviamente había desconcertado a Gerard de algún modo que no había explicado. Bosch necesitaba que lo hiciera.

—¿Usted lo vendió originalmente y no se enteró de que se hubiera revendido?

—Exacto.

—¿A quién se lo vendió originalmente?

—No puedo decírselo. Tenemos una política de privacidad y no podemos revelar los nombres de los clientes. La gente que compra estos relojes espera un alto grado de confidencialidad y la consigue.

—Muy bien, ¿qué hizo entonces?

—El comprador me había adquirido dos relojes en los últimos tres años. Era un coleccionista de relojes de lujo y compró para él y para su esposa. Y por lo que yo sabía, todavía tenía los dos, pero entonces llegó este reloj enviado por otra persona. Así que tomé la iniciativa de llamar a su casa para verificar que la recompra era legítima.

Gerard estaba ahora siguiendo un patrón de dejar que la historia se detuviera y necesitaba que le apremiaran. Según la experiencia de Bosch era una señal de reticencia. Ocurría a menudo cuando a la gente, gente completamente inocente o no implicada, le preguntaban por cosas relacionadas con un homicidio.

—¿Qué le contó?

—Al principio no hablé con él. Su mujer contestó el teléfono. Pregunté por el marido, pero no estaba en casa.

—Entonces habló con ella.

—Sentía que no debía levantar una alarma con ella si no era necesario. Me identifiqué y dije que solo estaba llamando para hacer un seguimiento y ver si seguían contentos con sus relojes y si había algo que pudiera hacer. Ofrecemos un servicio gratuito de limpieza a nuestros clientes. Solo pagan el envío y el seguro.

—Fue una forma inteligente de manejarlo. ¿Qué dijo ella?

—Me contó que habían robado los dos relojes que me compraron.

—Robados.

—Sí, hubo un robo. Ella estaba en París y nunca viajaba con su reloj por miedo a un atraco. El reloj estaba en casa y su marido se había quedado porque tenía que trabajar. Un día entraron en la casa mientras él estaba fuera y se llevaron todas las joyas.

—¿Dijo cuándo ocurrió?

—Solo unos meses antes. No me dio una fecha exacta.

—¿Viven aquí en Las Vegas?

Gerard dudó, pero entonces decidió que podía revelar el lugar de residencia de su cliente sin infringir la política de la compañía.

—Viven en Beverly Hills —dijo.

—Bien —dijo Bosch—. ¿Le dijo a la mujer que tenía su reloj robado en su taller?

Gerard dudó otra vez y Bosch pensó que entendía dónde podría estar centrada la incomodidad del hombre.

—No exactamente —dijo—. Quería hablar con el marido. Técnicamente el cliente era él. Le pedí que me llamara. Y le dije que podría tener localizado uno de los relojes.

—¿Fue así como se lo dijo? —preguntó Bosch.

—Sí. No dije que lo tenía en mis manos.

—¿Y el marido le llamó?

—Sí, esa misma tarde. Me contó una historia completamente diferente. Me dijo que los relojes no fueron robados. Eso era lo que él le había dicho a su mujer, porque en realidad había vendido los relojes y las joyas sin que ella lo supiera. Estaba nervioso y avergonzado, pero reconoció que tenía un problema de liquidez y había vendido los relojes para cubrir algunas pérdidas de juego que no quería que su mujer conociera.

—Así que se inventó la historia del robo.

—Exactamente.

—¿Usted sabía que era un jugador?

—No lo conocía fuera de esta tienda, pero vive en Beverly Hills y estamos en Las Vegas. Pagó sus compras en efectivo. Siempre supuse que venía aquí para algo más que comprar relojes.

—¿A qué se dedica?

—Es médico, pero no sé de qué especialidad.

Bosch pensó en esto. Si la historia era cierta, ese cabo suelto del caso Parks ya estaba atado y aparentemente no relacionado con su asesinato. Era solo una extraña historia al margen en la que había perdido el tiempo. Se preguntó si se le vería la decepción en la cara.

—¿Dijo dónde vendió los relojes y a quién?

—No, no lo pregunté. La conversación fue breve. Él solo quería asegurarse de que supiera que la información que su mujer me había dado no era precisa. Me preguntó si había llamado a la policía y le dije que no, que quería hablar con él antes.

Bosch asintió y estudió a Gerard. El hombre todavía parecía incómodo, como si contar la historia no hubiera exorcizado lo que le estaba molestando.

—¿Hay algo más, señor Gerard? —preguntó.

—¿Más?

—En la historia. ¿Ha omitido alguna cosa?

—Bueno, no, es todo lo que dijo.

—¿Había llamado usted a la policía?

—No, por supuesto que no. No mentí sobre eso.

—¿Y la señora Harrick? ¿Habló con ella de algo de esto?

Gerard evitó la mirada de Bosch y bajó la vista a sus manos y al escritorio. Bosch supo que se estaba acercando a algo.

—Habló con ella —dijo.

Gerard no dijo nada.

—¿Le contó que creía que el reloj era robado? —preguntó Bosch.

Gerard asintió sin levantar la mirada.

—Resultó que llamó entre cuando hablé con la mujer del comprador original y cuando él (el médico) me devolvió la llamada. La señora Harrick llamó porque quería saber si el reloj ya se había reparado. Le dije que había sido recibido y que había pedido la sustitución del cristal. Entonces le pregunté dónde se había comprado.

Me dijo el nombre de una joyería de Los Ángeles y que formaba parte de una venta de herencia.

—¿Nelson Grant & Sons?

—No recuerdo el nombre.

—Entonces ¿qué le dijo usted?

—Fui sincero. Le comenté que la reparación sería fácil cuando llegara el cristal, pero que no estaba seguro de que pudiera trabajar en la pieza porque había un problema de propiedad.

—¿Cuál fue su reacción?

—Bueno, se quedó un poco desconcertada. Dijo que había sido una adquisición legítima, que su marido había comprado el reloj y que era policía. Dijo que él nunca compraría mercancía robada, que ella podría perder su trabajo y su reputación, y se quedó muy inquieta de que yo insinuara semejante cosa. Traté de calmarla. Me disculpé y le dije que estaba esperando información adicional y que por favor me llamara al cabo de un día o dos que ya sabría algo más.

Gerard finalmente levantó la mirada a Bosch con los ojos llenos de lamento por la llamada telefónica.

—Y entonces le llamó el doctor —dijo Bosch.

—Sí, el doctor me llamó y me contó su historia y dijo que había vendido el reloj en cuestión.

Gerard negó con la cabeza al recordar el lío que había creado.

—¿Llamó a la señora Harrick para contárselo? —preguntó Bosch.

—Sí, la llamé, y, por supuesto, estaba muy enfadada, pero no había nada que yo pudiera hacer. A alguna gente no se la puede aplacar. Dedicándome a la venta, es algo que sé.

Bosch asintió. La situación le parecía un callejón sin salida. Señaló el reloj del escritorio y planteó su última pregunta.

—¿Por qué todavía conserva el reloj?

Gerard lo cogió y lo miró. Cuando lo hizo, Bosch vio un garabato sobre un Post-it amarillo unido a la carpeta. Puedo leer un nombre con claridad, aunque estaba al revés. Doctor Schubert. Había un número de teléfono con un número de área 310, que Bosch sabía que abarcaba Beverly Hills.

—Ella no proporcionó un método de pago para la reparación —dijo Gerard—. Después de que llegara el cristal y lo colocara, traté de contactar con el número que ella me proporcionó con el envío, pero la línea estaba desconectada. Por eso guardé el reloj aquí y esperé su llamada. Después, francamente, lo olvidé. Tuve otro encargo y lo olvidé. Ahora me dice que está muerta, asesinada.

Bosch asintió. Parks había dado su número de móvil con el paquete del reloj para envío. Cuando Gerard la había llamado, Harrick ya había cancelado el número después de la muerte de su mujer.

—Es horrible —dijo Gerard.

—Sí, horrible —dijo Bosch.

Gerard asintió y luego habló con timidez al colocar el reloj en el escritorio.

—¿Este reloj es la razón de su asesinato?

Lo preguntó como si temiera la respuesta.

—No lo creo —dijo Bosch.

Gerard cogió el reloj otra vez y empezó a devolverlo a su bolsa acolchada. Bosch se fijó en algo en el reverso del reloj.

—¿Puedo ver el reloj un momento?

Gerard se lo pasó. Harry le dio la vuelta y miró la inscripción.

Vince y Lexi
por siempre jamás

Bosch envolvió otra vez el reloj y lo colocó en el escritorio.

—Tengo una última pregunta —dijo—. Y le dejaré en paz.

—Sí, por favor —dijo Gerard.

—¿Por qué piensa que se lo envió así, en la bolsa acolchada? ¿Cómo es que no lo envió en su estuche?

Gerard se encogió de hombros.

—¿Había un estuche? —preguntó.

Bosch asintió.

—Sí, en su armario. Con el recibo de su marido del lugar donde lo compró. Estaba allí, pero ella no lo envió en el estuche.

Gerard se encogió de hombros otra vez.

—El estuche es voluminoso —propuso— Quizá era más fácil envolverlo y enviarlo en una caja de FedEx. Recuerdo que fue así como lo recibí. Pero no es inusual que nuestros clientes envíen los artículos así.

Podría haber múltiples razones, Bosch lo sabía. La pregunta no tenía respuesta porque la única persona que verdaderamente lo sabía estaba muerta.

—¿Y el precio? —preguntó—. El marido lo compró usado por seis mil dólares. ¿Fue una buena compra?

Gerard frunció el ceño.

—Nuestros relojes se coleccionan en todo el mundo —dijo—. Mantienen el valor y algunos modelos lo aumentan. Sí, fue una buena compra. Muy buena. Un precio para venderlo enseguida.

Bosch asintió.

—Gracias, señor Gerard.

30

El saxo tenor de Kamasi Washington sonaba en el equipo de música, el desierto calcinado por el sol quedaba atrás a toda velocidad a ambos lados de la autopista, y Bosch reflexionaba sobre el caso en su regreso a Los Ángeles.

Le encantaban esos momentos de concentración solitaria para pensar en un caso. Siempre dividía sus pensamientos en tres canales de lógica distintos: las cosas que sabía, las cosas que podía suponer y las cosas que quería saber. El último canal siempre era el más ancho.

El viaje a Las Vegas en pos del reloj desaparecido tenía la apariencia de un fiasco. Se había aclarado el misterio del reloj y la explicación de los hechos proporcionada por Bertrand Gerard era plausible. Aun así, Bosch no estaba listo para eliminar el reloj de su investigación. La llamada que Parks había hecho a Nelson Grant & Sons todavía le irritaba, simplemente porque Peter Nguyen había sido evasivo y reacio a cooperar con Bosch. Harry decidió que lo volvería a intentar con Nguyen —y su hermano, si era posible— y también hablaría con el doctor Schubert para cotejar su versión de la historia con la de Gerard. Era una estrategia de eliminación básica. Estudiar todas las posibilidades.

Al salir del Strip de Las Vegas y entrar en la carretera abierta, los pensamientos de Bosch volvieron a la víctima. Alexandra Parks era funcionaria pública. Entre sus obligaciones se encontraba la de dirigir la unidad de defensa del consumidor de West Hollywood. Que se supiera que llevaba un reloj robado habría sido muy embarazoso e incluso habría amenazado su empleo. Bosch se preguntó qué hizo ella en las horas transcurridas entre que Gerard le inculcó la sugerencia de que había estado haciendo precisamente eso y la segunda llamada, cuando le dijo que era una falsa alarma. Sabía que había llamado a Nelson Grant & Sons. Pero ¿a quién más llamó? ¿A su marido, el agente del sheriff, el hombre que le regaló el reloj?

Bosch planeó echar un segundo vistazo a los registros telefónicos cuando volviera a Los Ángeles. Antes de descartar que el reloj tuviera alguna significación en el caso, todavía tenía trabajo que hacer.

Cuando circulaba despacio por Primm, la última parada para jugar antes de la frontera de California, Bosch recibió una llamada. En la pantalla decía «Identidad oculta», pero respondió porque probablemente significaba que era un policía.

—Harry, dime que no.

—¿Quién es?

—Tim Marcia. Hoy se ha corrido la voz de que te has cruzado al otro lado.

Marcia había estado con Bosch en la Unidad de Casos Abiertos. Él todavía estaba en la pelea buena y si alguien merecía una explicación de Bosch era él.

—Solo temporalmente —dijo Bosch—. Y es un caso del sheriff, no del departamento.

—Bueno, no creo que esto vaya a significar una gran diferencia aquí —dijo Marcia—. Pero a mí me sirve. Sobre todo lo de que sea algo temporal.

—Gracias, Tim. ¿Quién ha corrido la voz?

—Lo que oí fue que el Departamento del Sheriff hacía preguntas sobre ti. Alguien llamó al capitán y él estuvo encantado de correr la voz de que estabas trabajando para el otro lado.

—No me sorprende. Mira, ya te digo que es temporal. Y para que conste, creo que el sheriff podría haberla cagado en este caso y haberse equivocado de hombre.

—Ahora te escucho. Mantén la cabeza baja, hermano.

—Lo haré.

Bosch colgó y volvió a su análisis del caso, pero enseguida le interrumpió otra llamada con identidad oculta. Atendió la llamada, pero no reconoció la voz masculina.

—Soy Kim.

—Sí. ¿Qué pasa, Kim?

Bosch no recordaba a quién conocía que se llamara Kim.

—Tengo número de teléfono amigo muerto —dijo Kim.

Bosch se dio cuenta de que estaba hablando con el director del Haven House.

—Está bien —dijo—. Pero estoy en la autopista y no puedo escribir. ¿Puedo llamar en cuanto pueda?

—Compra número —dijo Kim—. Cincuenta dólar.

Bosch recordó la cantidad que había ofrecido a Kim por la conexión con amigos o conocidos de James Allen.

—Vale, le debo cincuenta —dijo Bosch.

—Primero paga —dijo Kim.

—Vale, vale. Ahora estoy fuera de la ciudad. En cuanto vuelva iré a verle, ¿vale?

—Me paga. Doy número.

—Trato.

Pasó una hora más y enseguida se dio cuenta de que solo se había alimentado de café y adrenalina durante el día y tenía que parar a comer. Tomó la salida de la Ruta 66 en Victorville y pidió una hamburguesa en un restaurante de carretera.

La hamburguesa vino con dos rebanadas de pan tostado. Sació el apetito y enseguida se dirigió otra vez a la 15. Estaba poniendo gasolina en el Cherokee en una parada de camiones, junto a la entrada de la autovía, cuando su teléfono sonó y en la pantalla apareció otra vez «Identidad oculta». Aceptó la llamada, pero no reconoció la voz que lo maldijo.

—Capullo, Bosch. Si alguna vez te enfrentas a mí en un caso te partiré el culo.

—¿Quién es?

—Es tu puta conciencia. Sabes que estás traicionando a mucha gente aquí. Has...

—Vete a tomar por culo.

Bosch colgó. Sabía que no todos sus hermanos y hermanas de azul iban a ser tan comprensivos como Tim Marcia y Lucía Soto. Terminó de poner gasolina y rodeó el Cherokee para mirar los neumáticos, un hábito antiguo. Luego volvió a la carretera.

Cinco minutos después de unirse al tráfico de la autovía, su teléfono sonó con otra llamada de identificador oculto. Bosch decidió que no necesitaba el agravio ni la distracción. No necesitaba la llamada y se sorprendió al oír que sonaba la alerta de mensaje. Dejar un mensaje de naturaleza amenazadora no era inteligente. Curioso por saber quién había dado ese mal paso, reprodujo el mensaje.

«Harry Bosch, soy Dick Sutton del Departamento del Sheriff. Necesito que me llames en cuanto recibas este mensaje. Tenemos una emergencia.»

Sutton dejó su número de móvil y antes de terminar el mensaje instó a Bosch a llamarlo enseguida.

Bosch no respondió la llamada de inmediato. Reflexionó antes. Conocía a Dick Sutton. Bosch había trabajado con él en varios equipos interagencias, y aunque no habían estado más cerca que eso, Bosch se había formado una buena opinión del hombre. Sutton era un tipo franco de Oklahoma al que no le gustaban los jueguecitos. Era un investigador veterano de la Unidad de Homicidios del Departamento del Sheriff y Bosch se preguntó si de alguna manera estaba implicado en el caso de Lexi Parks.

Harry escuchó el mensaje una vez más para memorizar el número y devolvió la llamada. Sutton respondió de inmediato.

—Soy Harry Bosch.

—Bien, Harry, ¿dónde estás?

—En la 15, volviendo de Las Vegas.

—¿Has estado en Las Vegas hoy?

—Sí, ¿qué pasa?

—Harry, necesitamos que vengas y hables con nosotros. ¿A qué distancia estás?

—Depende del tráfico, dos horas máximo. ¿De qué he de hablar contigo, Dick?

—Ha habido un doble homicidio en West Hollywood hoy. Dos tipos que llevaban una joyería en Sunset Plaza. Un sitio llamado Nelson Grant & Sons. ¿Lo conoces?

—Sabes que sí, Dick. Has encontrado mi tarjeta, ¿no?

—Eh, sí. ¿Cuándo has estado allí?

—Esta mañana, cuando uno de ellos subió la persiana y abrió.

Hubo una larga pausa antes de que Sutton respondiera.

—Bueno, Harry —dijo—. Has tenido suerte.

—Cuéntame.

—Lo haré cuando llegues aquí. Ven directo.

—Claro. Pero deja que te pregunte una cosa, Dick. ¿Soy sospechoso?

—Harry, tú y yo nos conocemos hace mucho. No eres sospechoso. Necesitamos tu ayuda. No tenemos ninguna pista en esto y nos vendrá bien la ayuda que podamos conseguir.

—¿Estás en la escena?

—Ahora sí, pero me iré enseguida a la comisaría de West Hollywood para empezar a hablar con gente.

Bosch sabía que eso significaba que habían detenido a otros para interrogarlos.

—Sabes dónde está, ¿no? —preguntó Sutton.

—En San Vicente —dijo Bosch.

—Eso mismo.

—Te veré allí.

Después de colgar, Bosch pensó en lo que había dicho Sutton de que no era sospechoso. Se contradecía con lo de que no tenía ninguna pista en la investigación. La norma era que cuando no tenías nada en un caso, todo el mundo era sospechoso.

A Bosch le caía bien Sutton y lo respetaba, pero tenía que reconocer la situación en la que se encontraba. Estaba al otro lado del pasillo, en el llamado lado oscuro, y Sutton desde luego no lo veía con los mismos ojos que cuando eran compañeros investigadores de homicidios que trabajaban desde diferentes cuerpos policiales.

Bosch decidió llamar a Mickey Haller para contarle lo que estaba pasando. No respondió, así que dejó un mensaje.

—Soy Bosch. A las siete voy a necesitar que me esperes a la puerta de la comisaría del sheriff de West Hollywood. Voy a ver a un investigador de homicidios llamado Dick Sutton y creo que podría necesitar un abogado.

Bosch casi colgó en ese momento, pero añadió algo más.

—Y Haller, ten cuidado. No sé qué está pasando, pero… ándate con ojo.

31

Haller estaba esperando a Bosch en la escalinata de la comisaría del sheriff en San Vicente Boulevard junto al Pacific Design Center. Antes de entrar, Bosch le contó lo que sabía y lo que suponía que podía ocurrir. Haller dijo que protegería a Bosch de dar un mal paso, pero que también quería que Bosch pensara en lo que mejor le vendría a Foster antes de responder cada pregunta.

—Recuerda que ya no llevas placa —dijo Haller al abrir la puerta de la comisaría.

Dick Sutton estaba esperando a Bosch en la oficina de detectives. Como bien conocido abogado defensor y antiguo candidato a fiscal del distrito, Sutton reconoció de inmediato a Haller.

—Oh, vamos, somos viejos amigos —dijo—. ¿Un abogado defensor, Harry? ¿En serio? No hay necesidad de medidas extremas.

—No creo que protegerse legalmente sea una medida extrema —precisó Haller.

—Lo siento, Dick —lamentó Bosch—. Pero tengo una hija y no tengo mujer y he de asegurarme de llegar a casa esta noche.

No se molestó en mencionar que esa hija estaría en el lago Big Bear las siguientes tres noches.

—Bueno, yo tengo un doble homicidio y creo que podrías ser el único hombre que puede ayudarme a darle sentido —respondió Sutton—. Vamos a la sala de reuniones y pongamos las cartas sobre la mesa.

Acompañó a Bosch y Haller a una gran sala de reuniones con una amplia mesa ovalada, lo bastante grande para que se sentara una junta directiva de una empresa de tamaño medio. Fue un buen movimiento de Sutton no meter a Bosch en una sala de interrogatorios normal. Eso habría sido un mal paso. En cambio, estaba tratando de hacer que Bosch se sintiera parte de la investigación y no el objeto de ella.

Cornell y Schmidt, a los que Bosch había recibido esa mañana, ya estaban sentados esperando allí, así como otro hombre al que no reconoció, pero que suponía que era compañero de Sutton.

—Creo que ya conoces a los detectives Cornell y Schmidt —dijo Sutton—. Y él es Gil Contreras, que me aguanta a mí.

Sutton señaló a los visitantes y presentó a Bosch y su abogado. Siguieron unas suaves protestas sobre el abogado, que Haller trató de sofocar levantando las manos en ademán de rendición.

—Solo estoy aquí para proteger a mi cliente y facilitar un intercambio de información que espero que será beneficioso para todos nosotros —advirtió.

Haller y Bosch retiraron dos sillas y se sentaron uno al lado del otro. Sutton rodeó la mesa y se sentó junto a su compañero y enfrente de Bosch.

—¿No hay un conflicto de intereses? —dijo Schmidt.

Haller entrelazó las manos sobre la mesa y se inclinó hacia delante para poder ver a Schmidt, situada al otro lado de Bosch.

—¿Cómo es eso, detective? —preguntó.

—Él es su investigador en el caso Parks y ahora dice que es su cliente —respondió ella.

—Yo no lo veo así —dijo Haller—, pero si quiere posponer esta reunión hasta que encontremos otro abogado para el señor Bosch que supere su test de conflicto, podemos hacerlo. No hay problema.

—No es eso lo que queremos —interrumpió Sutton con rapidez—. Vamos a charlar y hablar entre amigos aquí.

Lanzó a Schmidt una mirada para pedirle que se calmara.

—Entonces ¿por dónde empezamos? —dijo Haller.

Sutton asintió, en apariencia feliz de superar la potencial barricada que Schmidt había levantado. Abrió una carpeta que tenía delante de él sobre la mesa. Bosch vio varias notas escritas en un papel sujeto con un clip en el lado izquierdo. A la derecha había una funda de plástico para proteger documentos que tenían valor probatorio en una investigación.

—Empecemos con esto —dijo Sutton.

Cogió la funda y la deslizó por la mesa hasta un lugar donde Bosch y Haller pudieran verla. Contenía lo que suponía que era la misma tarjeta de visita que le había dejado a Peter Nguyen esa mañana en la joyería.

—¿Es tu tarjeta, Harry? —preguntó Sutton.

—Eso parece —contestó Bosch.

Haller puso una mano en el brazo de Bosch, para advertirle de que no respondiera preguntas antes de que él las hubiera aprobado desde un punto de vista legal. Bosch había llamado a Haller, pero era para una cuestión más general. No iba a meterse en jueguecitos con Sutton solo por jugar. Harry había estado al otro lado de la mesa de esa clase de tipos antes y era la última persona en la que quería convertirse.

—¿Puedes decirnos a quién se la diste? —preguntó Sutton.

—Salgamos —dijo Haller con rapidez—. Solo será un minutito.

—Son preguntas básicas —dijo Sutton, con la protesta evidente en su voz.

—Solo una conversación rápida —se excusó Haller.

Se levantó y Bosch lo siguió a regañadientes, avergonzado de estar actuando del mismo modo en que había visto hacerlo a muchos sospechosos con sus abogados a lo largo de sus años de detective.

Salieron al pasillo y Haller cerró la puerta. Bosch habló primero.

—Mira, he de contarles lo que sé —dijo—. Esto podría ayudar a Foster. No te he llamado para que puedas protestar cada...

—No es Foster lo que me preocupa —replicó Haller—. Si crees que no te están buscando por esto, no eres tan listo como creía que eras, Bosch.

—No tienen nada. Cuando no tienes nada, todo el mundo es sospechoso. Eso lo entiendo. Enseguida verán que no soy su hombre.

Bosch hizo un movimiento hacia la puerta.

—Entonces ¿por qué estoy aquí? —preguntó Haller.

Bosch hizo una pausa con la mano en el pomo. Miró a Haller.

—No te preocupes, voy a necesitarte —dijo—, pero no hasta que saquemos de en medio este material básico.

—Deja que intente una cosa cuando entremos —propuso Haller—. Será rápido. Déjame hablar primero.

—¿Qué?

—Ya lo verás.

Bosch frunció el ceño, pero abrió la puerta y ambos volvieron a sus asientos.

—Detectives, hagamos de esto un campo de juego justo —sugirió Haller—. Hagamos un intercambio de información justo.

—No vamos a comerciar con información de un doble homicidio —dijo Sutton—. Nosotros hacemos las preguntas y Harry las responde. Así son las cosas.

—¿Y si nosotros hacemos una pregunta por cada pregunta suya? —insistió Haller—. Por ejemplo, ¿qué están haciendo aquí Cornell y Schmidt? ¿El doble homicidio que están investigando está relacionado con el caso Parks?

Sutton parecía molesto y Bosch conocía la razón. El abogado en la sala estaba tratando de torpedear el interrogatorio.

—No sabemos con qué está relacionado este caso —respondió con impaciencia—. La tarjeta de Harry se encontró en la escena del crimen y resulta que he oído a estos dos hablando de Bosch hoy mismo. Así que los he llamado. ¿Eso responde su pregunta? ¿Puedo hacer la mía?

—Por favor —dijo Haller—, es una calle de doble sentido.

Sutton volvió su atención a Bosch.

—Harry, esta tarjeta se encontró en el bolsillo del abrigo de uno de los hombres a los que mataron a tiros esta mañana en la trastienda de la joyería Nelson Grant & Sons. ¿Puedes contarnos algo?

—Supongo que estaba en el bolsillo de Peter Nguyen —dijo Bosch—. Se la he dado esta mañana cuando he estado en la tienda.

—¿Exactamente a qué hora ha sido?

—En cuanto abrió la puerta, a las diez. Me fui a las diez y cuarto como máximo. ¿Quién era la otra víctima?

Sutton dudó antes de responder, pero no demasiado.

—Su hermano Paul.

—Creo que no estaba allí cuando yo he estado, pero puede que lo estuviera esperando. Peter no dejaba de mirar a la trastienda como si esperara que llegara alguien. ¿Cuándo ha ocurrido esto?

—Todavía no estamos seguros. Los encontró un cliente hacia el mediodía. Estaban en el suelo de la trastienda. El forense lo concretará mejor después.

—¿No hay vídeo?

Cornell levantó las manos con frustración.

—Está haciendo todas las preguntas él —dijo—. Pregúntale qué coño estaba haciendo allí.

Sutton frenó a Cornell con la mirada, comunicando en silencio la reprimenda por la interrupción y el lenguaje. La mirada de Sutton recordó a Cornell y Schmidt que eran observadores. Era el caso de Sutton y su compañero.

—No, no hay vídeo —contestó Sutton—. El que los mató se llevó el disco de la grabadora. Es un sistema viejo sin copia de seguridad en la nube. La mujer de la tienda de al lado cree que vio a dos hombres entrar por la puerta de atrás del aparcamiento a las diez y cuarenta y cinco. Iban con monos blancos. Pensó que eran limpiaventanas. No oyó disparos.

—Dos hombres…

—Sí, dos hombres. Estamos buscando cámaras en la zona, pero no hemos tenido suerte hasta ahora. Entonces ¿qué estabas haciendo allí, Harry?

Bosch sintió una sensación de pánico en el pecho. No podía evitar sentirse responsable de la muerte de los hermanos Nguyen. Su instinto le decía que había llevado a los asesinos allí, o que al menos había creado la necesidad de que mataran a los hermanos Nguyen.

—¿Qué se llevaron? —preguntó.

—Harry, tu abogado ha dicho que es una calle de doble sentido —dijo Sutton—. No me estás dando nada y estás haciendo todas las preguntas.

—Solo contesta esta última. ¿Fue un atraco o una ejecución?

Sutton negó con la cabeza. Había dejado que se le escapara el interrogatorio. Bosch había tomado el control.

—Fue desde luego un atraco o lo hicieron pasar por un atraco —contestó—. Vaciaron una de las vitrinas.

—¿Solo una? —preguntó Bosch—. ¿Cuál?

—La que está justo a la derecha al entrar por la puerta principal.

—Ese era el material de herencias, ¿verdad?

Sutton negó con la cabeza.

—Ya está, Harry. Basta. Ahora respondes preguntas. ¿Por qué has entrado allí esta mañana?

Haller se inclinó hacia Bosch y susurró.

—Deja que te recuerde que estás trabajando para mí y la protección y confidencialidad de que goza mi cliente se extiende de mí a ti —dijo—. Así que ten cuidado.

Bosch miró a Sutton.

—Tengo un problema de confidencialidad aquí —dijo—. Estoy trabajando como investigador de la defensa y no puedo hablar de cosas que pertenecen al caso sin la aprobación de mi cliente o de su abogado.

—Y no vas a conseguirlas —dijo Haller.

Bosch lo hizo callar con un gesto de la mano y continuó.

—Basta con decir que no sé quién mató a los hermanos Nguyen —dijo—. Si lo supiera, te lo contaría, cliente o no cliente.

—¿Qué estabas haciendo allí? —preguntó Sutton.

Bosch miró directamente a Cornell al responder.

—Estaba preguntando por un reloj que vendieron hace seis meses al marido de Alexandra Parks. Como sabes, fue asesinada. El reloj no aparecía en el archivo de la investigación. No me gustan los cabos sueltos y estaba intentando atarlos.

—¿Peter Nguyen sirvió de ayuda?

—No.

—¿Fue allí donde se compró el reloj?

—Eso creo.

—¿Y qué te hace creerlo?

Haller respondió antes de que Bosch pudiera hacerlo.

—No va a responder eso —dijo Haller—. Creo que hemos de cortar esta conversación aquí, detectives.

Cornell murmuró algo entre dientes otra vez y Haller aprovechó la ocasión.

—¿Qué pasa? ¿Tiene algún problema en que Harry Bosch le haga su trabajo?

—A tomar por culo, abogado —dijo Cornell—. Esto es todo humo y espejos, tratar de enturbiar las aguas en las que su cliente se está ahogando. Se va a ahogar de todos modos.

—Siga pensando eso —sugirió Haller—. Y podríamos salir y resolver esto por usted. Quiero decir resolverlo y no colgárselo a alguien.

—Uy, qué miedo.

Haller se sacudió el sarcasmo con una sonrisa de asesino dirigida a Cornell y luego lentamente miró a Sutton.

—¿Qué dice, detective? ¿Algo más?

—Por ahora no —dijo Sutton.

—Entonces no les molestaremos más.

Haller se levantó y Bosch lo siguió. No hablaron hasta que estuvieron en la acera, fuera del edificio. Bosch estaba inquieto. Se sentía como si hubiera traicionado a alguien, tal vez a sí mismo.

—Mira, no me gusta hacerlo así —dijo—. Debería contarles todo lo que sé.

—¿En serio? —replicó Haller—. ¿Qué sabes exactamente? La verdad es que no sabes nada. No sabemos nada. Todavía no.

—Sé que probablemente he llevado a esos dos asesinos a los dos hermanos de la tienda.

—¿En serio? ¿Cómo? ¿Estás diciendo que los dos hermanos no estaban implicados en esto y se los cargaron porque hablaste con ellos?

—No, yo... Mira, menos de una hora después de que estuviera en esa tienda, los mataron. ¿Estás diciendo que es una coincidencia?

—Lo que estoy diciendo es que no sabemos lo suficiente para ir contando nada a esos detectives, no cuando tenemos un cliente en la prisión del condado que se enfrenta a pasar el resto de su vida en prisión.

Haller señaló en la dirección del centro, aunque la prisión estaba a kilómetros del lugar donde se encontraban.

—Es a él al que debes fidelidad —añadió—. No a los capullos de esa sala.

—Yo era uno de esos capullos —dijo Bosch.

—Oye, lo único que estoy diciendo es que todavía estamos tirando de la red, Harry. Recojámosla del todo y a ver lo que tenemos. Entonces decidimos qué contamos, a quién se lo contamos y, lo más importante de todo, dónde lo contamos. Tenemos un juicio en cinco semanas y hemos de conocer toda la historia para entonces.

Bosch se apartó de Haller. Se dio cuenta de que había cometido un error terrible al cruzar al otro lado del pasillo. Haller se acercó a él y habló a su espalda.

—Si les decimos cualquier cosa ahora, les damos la oportunidad de utilizarlo contra nuestro cliente. Es nuestro cliente, Harry. Has de recordar eso.

Bosch negó con la cabeza y miró calle abajo.

—¿Qué sabían esos dos hermanos? —preguntó Haller—. ¿Por qué los mataron?

Bosch se volvió y lo miró.

—Todavía no lo sé, pero lo sabré.

—Muy bien, pues. ¿Ahora qué?

—Conseguí un nombre en Las Vegas. Un tipo de Beverly Hills que podría conocer el secreto que hay detrás de este reloj. Detrás de todo. Es el siguiente.

—Muy bien, tenme informado.

—Sí, lo haré. Y escucha, si me siguieron a la joyería, podrían estar siguiéndote a ti también.

—No he visto ninguna señal de ello.

—Esa es la cuestión. Que no has visto nada. ¿Conoces a alguien que pueda revisar tu coche? Yo examinaré el mío.

—Lo haré.

—Bien. Como he dicho antes. Ten cuidado. Ándate con ojo.

—Tú también.

32

Bosch fue directamente a Woodrow Wilson desde la comisaría y entró en la casa vacía desde la cochera. Llamó a su hija en voz alta y no obtuvo respuesta. Sintió una puñalada de miedo hasta que recordó que Maddie estaba de acampada. Su mente había estado tan repleta de ideas sobre el asesinato de los joyeros que lo había olvidado. Aliviado, le envió un mensaje de texto para ver si había llegado a la montaña sin problema. La respuesta de Maddie fue sucinta, como de costumbre.

Sí. El viaje en autobús, lleno de baches.

Bosch se cambió de ropa, se puso un mono viejo que usaba en las escenas del crimen. Cogió una linterna de un armario de la cocina y salió a la cochera. Antes de encender la luz examinó la calle delante de su casa y los senderos de sus vecinos. Estaba buscando algún vehículo con alguien dentro o que aparentemente no encajara. Estaba seguro de que lo estaban vigilando de alguna manera, el asesinato de los hermanos Nguyen se lo decía. Pero necesitaba saber hasta qué punto. ¿Había vigilancia física y electrónica? ¿Tenía alguna oportunidad de hacer un movimiento sin ser vigilado?

No vio en la calle ningún vehículo que atrajera su sospecha. A continuación estudió los postes de la luz y los árboles en busca de un reflejo que pudiera proceder de la lente de una cámara. No vio nada y, envalentonado, bajó el breve sendero inclinado hasta la calle para extender más el rango de su búsqueda visual. Disimuló lo que en realidad estaba haciendo yendo al buzón y sacando el correo del día.

Bosch no vio signos de vigilancia en ninguna de las direcciones de la calle. Volvió a subir por el sendero y entró en la cochera. Pulsó un interruptor y arrojó el correo al banco de trabajo. Caminó hasta la parte delantera del Cherokee y luego se agachó delante de la rejilla. Encendió la linterna y empezó a buscar en la parte delantera, mirando en todos los lugares donde podrían haber colocado un transmisor GPS.

Enseguida estuvo debajo del coche, con el compartimento del motor cerca de la cara y todavía caliente. Se sentía como si lo estuvieran gratinando, pero continuó con su búsqueda, incluso después de que una gota de aceite abrasador le cayera por la mejilla y maldijera en voz alta.

Encontró el GPS en la rueda delantera izquierda bien escondido detrás de uno de los amortiguadores, donde no corría el peligro de caer por el impacto de cualquier objeto de la carretera levantado por el neumático. Se hallaba en un estuche de plástico sujeto al carenado interno mediante dos potentes imanes. Bosch abrió el estuche y vio el transmisor y la fuente de alimentación consistente en dos pilas AA. El dispositivo enviaría una señal ininterrumpida a un receptor móvil, permitiendo rastrear el movimiento del Cherokee en tiempo real en el mapa de un portátil. El hecho de que el dispositivo funcionara con pilas y no estuviera conectado a una toma eléctrica en el coche indicó a Bosch que probablemente aquellos que vigilaban sus movimientos lo consideraban una vigilancia a corto plazo.

Bosch apagó la linterna y se quedó inmóvil debajo del Cherokee unos segundos mientras pensaba si quitar el localizador —y por lo tanto revelar a quienes lo vigilaban que lo había encontrado— o dejarlo en su lugar y utilizarlo en su estrategia de investigación.

Decidió dejar el localizador en su lugar por el momento. Salió de debajo de su coche, apagó la linterna y caminó hasta el extremo de la cochera. Miró a su alrededor una vez más y no vio a nadie.

Bosch volvió a entrar en la casa y cerró con llave. Se volvió a poner su ropa habitual e hizo una llamada a Lucía Soto. Su excompañera respondió enseguida.

—Harry.

—Eh, ¿cómo va?

—Bien. Iba a llamarte. Ya no hay secreto y todo el mundo sabe que estás haciendo trabajo de defensa.

—Sí, he estado recibiendo llamadas.

—Bueno, no fui yo, si es por lo que llamas. No se lo dije a nadie.

—No, ya sé que no fuiste tú.

—Entonces ¿qué pasa?

—Eh, mi hija no está por aquí y normalmente me ayuda con las cosas del teléfono. Mencionaste Uber anoche. ¿Cómo puedo conseguir eso?

—Es fácil. Primero pon tu teléfono en altavoz para que puedas oírme mientras te guío.

—¿Cómo hago eso?

—¿Estás de broma?

—Sí. Estás en altavoz.

Soto le fue orientando en la configuración. La operación duró menos de diez minutos.

—Vale, ya estás listo —dijo Soto.

—Bien —confirmó Bosch—. Entonces ¿puedo pedir un coche ahora?

—Exacto.

—Genial.

—Es tarde. ¿Adónde vas?

—No lo sé. A dar una vuelta. Quiero ver un sitio.

—¿Qué sitio?

Bosch toqueteó la pantalla y logró pedir un coche.

—A la casa de un tipo. Dice que el coche llegará en seis minutos. El chófer se llama Marko y conduce un Tesla negro.

—Bien hecho.

—Me pregunta el destino.

—Puedes ponerlo o dejarlo en blanco. Vendrán igualmente. Así no programan la dirección y puedes decirles por dónde ir.

Bosch lo dejó en blanco, porque todavía no estaba seguro de su destino.

—Gracias, Lucía.

—He de colgar.

—Eh, un segundo. Una pregunta. ¿Es como un taxi? ¿Puedes hacer esperar al conductor? Por si tengo que entrar en una tienda o en una casa o lo que sea.

—Sí, solo diles lo que quieres y te lo cargan en la tarjeta de crédito. Creo que hay un precio por cada quince minutos de espera o así.

—Vale, gracias, y buenas noches.

—Buenas noches.

Bosch esperó delante de la casa para saber si estaban siguiendo a su conductor de Uber por la colina. Marko tenía que llegar en tres minutos, según la aplicación.

Mientras esperaba, Bosch abrió el buscador de su teléfono y escribió «Doctor Schubert, Beverly Hills». Recibió un resultado de un cirujano plástico llamado George Schubert con oficinas en algo llamado Center for Cosmetic Creation en la calle Tres cerca del centro médico Cedars-Sinai. La dirección estaba en realidad en West Hollywood. No surgió nada más, y no constaba ninguna dirección de residencia.

Bosch hizo clic y llamó a Lucía Soto, con la esperanza de que no se hubiera ido a dormir o al Eastside Luv otra vez.

—¿Ahora qué, Harry? ¿Quieres que te explique cómo funciona la aplicación de citas por teléfono?

—No. ¿Eso existe?

—Hay una aplicación para todo. ¿Qué pasa? He de irme a acostar. Anoche me quedé demasiado tiempo.

—¿Bailaste en la barra del Eastside Luv?

—La verdad es que sí. Pero no me quité la ropa. ¿Qué pasa?

Bosch vio faros doblando la curva. Su coche estaba llegando.

—¿Tienes el portátil en casa?

—¿Qué necesitas?

—Quería saber si podías usar tu software de localización para buscar un nombre para mí. Un médico de Beverly Hills.

Cuando eran compañeros, Soto era la experta con el ordenador y se había suscrito a varios servicios de Internet que ayudaban a encontrar direcciones a través de registros financieros, de propiedad y facturas de servicios básicos. Esos métodos a menudo eran más rápidos y más fiables que las bases de datos establecidas de las fuerzas del orden. Lo que Bosch iba a pedirle no infringía ninguna regla, porque ella usaría su propio portátil y software.

—No hay problema.

Bosch le dio el nombre de Schubert y ella le dijo que le llamaría en cuanto tuviera algo. Harry le dio las gracias y colgó. Un coche había doblado la curva y se acercaba con los faros encendidos. Bosch se sintió iluminado y vulnerable en la oscuridad.

El Tesla casi silencioso se detuvo delante de él. Bosch miró el reloj en su teléfono. Marko llegaba a tiempo. Siendo nuevo en Uber, Bosch no sabía si se suponía que tenía que viajar delante o detrás pero optó por abrir la puerta delantera.

—¿Marko?

—Sí, señor. —Un marcado acento de Europa del Este.

—¿Dónde me siento?

—Delante está muy bien.

Bosch entró.

—¿Adónde? —preguntó Marko—. No puso destino.

—Pensaba que era una opción —dijo Bosch—. Quiero que suba la colina. Cuando lleguemos arriba en Mulholland, giramos y bajamos.

—¿Nada más?

—No, luego iremos a Beverly Hills, creo.

—¿Tiene dirección? La pongo aquí.

—Todavía no. Pero la tendré antes de que lleguemos allí.

—Como quiera.

El coche arrancó hacia la colina. No hubo ningún sonido de motor. Le recordó a Bosch los autos de choque de las ferias.

—Es silencioso —observó—. Puede darle un susto a alguien.

—Sí, es un Tesla —dijo Marko—. A la gente de aquí le gusta coche eléctrico. A la gente de Hollywood. Me piden que vuelva yo. Además, soy serbio. De Smiljan.

Bosch asintió como si comprendiera la relación entre Hollywood y Smiljan.

—Tesla —explicó Marko—. Un gran hombre de mi ciudad.

—¿El coche? ¿Es su empresa?

—No, Tesla trabajó con Edison para hacer electricidad. Hace mucho tiempo. El coche lleva su nombre.

—Claro. No me daba cuenta.

Bosch se fijó en que según su única experiencia, los conductores de Uber hablaban mucho más que los taxistas. El trayecto era una salida social y no solo llegar del punto A al punto B. Cuando llegaron a la señal de stop en Mulholland, Bosch le dijo a Marko que diera la vuelta y volviera por Woodrow Wilson, pasando otra vez por su casa.

Bosch no vio nada sospechoso en el camino de regreso. Ningún coche fuera de lugar, ningún peatón extraño, ningún cigarrillo brillando en los huecos oscuros entre las casas. Se convenció de que el transmisor GPS de su coche era la clave de la vigilancia. Podía arreglarse con eso, conducir el Cherokee cuando necesitara ir a lugares sin importancia, solo para mostrar movimiento, y usar Uber o un coche de alquiler cuando necesitara ir a sitios que no quería que conocieran quienes le seguían. Solo para asegurarse, Bosch miró por la ventanilla trasera para ver si había algún coche detrás.

No vio nada.

Soto lo llamó justo cuando estaban al pie de la colina y habían girado al sur en Cahuenga hacia Hollywood. Había encontrado una dirección de residencia de Schubert en Elevado, en los llanos de Beverly Hills.

—Ha salido la misma en tres buscadores, así que creo que es buena y actual —dijo.

—Fantástico —dijo Bosch—. Gracias.

—Me alegro de ayudar, Harry. ¿Algo más?

—Eh, en realidad una cosa. ¿Conseguiste los nombres de esos tipos de antivicio por los que te llamé? ¿Los tipos que podrían usar a James Allen como informante ilegal?

—Sí, creo que te lo mandé —dijo Soto.

—¿Te refieres a un mensaje de correo? No lo he mirado. Lo haré en cuanto...

—Espera un momento. Lo tengo aquí.

Bosch esperó y escuchó mientras ella pasaba páginas de una libreta. En el breve período que fueron compañeros, Soto había adoptado la costumbre de Bosch de llevar siempre encima una libretita.

—Vale —dijo al fin—. Era 6-Víctor-55 y pertenece a Don Ellis y Kevin Long. ¿Los conoces?

Bosch pensó un momento. Los nombres no le sonaban de nada. Habían pasado más de diez años desde que trabajó en la División de Hollywood. Probablemente el noventa y cinco por ciento del personal hubiera cambiado.

—No, no los conozco —dijo.

—¿Cómo vas a encarar eso? —preguntó Soto—. Si tenían un informante extraoficial no van a contártelo como si nada.

—Todavía no lo sé.

Le dio las gracias otra vez y le dijo que durmiera un rato. Colgó y pidió a Marko que fuera por Sunset y se dirigiera al oeste hacia Beverly Hills.

—¿Está seguro? —dijo Marko—. Sunset Strip irá muy lento a esta hora de la noche. Creo que Santa Monica es mejor.

—Santa Monica es mejor, pero quiero ir por Sunset —dijo Bosch—. Quiero ver algo.

—Vale, usted manda.

Marko siguió el rumbo que le indicó Bosch y acertó de pleno con el tráfico en Sunset. Los mirones de última hora de la tarde hacían que en el Strip se avanzara a paso de tortuga. Bosch vio gente vestida de negro a las puertas de los clubes, furgonetas de turistas en patrullas nocturnas en busca de famosos, estafadores de tres al cuarto que hacían señas con las linternas hacia sitios para aparcar carísimos, coches de patrulla del Departamento del Sheriff destellando luces azules para que la gente no dejara de moverse. Bosch miró más allá del neón que se reflejaba en el parabrisas del Tesla, pero estaba sumido en la reflexión y los colores no penetraron sus ojos oscuros.

Estaba pensando en Vin Scully, el locutor de los partidos de los Dodgers. Scully había retransmitido béisbol durante más de sesenta años, más de diez mil partidos en total. No existía una voz más icónica o más representativa de Los Ángeles que la suya. Había comentado muchos partidos, y sin embargo nunca había perdido su amor por el deporte, la ciudad o su equipo. Y siempre y repetidamente se entusiasmaba cuando los caprichos de la coincidencia producían líneas de doses en el marcador. «Doses a lo loco —anunciaba antes del lanzamiento—. Dos bolas, dos *strikes*, dos eliminados, dos en juego y dos a dos en la segunda mitad de la segunda entrada.»

Bosch podía oír la voz de Scully en su cabeza al considerar que había doses a lo loco en su propio partido. Dos homicidios probablemente relacionados, seguidos por dos hermanos asesinados en la trastienda de una joyería. Dos posibles asesinos en la joyería. El ruido de dos puertas de un coche en el callejón donde dejaron el cadáver de James Allen apoyado en una pared. Dos relojes declarados robados y luego no. Dos polis de antivicio que pararon a Haller por conducir borracho y dos que podrían haber trabajado con James Allen como informante. ¿Coincidencia? Bosch tenía la sensación de que Vin Scully no lo creería, y él tampoco.

Había doses a lo loco y Bosch lo sabía. Llamó a Haller y lo despertó.

—¿Qué pasa? —preguntó el abogado.

—Nada —dijo Bosch—. Tengo una pregunta. Tu detención. Dijiste que te pararon dos tipos de paisano.

—Sí. Estaban esperándome. ¿Cuál es la pregunta?

—¿Eran de antivicio?

—Puede ser.

—¿Te dijeron sus nombres?

—No lo sé. Me pasaron al equipo de respaldo. Un par de polis de patrulla.

—¿Sus nombres no están en el informe?

—Puede ser, pero todavía no lo he recibido.

—Mierda.

—¿Por qué me llamas a estas horas preguntando por esos cabrones?

—No estoy seguro. Cuando sepa más, te volveré a llamar.

—Asegúrate de que sea mañana. Voy a volver a dormir.

Bosch colgó, hizo rebotar un par de veces el teléfono en su barbilla mientras pensaba en lo que podía hacer para responder la pregunta que acababa de plantear a Haller. Sabía que podía volver a recurrir a Lucía Soto, pero también sabía que buscar un informe de detención dejaría un rastro digital. No podía hacerle correr esa clase de riesgo. Tenía que encontrar otra forma de llegar allí.

Cuando pasaron junto a Nelson Grant & Sons en Sunset Plaza, las furgonetas de los medios se habían reunido delante de la joyería. Bosch vio periodistas y cámaras de televisión reclamando su lugar y preparándose para informar en directo a las once. Detrás de ellos, Bosch divisó luces móviles instaladas en la tienda. Todavía estaban procesando la escena del crimen doce horas después de los homicidios. Había dos agentes del sheriff apostados en la puerta para proporcionar seguridad.

—Algo malo ha pasado aquí —supuso Marko.

—Sí —convino Bosch—. Algo muy malo.

Una vez en Beverly Hills, giraron a la izquierda en Camden y se dirigieron a la zona de unas doscientas cincuenta hectáreas de residencias entre Sunset y Santa Monica Boulevard que formaban uno de los barrios más ricos de toda California. Era una noche fría, cortante, con el viento soplando a través de las frondas de las palmeras que bordeaban las calles. El Tesla dio un giro más y luego se detuvo junto a la acera en Elevado. La casa en la que vivía George Schubert era una mansión de diseño colonial que se extendía en dos parcelas y se alzaba detrás de una amplia extensión de jardín visible bajo las luces instaladas en las palmeras. El césped tenía unos bordes cortados con precisión y aparentemente no le habían afectado los estragos de la sequía de California. En Beverly Hills los jardines siempre conseguían estar verdes incluso en época de restricciones de agua.

Bosch no hizo ningún movimiento para salir, se limitó a estudiar la casa a través de la ventanilla del coche. Por fin, Marko habló.

—¿Baja aquí? —preguntó Marko.

—No, solo estoy mirando —dijo Bosch.

—¿Qué busca?

—Nada. Nadie. Solo miro.

Había varias luces encendidas detrás de las ventanas de la casa y al bajar su ventanilla, Bosch pensó que podía oír música procedente del interior. No hizo ningún movimiento para salir del coche.

Música y luces aparte, no vio ninguna actividad detrás de las ventanas. Miró su reloj —eran las once en punto— y sabía que era demasiado tarde para llamar a la puerta de Schubert.

—Entonces ¿es depé? —preguntó Marko.

Bosch apartó la mirada de la casa para mirarlo a él.

—¿Disculpe? —preguntó.

—Ya sabe, depé —dijo Marko—. ¿Vigila a gente, investiga?

Bosch lo entendió.

—Se refiere a un DP. Detective privado. Sí, soy detective privado.

—Detective privado. Muy interesante, sí.

Bosch se encogió de hombros y volvió a mirar a la casa. Pensó que la configuración de luces había cambiado. Bosch estaba seguro de que se había apagado una luz detrás de una de las ventanas, pero no podía recordar cuál había estado encendida.

—Bueno —dijo Marko—, ¿nos quedamos?

Bosch no lo miró esta vez. Mantuvo la vista en la casa.

—Sigue cobrando por estar aquí sentado, ¿no? —preguntó.

—Sí, hago pagar —contestó Marko.

—Vale, entonces nos quedamos aquí un rato, a ver qué ocurre.

—¿Es peligroso este trabajo? En ese caso, tendría que cobrar extra.

—No, no es peligroso. Solo estamos sentados mirando una casa.

—¿Cuánto cobra por vigilar la casa?

—Pues la verdad es que nada.

—Entonces no es muy buen trabajo para usted.

—No me diga...

Bosch agarró la manija de la puerta, pero aun así dudó. No porque fuera tarde, sino porque odiaba la idea de llamar a una puerta y no saber exactamente qué preguntar, y menos con un nuevo testigo. En ocasiones solo tienes una oportunidad con un testigo, y no estar preparado podía paralizarte. Volvió a su primera decisión de esperar.

—Vale, Marko, podemos irnos —dijo.

—¿Adónde ahora? —preguntó Marko.

—Al aeropuerto.

—No lleva maleta.

—Solo he de recoger un coche.

—Ningún coche. Yo, Marko, le llevo.

—Adonde he de ir no.

33

Bosch aparcó junto a la acera en Wilcox, al sur de la comisaría de Hollywood. La calle estaba en calma. El brillo de neón de la oficina de fianzas situada frente a la entrada de la comisaría proyectaba un reflejo rojo en la noche. Bosch observó la puerta del aparcamiento que abrazaba el lado sur de la comisaría de dos plantas. Estaba sentado en un Chrysler 300 negro que había alquilado en Hertz. Era lo más parecido a un coche de detective que había conseguido encontrar con tan poco tiempo.

Contaba con que el hecho de que fuera tan tarde jugaría a su favor. Andarían escasos de personal en la guardia del turno de noche. Dudaba de que hubiera alguien vigilando los monitores del aparcamiento. Colarse era el primer y más sencillo paso de su plan.

Transcurrieron casi diez minutos antes de que viera el brillo de unos faros acercándose desde el otro lado de la puerta metálica de metro y medio. Estaba saliendo un coche. Bosch metió la marcha en el 300 y esperó hasta que vio que la puerta empezaba a abrirse. Entonces arrancó, puso el intermitente y se dirigió a la puerta abierta.

Lo sincronizó a la perfección. Un coche blanco y negro estaba saliendo por la verja con velocidad justo cuando llegó Bosch despacio. La verja aún tenía el circuito abierto. Bosch apenas pisó el pedal de freno al girar, sacando la mano por la ventanilla para hacer la señal tradicional de mar en calma a los agentes del coche que salía. El Chrysler golpeó la plataforma metálica con demasiada fuerza y ruido pero Bosch estaba dentro. Miró por el retrovisor y no vio la luz de freno en el coche patrulla que giraba al norte por Wilcox.

Bosch entró en el aparcamiento y enfiló el carril que le permitiría ver la puerta de atrás de la comisaría. Encontró un hueco y aparcó. Revisó la puerta y de inmediato vio que tenía una oportunidad. Había un coche patrulla aparcado en uno de los dos sitios reservados junto a la puerta, y dos agentes estaban bajando a dos detenidos. La entrada trasera de la comisaría tenía una cerradura electrónica que requería una tarjeta-llave. Sería el último obstáculo.

Bosch se preparó un momento y bajó. Había trabajado en la División de Hollywood durante varios años como agente de patrulla y luego como detective. Conocía la distribución como si fuera su propia casa y tenía un buen conocimiento del flujo y reflujo personal en la comisaría. Dentro habría un retén mínimo, concentrado sobre todo en la oficina de guardia, el mostrador, la sala de atestados y el calabozo.

Todos esos lugares se hallaban en la parte delantera de la comisaría, al final de un pasillo al que se entraba por la puerta de atrás de la misma. Había un segundo pasillo que recorría la parte posterior del edificio y conducía a la unidad de detectives, la suite de oficinas del comisario y las escaleras que conducían a la brigada de antivicio, la sala de pasar lista y la sala de descanso.

Bosch sabía que todas esas zonas estarían casi desiertas a menos que antivicio estuviera trabajando en una operación de última hora de la noche o que hubiera agentes de patrulla en la sala de descanso o en la sala de detectives escribiendo informes. Esos serían los riesgos que tendría que correr.

Bosch caminó despacio por el aparcamiento hasta que vio a los dos agentes que se dirigían a la puerta de atrás con sus detenidos esposados. Aceleró el paso para alcanzarles. Sabía que si actuaba como si estuviera en su casa había muchas posibilidades de que lo creyeran. El departamento tenía más de mil detectives y estos rotaban en las brigadas de la ciudad todo el tiempo. Era imposible que alguien los conociera a todos. Bosch contaba con eso. Hacerse pasar por detective sería el papel más fácil de su vida.

Llegó a la puerta de atrás justo cuando uno de los agentes de patrulla usaba su tarjeta para abrir. Cuando el agente empezó a empujar la puerta, Bosch lo rodeó.

—La tengo —dijo.

Agarró la puerta por el pomo de acero y empujó para abrirla del todo. Luego se quedó atrás para dejar que los agentes hicieran entrar a los dos hombres despeinados esposados.

—Bienvenidos, caballeros —dijo, haciendo un movimiento de barrido hacia la abertura—. Pasen, por favor.

—Gracias, señor —contestó uno de los policías de patrulla.

—A la mierda, señor —respondió uno de los hombres despeinados.

Bosch lo tomó como otro examen aprobado. Los cuatro entraron en comisaría y empezaron a dirigirse por el pasillo hacia la sala donde los ficharían y el calabozo. Bosch entró justo detrás de ellos y de inmediato se separó a la derecha hacia el pasillo del fondo. Estaba vacío. Avanzó con rapidez hasta el final y miró a la sala de brigada de detectives. Estaba desierta y solo dos de las cuatro filas de fluorescentes permanecían encendidas y proyectaban una luz tenue en la inmensa sala.

Bosch retrocedió y luego fue a la escalera. Se quedó de pie en el primer escalón y se inclinó hacia delante, aguzando el oído para poder captar cualquier ruido procedente del piso de arriba. Si había gente en antivicio o en la sala de reunión o descanso, podría oír el murmullo de las conversaciones, pero no oyó nada. Luego se volvió hacia la entrada de la suite de oficinas de los mandos, donde se hallaban los despachos privados de dos capitanes y una zona abierta que contenía tres escritorios para secretarios y adjuntos. Ese era el destino de Bosch. En un tablero de corcho que cubría una pared de esta zona, estaba el organigrama del personal de la división, con fotos y nombres de todos los agentes asignados a la comisaría, desde el capitán al novato. El personal de la división se refería muchas veces al panel de fotos como «la rueda de identificación» porque a menudo se utilizaba para identificar a agentes cuando los ciudadanos venían al mostrador de entrada para quejarse por la conducta de un policía pero no conocían el nombre de este. Al demandante se le conducía al tablero y se le pedía que buscara al agente acusado.

Las dos filas inferiores del organigrama estaban dedicadas a los distintos turnos de patrulla. Encima de estas filas se hallaban los miembros de brigadas de detectives y la Unidad de Servicios Especiales, que Bosch sabía que era la designación de grupos especializados, incluido antivicio. Miró estas fotos y de inmediato vio las caras de Don Ellis y Kevin Long. Ambos eran blancos, ambos tenían la practicada mirada fija de guerreros de calle veteranos, polis que lo habían visto todo tres veces. Ellis era el mayor de los dos y algo en la forma en que miraba con frialdad a la cámara le dijo a Bosch que era el alfa de ese equipo de calle.

Las fotos estaba clavadas al tablero. El personal cambiaba con demasiada frecuencia para hacer una instalación permanente de cualquiera en la pirámide. Bosch desclavó las fotos de Ellis y Long y se las llevó a la fotocopiadora en color situada al lado del escritorio de la secretaria del capitán. Las puso una junto a la otra sobre el cristal e hizo dos copias ampliadas. Cuando se agachó a la bandeja para recogerlas y vio las fotos le sorprendió cierta familiaridad en Ellis. Se enderezó y miró la fotocopia un momento y trató de situar dónde lo había visto o conocido antes. El poli de antivicio aparentaba cuarenta y pocos y probablemente llevaba veinte años en el departamento. Era posible que él y Bosch se hubieran cruzado en algún sitio. Una escena del crimen, una comisaría de policía, una fiesta de jubilación. Había un sinfín de posibilidades.

De repente, Bosch oyó voces que se acercaban por el pasillo de atrás. Se estiró hacia el pomo de la oficina del capitán, pero la puerta estaba cerrada. Enseguida pasó a la pared de archivadores que separaban el despacho de un secretario de otro. Se agachó, pero sabía que si venían hacia allí lo encontrarían. Esperó y al escuchar se dio cuenta de que la discusión era sobre cómo redactar la declaración de causa probable en una orden de registro. Tenían que ser dos detectives que se dirigían a la sala de brigada al fondo del pasillo.

Bosch dobló las fotocopias y se las guardó en el bolsillo interior de la cazadora. Esperó y oyó voces que pasaban junto a la entrada a la suite de mando. En cuanto juzgó que el camino estaba despejado, se levantó y salió de la suite al pasillo trasero, manteniendo su pose de familiaridad y pertenencia.

No había nadie en el pasillo. Tenía una visión clara de la salida. Se movió con rapidez, pero no como un hombre que trata de escapar. Dobló la última esquina, empujó la pesada puerta de acero y salió a la noche. El callejón de carga y descarga estaba despejado, pero en el aparcamiento había dos agentes de patrulla bajando la persiana, es decir, terminando su turno y sacando del coche la escopeta y el equipo personal. Estaban demasiado ocupados con el proceso de acabar el turno para prestar atención a Bosch cuando él cruzó el aparcamiento hacia su coche de alquiler.

La puerta del aparcamiento se abría de manera automática cuando los coches se acercaban desde dentro. Bosch no respiró tranquilo hasta que el Chrysler cruzó la verja y se metió en Wilcox. Giró al norte hacia Sunset Boulevard. Cuando se encontró con un semáforo en rojo en Sunset, sacó el teléfono y llamó otra vez a Haller.

—¿Dos veces en una noche, Bosch? —protestó—. ¿Estás de broma? Es más de medianoche.

—Ponte la bata —dijo Bosch—. Voy a pasar a verte.

Colgó antes de que Haller pudiera quejarse más.

34

Haller verdaderamente llevaba un bata blanca cuando abrió la puerta de su casa. Bosch leyó las palabras Ritz Carlton en oro sobre el bolsillo del pecho. Haller estaba despeinado y llevaba gafas de montura negra. Bosch se dio cuenta por primera vez de que debía de llevar lentes de contacto durante el día.

—¿Qué es tan importante que no puede esperar a mañana? —preguntó Haller—. Tengo una vista de moción a primera hora y me gustaría dormir un poco para estar a pleno rendimiento.

—¿Mociones sobre Foster? —preguntó Bosch.

—No, otro caso. No está relacionado. Pero de todas formas, tendría que…

—Echa un vistazo a esto.

Bosch sacó las fotocopias del bolsillo, desdobló las hojas y le pasó una a Haller. Volvió a doblar la otra y se la guardó en el bolsillo.

—¿Son estos los tipos? —preguntó.

—¿Qué tipos? —preguntó Haller.

—Los polis que te pararon por alcoholemia.

Bosch lo dijo en un tono que dejaba clara su frustración por la incapacidad de Haller de seguir su lógica.

—¿Por qué te importa quién me paró esa noche? —dijo Haller—. No es asunto…

—Tú mira las fotos —ordenó Bosch—. ¿Son estos tipos?

Haller sostuvo la fotocopia a un brazo de distancia. Bosch suponía que la graduación de las gafas era antigua.

—Bueno, un tipo se quedó en el coche y no lo vi —dijo Haller—. El otro... Este tipo de la derecha... Este tipo podría ser... Sí, es él. Este es el que vino a mi coche.

Haller dobló la hoja para que Bosch pudiera ver a quién se refería. Era Ellis, el que Bosch pensaba que le sonaba familiar.

—¿Qué está pasando, Bosch? —preguntó Haller—. ¿Por qué estamos con esto en plena noche?

—Esos tipos te pararon —dijo Bosch—. También detuvieron varias veces a James Allen, y creo que lo usaban de informante.

Haller asintió con la cabeza, pero no mostró excitación.

—Muy bien —dijo—. Son polis de antivicio de Hollywood. No es raro que detuvieran a Allen algunas veces ni que lo usaran de chivato. Y que yo sepa respondieron al aviso de radio porque estaban en la zona. La zona era Hollywood, donde trabajan.

Haller sonaba muy distinto. Al salir del calabozo después de pagar la fianza, estaba tejiendo para la prensa historias de conspiración y de acoso. De repente, daba razones de por qué la conspiración que Bosch estaba empezando a ver era perfectamente explicable.

—Tengo un testigo que oyó dos puertas de coche abriéndose en el callejón la noche en que dejaron allí el cadáver de Allen —dijo Bosch—. Y ya has oído a Dick Sutton hace unas horas. Creen que podrían ser dos tipos los que entraron allí y mataron a los hermanos Nguyen. Hay doses a lo loco en esto, Mick. Creo que estamos buscando a dos personas.

Todavía estaban de pie en la entrada de la casa de Haller. Mickey bajó la mirada a las fotocopias, con una en cada mano.

—¿Bebes bourbon? —preguntó.

—Alguna vez —respondió Bosch.

—Vamos a sentarnos y trabajemos con un Woodford Reserve.

Retrocedió y dejó que Bosch entrara en la sala.

—Siéntate —ofreció Haller—. Iré a buscar un par de vasos. ¿Lo tomas con hielo?

—Dos cubitos —contestó Bosch.

Se sentó en un sofá con vistas a las luces de la ciudad a través de la ventana panorámica. La casa de Haller estaba en Laurel Canyon y ofrecía una panorámica completa de la ciudad al oeste y hacia Catalina.

Haller enseguida volvió con dos vasos con un líquido ámbar y poco hielo. Los dejó en la mesa de café junto con la fotocopia, pero no se sentó.

—He de ponerme las lentillas —dijo—. Estas gafas me dan dolor de cabeza.

Desapareció por un pasillo hacia la parte de atrás de la casa. Bosch dio un sorbo al Woodford y sintió que le quemaba al tragarlo. Era bueno, él nunca había tenido una botella de bourbon tan buena a mano en su casa para visitantes imprevistos.

Dio otro sorbo y estudió las fotos de los policías de antivicio. Se preguntó si habían sido ellos quienes habían puesto el localizador GPS en su Cherokee. Pensar en el vehículo en relación con los dos hombres provocó que Bosch de repente se diera cuenta de dónde había visto a Don Ellis: en el aparcamiento de detrás de Musso's. Bosch había pasado a su lado al salir del bar la noche que pararon a Haller por conducir borracho. Significaba que Haller tenía razón. El control de alcoholemia fue una trampa. Ellis y Long habían estado esperándolo.

Cuando Haller volvió, las gafas y la bata habían desaparecido. Llevaba tejanos azules y una camiseta de Chapman granate. Ocupó el sillón de enfrente de Bosch, sin ninguna vista de la ciudad. Dio un buen trago a su bourbon y lo acompañó con su mejor interpretación de Jack Nicholson bebiendo whisky y moviendo un brazo como un ala de pollo en *Easy Rider*. Luego se acomodó otra vez en el sillón y miró a Bosch.

—Bueno —dijo—. ¿Qué hacemos?

—Un par de cosas para empezar —sugirió Bosch—. Mañana por la mañana, después de que tu chófer te deje en el tribunal, haz que él o alguien de tu confianza busque un localizador GPS. Hay uno en mi coche y creo que estos dos tipos lo pusieron allí. —Señaló la fotocopia que estaba en la mesita de café.

—Ya estaba en mi lista de cosas pendientes —dijo Haller.

—Bueno, hazlo —dijo Bosch—. Y si hay algo allí, no lo quites. Que no sepan que vamos tras ellos. Podríamos aprovecharnos de esto. He alquilado un coche esta noche. Lo usaré cuando no quiera que sepan adónde voy.

—Vale —aceptó Haller—. Será lo primero que haga.

—También quiero hablar con tu investigador.

—¿Cisco? ¿Por qué?

Bosch se agachó, cogió su vaso y dio un trago largo. Le quemó las vías respiratorias y casi le hizo saltar las lágrimas.

—Tranquilo, chico —dijo Haller—. Esto es bourbon.

—Bien —dijo Bosch—. Mira, has de ver la secuencia completa. A tu hombre, Cisco, que estaba trabajando en este caso, lo envían al carril contrario y lo sacan de la circulación. Tú estás en el caso y te montan una trampa de alcoholemia. A los hermanos Nguyen los matan por razones que todavía desconocemos, menos de una hora después de que yo hable con ellos. Podemos creer que todo esto es coincidencia o podemos abrir el foco y ver la secuencia completa. Quiero preguntarle a Cisco en qué estaba trabajando el día que lo quitaron de en medio.

Haller asintió.

—Tiene terapia de rehabilitación cada mañana en el Hospital de Veteranos de Westwood.

—Bien —dijo Bosch—. Lo veré allí.

—¿Qué más?

Señalando a Ellis y Long, Bosch dijo:

—Uno de nosotros debería hablar con DQ y ver si tuvo alguna interacción con estos dos tipos. Para estar seguros.

—Puedo ocuparme —se ofreció Haller—. Necesito verlo por algunas cuestiones previas y pedir sus medidas para un traje para el juicio. Espero conseguir algo que le quede bien en mi armario de clientes.

Señaló la fotocopia de la mesa.

—¿Puedo cogerla para enseñársela? —preguntó.

—Tengo otra —dijo Bosch. Recordó algo—. Cuando lo veas, pregúntale si recuerda el número de teléfono de James Allen. Los detectives nunca encontraron el móvil de Allen. Si consigo el número podríamos sacar registros que mostrarán que esos dos estaban en contacto.

—Y potenciar la coartada. Buena. ¿Y tú?

—Todavía creo que el reloj es la clave de todo esto. He de ver al comprador original.

—¿El tipo que vive en Beverly Hills?

—Sí, he pasado por su casa esta noche. Buen ranchito. Tiene dinero. He de arrinconarlo y ver dónde están las conexiones.

—Pues mucha suerte.

—Gracias.

Se quedaron allí sentados un rato sin hablar. Bebieron bourbon y elaboraron sus ideas. Al final fue Haller quien habló.

—Esto es muy bueno —dijo.

Bosch miró su vaso e hizo girar el hielo por el fondo.

—Mejor que el que tengo en casa —reconoció.

—Bueno, no me interpretes mal, el bourbon es bueno, pero estoy hablando de todo lo que has conseguido en unos días. Hay mucho aquí. Un montón de cosas con las que puedo trabajar. Vamos a poder montar una defensa con una teoría alternativa. Esto va más allá de la duda razonable.

Bosch terminó el bourbon que le quedaba en el vaso. Se dio cuenta de que él y Haller siempre tendrían una diferencia fundamental en cómo miraban las pruebas y los otros matices de una investigación. Haller debía poner las cosas en el contexto del juicio y ver cómo podría usarlas para derribar el caso del fiscal. Bosch solo miraba las pruebas como puente a la verdad. Por eso sabía que no había llegado a cruzar al otro lado. Nunca podría trabajar un caso desde el punto de vista de Haller.

—La verdad es que no me importan las teorías alternativas o la duda razonable —dijo—. Para mí es una ecuación simple. Si tu cliente no lo hizo, voy a encontrar al que lo hizo. Lo que quiero es a esa persona o personas.

Haller asintió y levantó su copa hacia Bosch. Entonces se terminó su bebida.

—Con eso me sirve —dijo.

35

La reunión de equipo semanal de la unidad de antivicio fue como de costumbre una pérdida de tiempo. Finalmente terminó y Ellis cruzó el pasillo para entrar en la sala y poder rellenar su taza de café. No estaba acostumbrado a llegar tan pronto y necesitaba redoblar la cafeína.

Tuvo que esperar su turno detrás de Janet, la secretaria del capitán, que parecía estar preparando un pedido de cafés para todo el equipo de mando de abajo. Janet tenía un cuerpo voluminoso y Ellis no pudo llegar a la cafetera hasta que ella terminó de añadir nata y varios edulcorantes a las cinco tazas que tenía delante. Esto molestó a Ellis, porque solo quería llenar su taza con el líquido negro y luego volver a la unidad.

—Lo siento —dijo Janet, notando a alguien detrás de ella.

—No hay problema —dijo Ellis—. Tómate tu tiempo.

Janet reconoció la voz y se volvió para confirmar que se trataba de Ellis.

—Oh, Don, quería preguntarte algo.

—Dispara.

—¿Estuviste en la oficina anoche o esta mañana temprano?

—¿En qué oficina?

—Lo siento. Quiero decir abajo. En las oficinas de mando.

Ellis negó con la cabeza, perplejo.

—No, ¿qué quieres decir?

—Bueno, es gracioso. He entrado hoy y tenía que hacer copias de los informes de la noche de los dos capitanes. Es lo primero que hago cada día.

Se volvió para terminar de colocar las tazas de café en el mostrador que tenía delante de ella.

—Vale.

—Y cuando fui a la copiadora, encontré tu foto y la de Kevin en la máquina. Como si se las hubieran olvidado allí.

Ellis quiso agarrarla y darle la vuelta.

—No lo entiendo —dijo—. ¿Nuestras fotos? ¿Qué estábamos haciendo en las fotos?

Janet se rio de su confusión.

—No, no, no estabais haciendo nada. Eran vuestras fotos del gráfico de personal de la comisaría. Las que están clavadas en el tablero. Alguien las descolgó, las llevó a la fotocopiadora y luego supongo que hizo copias. Después olvidó ponerlas otra vez en la pared. Estaban en el cristal esta mañana cuando he ido a hacer las copias del informe de la noche.

Janet estaba pasando los dedos por las asas de cinco tazas de café. Ellis lanzó su taza a una papelera y se acercó a ella en la encimera.

—Deja que te ayude —dijo—. Te vas a quemar.

Ella se rio de esa posibilidad.

—Hago esto cada mañana y cada tarde —dijo ella—. Nunca me he quemado hasta ahora.

—Te ayudaré de todos modos —dijo Ellis—. ¿Preguntaste en la oficina si había alguien haciendo copias? ¿El capitán, quizá?

—Sí, y ese es el misterio. Nadie lo hizo. Se lo he preguntado a todos, incluidos los dos capitanes. Alguien tuvo que venir fuera del horario habitual y hacerlo y luego olvidó devolver las fotos. Pensé que podrías querer enterarte. Por si alguien está preparando una broma.

—Gracias, viene bien saberlo. Y creo que tienes razón en que alguien me quiere gastar una broma.

Janet rio.

—Algunos tienen demasiado tiempo libre, eso seguro.

Había una larga tradición de gastar bromas en todas las comisarías del Departamento de Policía de Los Ángeles. Las fotos se usaban a menudo en esas tramas. Ellis estaba pensando que podría tratarse de algo distinto, pero le venía bien que Janet pensara otra cosa.

La siguió por la escalera, por el pasillo de atrás y hasta la sala de mando. Dejó las dos tazas de café que llevaba en su escritorio para que Janet las entregara, luego examinó la sala y miró el organigrama de personal en la pared opuesta. Su foto estaba en su lugar junto a la de Long en la fila que contenía las unidades encubiertas. Todo en su lugar.

—Gracias, Don —dijo Janet.

—Encantado —dijo—. Gracias por la pista sobre la broma.

—Me pregunto qué pretenden.

—Como has dicho, algunos tienen demasiado tiempo libre.

Ellis y Long compartían un cubículo en el rincón de la unidad de antivicio. Les concedía la máxima intimidad disponible en la sala y se lo habían otorgado por la veteranía de Ellis. Este volvió al cubículo y señaló a su compañero que acercara la silla para poder agacharse y hablar en privado.

—¿Qué pasa? —preguntó Long.

—No estoy seguro —dijo Ellis—. ¿Has controlado a nuestro hombre hoy?

—Seguía en casa. Recibo un mensaje de texto si va a alguna parte.

—¿Y anoche?

—Se quedó en casa.

—¿Según tu teléfono?

—Bueno, sí.

—Puede que se haya quedado su coche. Quiero que subas y compruebes que esté allí.

—¿Qué, ahora?

—Sí, ahora. Te cubriré aquí. Ve.

—¿Qué ha pasado? ¿Qué está pasando?

—Lo que está pasando es que tu teléfono dice que su coche no se ha movido, pero anoche alguien estuvo en comisaría haciendo copias de nuestras fotos de la pared de la oficina del capitán.

—¿Qué cojones?

Ellis verificó el resto de la sala de brigada para asegurarse de que el arrebato de Long no había atraído atención indeseada. Luego miró otra vez a Long.

—Exactamente —dijo—. Creo que Bosch prepara algo y yo quiero saber qué. Y eso empieza con que subas y trates de averiguar si él sigue allí. No solo su puto coche.

—Vale, vale. Ya voy. Pero puede que tengamos que repensar las cosas y buscar una forma de eliminar la amenaza.

—Sí, y mira adónde nos ha llevado esto. Es como un puto dominó. Una cosa lleva a la otra. ¿Dónde va a parar?

—Solo te lo digo.

—Sí, y yo solo te digo que subas la colina y descubras si Bosch está allí o nos está jodiendo.

36

Long pasó conduciendo dos veces junto a la casa. El Cherokee estaba en la cochera, pero no había ningún otro signo de que Bosch estuviera en casa. El Volkswagen no estaba y supuso que la chica tenía clase. Bajó por la colina y dobló la siguiente curva de la carretera. Había visto un hueco donde habían derribado una casa en voladizo para dejar espacio a la reconstrucción. Eso le daría una buena perspectiva de las ventanas traseras y la terraza de la casa de Bosch.

Aparcó delante del garaje de alguien y salió del coche con los prismáticos. Cruzó corriendo la calle y se agachó para pasar por debajo de una cinta amarilla que decía «Danger/Peligro» tensada entre dos palos en la parte delantera del solar. Salió y se dio cuenta de inmediato de hasta qué punto estaba al descubierto. Primero se colocó con los prismáticos como si estuviera mirando a Universal City o a las montañas de atrás. Pero luego se volvió ligeramente a su izquierda y enfocó hacia la casa de Bosch. No vio ninguna actividad detrás de ninguno de los cristales. La terraza estaba vacía y la puerta corredera de cristal, cerrada.

Long bajó los prismáticos y actuó otra vez como si solo estuviera admirando las vistas. Miró una vez más la casa de Bosch y no vio ningún movimiento. Se volvió y empezó a alejarse del solar, preguntándose qué paso tenía que dar a continuación para confirmar la ausencia de Bosch.

Cuando volvió a la cinta amarilla, había un hombre de pie esperándolo.

—Está en propiedad privada —dijo.

—No —dijo Long—. Tengo permiso.

—¿De verdad? ¿De quién? Deme un nombre.

—No, no necesito hacer eso.

Long se agachó bajo la cinta y cruzó la calle hacia su coche.

—Tengo su número de matrícula —dijo el hombre—. Trama algo.

Long se volvió, se acercó al hombre y sacó su placa, que llevaba bajo la camisa, colgada al cuello en una cadena.

—Señor, está impidiendo una investigación policial —dijo—. Vuelva a su casa y ocúpese de sus asuntos o terminará en una celda.

El hombre retrocedió, pareciendo casi asustado de Long ahora. Este se volvió hacia su coche.

—Se llama Vigilancia Vecinal —dijo el hombre después de recuperar su valor—. Nos cuidamos unos a otros aquí arriba.

—Muy bien —dijo Long al abrir la puerta de su coche.

Long se alejó y a la primera oportunidad dio la vuelta al coche y volvió a subir por la colina. Dejó atrás al entrometido que todavía seguía en la calle, delante del solar en voladizo. Al tomar la curva pasó una vez más por la casa de Bosch y se detuvo justo delante. Estudió la casa, pensó en qué hacer y se frustró.

—Joder —dijo.

Pulsó el claxon tres veces como si hubiera ido a recoger a alguien. Dejó el coche con la marcha puesta y observó la puerta delantera. Si Bosch o alguien abría la puerta, saldría disparado. Las ventanas del coche estaban lo bastante tintadas para saber que no podrían identificarlo.

Nadie abrió la puerta.

Long tocó el claxon una vez más, esperó y observó. Nadie respondió.

—Joder —dijo otra vez.

Long arrancó, subió a Mulholland y dio la vuelta. Cuando volvió a pasar por Woodrow Wilson y por delante de la casa de Bosch, tocó el claxon con impotencia otra vez sin parar. Después llamó a Ellis.

—Nos ha jodido —informó—. Su coche está aquí, pero él no. Debe de saber que le hemos puesto el transmisor.

—¿Estás volviendo? —preguntó Ellis con calma.

—En camino.

—Bien. No sabe que lo sabemos. Tal vez podamos usar eso.

—Es justo lo que estaba pensando. ¿Qué crees que trama?

—¿Quién sabe?

—¿Cómo lo encontramos?

Ellis no respondió de inmediato.

—Vamos adonde pensamos que aparecerá y esperamos.

—Sí, ¿dónde es eso?

—Vuelve aquí y lo pensaremos.

Ellis colgó sin decir ni una palabra más.

37

Bosch estaba familiarizado con el enorme Hospital de Veteranos de Westwood por muchos años de visitar médicos y por haberse sometido una vez a rehabilitación debido a una herida de bala. El complejo quedaba dividido por Wilshire Boulevard, y Bosch sabía que los centros de rehabilitación se encontraban en el lado sur. Aparcó en un estacionamiento que decía mucho de la clientela a la que servía el centro médico. Predominaban los coches viejos con reparaciones hechas con cinta americana, furgonetas utilizadas como vivienda y autocaravanas, todos con adhesivos en los parachoques que proclamaban con orgullo su servicio al país, el cuerpo específico del ejército y unidad de combate en los que habían servido y su opción política. El mensaje estaba claro. No importaba qué guerra se hubiera librado, volver a casa era otra batalla.

Bosch entró por una puerta de cristal en la que estaba impreso el lema «Servimos a los que han servido» y comprobó la lista de firmas en el mostrador del centro de rehabilitación. Había una recepcionista, pero no levantó la mirada de su pantalla. Bosch vio que Dennis Wojciechowski, alias Cisco, había entrado cuarenta minutos antes. Supuso que ya casi habría terminado su sesión. Se sentó en la sala de espera, desde donde podía ver la puerta y podría localizar a Cisco cuando saliera.

Bosch se fijó en que las revistas extendidas en la mesa delante del sofá eran todas de hacía varios meses. En lugar de coger una, abrió su correo electrónico en el móvil por primera vez en varios días. Vio el de Lucía Soto que proporcionaba los nombres de Ellis y Long. La mayoría de los otros mensajes eran correo basura y los eliminó. Había dos de antiguos colegas que contenían mensajes de decepción por la noticia de que Bosch estaba trabajando para un abogado defensor. Bosch empezó a escribir una respuesta al primero, pero a medio camino se dio cuenta de que nunca podría explicarse o recuperar la lealtad de hombres y mujeres que seguían en el departamento. Dejó de escribir y borró el mensaje.

Pensar en su situación era deprimente. Decidió que no comprobaría su correo electrónico en adelante porque era probable que recibiera más mensajes del mismo estilo. Estaba volviendo a guardarse el teléfono en el bolsillo cuando sonó en su mano. Comprobó la pantalla antes de responder y vio el nombre de Francis Albert. No reconoció el nombre, pero aceptó la llamada al tiempo que se levantaba y salía para obedecer los carteles que decían que no se permitía usar el móvil en la sala de espera.

—Harry Bosch.

Se metió en un hueco que había a la derecha.

—Detective Bosch, soy Francis Albert, su vecino en Woodrow Wilson.

Bosch todavía no podía relacionar el nombre con una cara. Y no sabía si Francis Albert era el nombre y el apellido o un nombre compuesto, quizá en homenaje a Francis Albert Sinatra.

—Sí, ¿cómo está?

—Estoy bien. Puede que no me recuerde, pero organicé la reunión de Vigilancia Vecinal hace un par de meses a la que fue tan amable de asistir.

Bosch lo identificó. Un hombre de edad avanzada, hombros caídos, sin familia y con demasiado tiempo libre. Bosch, recién retirado y con demasiado tiempo libre, había accedido a asistir a la reunión en marzo. Francis Albert probablemente quería que volviera y se dirigiera a las tropas otra vez.

—Por supuesto que lo recuerdo —dijo Bosch—, pero estoy muy ocupado ahora mismo. ¿Puedo llamarle más tarde?

—Claro, está bien. Solo pensaba que querría saber que alguien estaba vigilando su casa esta mañana. Me aseguró que era policía, pero tengo mis dudas.

De repente, Harry no tenía tanta prisa por terminar la llamada.

—¿Qué quiere decir que estaba vigilando mi casa? —preguntó.

—Bueno, ¿conoce la propiedad de Robinson que está enfrente de la mía? ¿Donde derribaron la casa pero dejaron los cimientos para construir?

—Claro, la conozco.

—He salido esta mañana a recoger el periódico, y lo primero que he visto ha sido que un imbécil había aparcado delante de mi garaje. Y entonces vi al tipo. Pasó por debajo de la cinta y salió a la plataforma con unos prismáticos. Y estaba mirando su casa, detective Bosch.

—Llámeme Harry. Ya no soy detective. ¿Está seguro de que estaba mirando mi casa?

—Sin duda me lo ha parecido. Y llámeme Frank.

—¿Cuánto tiempo se quedó, Frank?

—Hasta que lo acosé y se largó. Por eso no creo que fuera un poli legítimo, aunque me mostró una placa.

—¿Lo encaró?

—Sí, salí y le pregunté qué estaba haciendo. Se puso nervioso y se marchó. Fue entonces cuando me mostró esa placa absurda que llevaba colgada al cuello.

Bosch buscó en su chaqueta y sacó la fotocopia que le quedaba de las fotos de Ellis y Long. La desplegó y miró a los dos polis de antivicio.

—¿Qué aspecto tenía? —preguntó.

Hubo una larga pausa antes de que Albert respondiera.

—No sé, era normal —dijo al fin.

—¿Normal? —preguntó Bosch—. ¿Era blanco, negro, mulato?

—Blanco.

—¿Qué edad?

—Eh, cuarenta y tantos. Creo. Quizá menos de cuarenta.

Bosch miró las dos fotos.

—¿Llevaba bigote?

—Sí, llevaba bigote. ¿Lo conoce?

Long llevaba bigote. Ellis no.

—No lo sé. ¿Estará en casa después? Tengo un par de fotos que me gustaría mostrarle.

—Claro, estoy siempre aquí.

—Gracias, Frank.

—Solo estaba vigilando el barrio. Es lo que hacemos.

Bosch colgó y miró las fotos de los dos agentes de antivicio. No creía que necesitara pasar por la casa de Frank para confirmar lo que sabía por instinto. Había sido Long el de los prismáticos. A Bosch le parecía raro que estuviera fisgando tan pronto. Solo eran las nueve y media. ¿Por qué había sospechado de que el Cherokee no se moviera?

Bosch decidió que tenía que haber algo más que hubiera provocado que Long subiera la colina. Dobló la fotocopia y se la guardó otra vez en el bolsillo de la chaqueta. Mientras lo estaba haciendo, vio a un hombre que creía que era Wojciechowski saliendo por la puerta delantera del centro de rehabilitación.

El hombre caminaba con una perceptible cojera y con la ayuda de un bastón; negro con llamas pintadas en él. Llevaba tejanos azules, una camiseta negra y un chaleco de cuero con la insignia de Harley Davidson en la espalda. Las alas tradicionales del logo estaban rotas. Bosch sabía que eso indicaba que el motero había caído, se había hecho daño pero había sobrevivido.

—¿Cisco? —lo llamó Bosch.

El hombre se detuvo y se volvió para ver quién lo llamaba. Bosch le dio alcance.

—¿Eres Cisco, no?

—¿Tal vez? ¿Tú quién eres?

—Harry Bosch. Eh, es por Mickey Haller. Yo soy su...

—Investigador. Sí, te quedaste mi trabajo.

—Iba a decir su hermano. No me quedé tu trabajo. No quiero tu trabajo, que seguirá ahí para ti en cuanto puedas volver. Solo estoy trabajando para él en este caso. Nada más.

Cisco apoyó las dos manos en el bastón. Bosch se dio cuenta de que estar de pie y caminar no eran sus pasatiempos preferidos por el momento. Había varios bancos alineados en el pasillo para gente que esperaba a los que estaban en rehabilitación.

—¿Podemos sentarnos un minuto? —preguntó Bosch. Señaló a uno de los bancos.

Cisco se dirigió hacia allí y pareció aliviado de liberar la rodilla de su propio peso. Era un hombre grande con brazos voluminosos y un poderoso torso en forma de V, una pirámide invertida de manera inestable en sus puntos de apoyo.

—¿Así que no es una coincidencia? —preguntó—. Mick me dijo que también estuviste en el ejército.

—Estuve en el ejército y he estado en este lugar antes, pero no es una coincidencia —dijo Bosch—. He venido a verte. Tengo que hacerte unas preguntas.

—¿Sobre qué?

—Bueno, empecemos con tu accidente. Mickey me dijo...

—No fue un accidente.

—Bueno, eso es lo que quiero saber. Dime qué ocurrió.

—No lo entiendo. ¿Por qué?

—¿Sabes que a Mickey lo pararon en un control de alcoholemia?

—Sí. Tus viejos colegas del departamento.

—Fue una trampa. Creo que fue para entorpecer sus avances en el caso Foster. Creo que lo mismo podría haber ocurrido contigo. Dime, ¿qué ocurrió?

Bosch vio frialdad en los ojos de Cisco.

—Era el puto día de los Inocentes. Estaba en Ventura Boulevard, en Studio City, en dirección a Hollywood. El tipo del carril se me echó encima y no tuve elección; dejar que me tirara y quedar bajo sus ruedas o arriesgarme en los carriles de sentido contrario. Casi lo conseguí.

—¿Qué te hace creer que fue intencionado?

—No lo creo. Lo sé. Dos cosas. Número uno, el tipo no se detuvo. Quiero decir, ni siquiera frenó. Y número dos, sabía lo que estaba haciendo. Joder, saqué la pierna y le golpeé el lateral del coche y siguió echándoseme encima. Una bota con punta de acero, tío. Lo oyó. Sabía que estaba allí.

—¿Viste al conductor?

Bosch empezó a sacar la fotocopia del bolsillo del abrigo.

—No, no lo vi —dijo Cisco—. Las ventanillas del coche estaban tintadas de oscuro. Mucho más tintadas que el límite legal.

Bosch dejó la fotocopia en el bolsillo.

Sabía que una táctica favorita de las unidades encubiertas del Departamento de Policía de Los Ángeles era tintar los cristales de sus coches más allá de los límites legales.

—¿Qué clase de coche era?

—Un Camaro. Naranja tostado con llantas negras y pinzas de freno amarillas. Vi bien esas ruedas, cara a cara.

—Pero supongo que no viste la matrícula.

—Estaba demasiado ocupado tratando de sobrevivir. ¿Qué tienes en el bolsillo de todos modos? ¿Qué ibas a enseñarme?

Bosch sacó la fotocopia.

—Estos son los dos tipos que pararon a Haller. Pensaba que podrías reconocer a alguno de ellos, si hubieras visto al conductor.

Cisco desdobló la página y miró las dos fotos. Eran solo fotos de la cara, pero en los dos casos los cuellos de los uniformes de policía eran evidentes.

—¿Me estás diciendo que dos polis podrían estar detrás de esto? —dijo.

Bosch asintió.

—Está empezando a parecerlo.

—Joder. Polis corruptos. ¿Qué se les ocurrirá luego?

—Voy a necesitar que te guardes para ti esto. No importa que lo hables con Haller, pero con nadie más. Podría joderlo todo si se filtra.

—No hacía falta que me dijeras esto.

—Sí, lo siento. Así que tu accidente ocurrió…

—Te he dicho que no fue ningún accidente.

—Vale, lo siento, no era la palabra correcta. Así que este ataque ocurrió justo después de que Haller recibiera el caso de Foster. ¿Habías empezado a trabajar en el caso?

—No demasiado. Teníamos el caso y estábamos preparándonos, pero todavía no había llegado el archivo de exhibición de pruebas, así que más o menos estábamos esperando que el fiscal hiciera público el sumario del caso.

Bosch asintió.

—Así que realmente no habías empezado.

—En realidad no. Solo estaba agarrándome a un clavo ardiendo hasta que pudiéramos tener el expediente en nuestras manos. Ahí es donde empieza, ¿sabes?

—Sí, lo entiendo. Así que estabas agarrado a un clavo ardiendo, ¿qué significa?

—Bueno, siempre tienes la versión de la historia de tu cliente y puedes investigarla. Nuestro hombre decía que tenía una coartada, así que miré eso y descubrí que llegábamos tarde. Al profesional con el que decía que estuvo lo habían asesinado.

—James Allen.

—El mismo.

—¿Hasta dónde te metiste?

—No mucho. El tipo estaba muerto y no podíamos hablar con él, fin de la historia. Hice un par de llamadas a gente del departamento con eso, pero (gran sorpresa) no me han contestado nada.

—¿Crees que hiciste algo en la investigación que podría provocar el ataque del Camaro? ¿Cualquier cosa que se te ocurra?

Cisco pensó un momento antes de negar con la cabeza.

—En realidad no, o si no ya me habría puesto con ello ¿sabes?

—Sí.

Bosch se dio cuenta de que si había una conexión entre que mandaran a Cisco contra el tráfico en sentido contrario y Ellis y Long, iba a tener que descubrirla por otros medios.

—Lo siento, no puedo ayudar mucho —dijo Cisco.

—Me has dado una descripción sólida del coche. Eso ayudará.

—Ojalá supiera algo, pero no sé lo que hice para que vinieran a por mí. Si fuera Mickey lo entendería, pero yo apenas había empezado con el caso.

—Bueno, hiciste algo o pensaban que estabas a punto de hacer algo. Quizá solo querían poner a Haller en un brete al cargarse a su investigador. Quizá nunca lo sabremos.

—Quizá.

—¿Denunciaste el incidente a la policía?

—Claro, pero fue una pérdida de tiempo.

—¿Por qué lo dices?

—Vamos, tío, mírame. Los polis me miran una vez y piensan «motero». Creen que el que me sacó de la carretera estaba haciendo un bien a la sociedad. Los llamé y les importó una mierda. El informe fue directamente al archivo. Solo me sirvió para cobrar el seguro, pero no volví a saber nada de los polis.

Hubo un tiempo en que Bosch podría haber defendido al Departamento de Policía de Los Ángeles contra esa clase de acusaciones. Pero ya no estaba en el redil. Se limitó a asentir de manera comprensiva. Los hombres se intercambiaron sus números de móvil y luego Bosch se largó, dejando a Cisco en el banco. Dijo que iba a descansar la rodilla un rato antes de levantarse para ir al aparcamiento.

38

No es que Bosch hubiera esperado que Cisco identificara a uno de sus atacantes como Ellis o Long, pero sí confiaba en una mayor confirmación de su convicción de que los dos polis de antivicio estaban detrás de todo lo que había ocurrido en relación al caso.

Aun así, no se amilanó, porque sabía de otras formas de acercarse a la prueba. La primera parada en ese camino era el Hollywood Athletic Club. Fue directamente desde Westwood y por el camino llamó a Haller, que contestó de inmediato.

—Buenos días —dijo con alegría—. Estaba a punto de llamarte.

—Iba a dejar un mensaje —contestó Bosch—. Anoche dijiste que tenías tribunal.

—Sí, pero he terminado.

—Suenas contento. Deja que adivine, han desestimado otro caso y otro camello sale libre.

—Estoy contento, pero no por otro caso. Tengo noticias. Pero empieza tú. Me has llamado tú.

—Muy bien, vale, acabo de volver de hablar con Cisco. No pudo ver al que lo sacó de la carretera, pero ha descrito el coche, hasta las pinzas de freno amarillas. Era un Camaro naranja tostado con tapacubos negros. Iba a llamar para ver si te sonaba.

Pasó un momento antes de que respondiera Haller.

—No —dijo finalmente—. ¿Debería?

—¿El coche que te paró para el control de alcoholemia? —preguntó Bosch.

—No, no era un Camaro. Era un Dodge. Un Challenger o un Charger. No me fijé mucho, pero desde luego no era un Camaro.

—¿Estás seguro?

—Eh, soy el Abogado del Lincoln. Entiendo de coches. Además no era naranja tostado. Era negro azabache. Como las almas de los cabrones que iban dentro.

—Vale, bueno, es todo lo que tengo. *Strike* dos. Primero Cisco, ahora tú. Levántame el ánimo. ¿Cuál es tu noticia?

—He recibido nuestro ADN.

—Y Foster no coincide.

—No, no es eso exactamente. Coincide, sí.

—¿Y eso es lo que te hace tan feliz?

—No, son los indicios de uso de condón. Tenías razón. Los encontraron en la muestra.

Bosch pensó en eso. Fue un momento de autoafirmación. El hallazgo apoyaba la teoría del caso según la cual el semen de Da'Quan Foster podría haber sido transportado a la escena y colocado en el cuerpo de Alexandra Parks.

—Después, han de intentar relacionarlo con una marca específica —dijo Haller—. La marca de Allen. Si tenemos eso, no podrán escabullirse diciendo que se puso un condón y se rompió.

—Vale —dijo Bosch.

—Sabes, normalmente siento que disparo a los argumentos de la fiscalía con una puta pistola de balines. Estoy empezando a pensar que esta vez tenemos una escopeta. De doble cañón. Vamos a hacer agujeros en su caso. Agujeros enormes.

Haller sonaba casi eufórico por los análisis de ADN. Pero para Bosch el juicio inminente estaba todavía demasiado lejos. Long y Ellis andaban sueltos y cinco semanas era demasiado tiempo para esperar a hacer algo.

—Solo piensas en el juicio —soltó Bosch.

—Porque es mi trabajo —dijo Haller—. Nuestro trabajo. ¿Qué está pasando, Harry? Pensaba que sería una buena noticia para ti. Estás en la pista buena, tío.

—Lo que está pasando es que Ellis y Long están en la calle haciendo cosas. Están vigilando mi casa, conocen a mi hija. No puedo demostrarlo, pero creo que fueron a por Cisco porque de alguna manera les amenazaba y ahora estoy provocándolos yo. Falta más de un mes para el juicio y hemos de pensar en el presente. Sacas a Foster en el juicio y... ¿qué? La fiscalía le dará la vuelta, dirá que es una cortina de humo y no hará nada con estos dos tipos. ¿Qué pasa entonces?

Haller tardó un momento en componer su respuesta.

—Harry, has pasado todos esos años persiguiendo asesinos y sé que es tu instinto natural hacerlo —dijo—, pero insisto en que ahora estás trabajando desde un ángulo diferente. No es a lo que estás acostumbrado, pero nuestra responsabilidad por encima de todo es con el cliente. No podemos hacer nada que ponga en peligro una defensa con éxito en un juicio. Mira, sé que tardarás en acostumbrarte, pero...

—No te preocupes por eso —le interrumpió Bosch—. No quiero acostumbrarme. Después de esto, he terminado.

—Bueno, como quieras. Hablaremos más adelante.

—¿Y si vamos al Departamento de Policía de Los Ángeles y mostramos lo que tenemos? Puedo argumentar que necesitamos sacar a estos dos de la calle. Como mínimo que los vigilen.

—Eso no va a pasar —dijo Haller enfáticamente—. Hacemos eso y estaremos dando a la fiscalía cinco semanas para preparar lo que saben que aportaremos.

—Tal vez no haya ni siquiera un juicio. Traen a esos dos, los enfrentan, y un tipo delata al otro, el truco más viejo del manual. Final del caso.

—Demasiado arriesgado. No voy a hacerlo. Y tú tampoco.

Bosch se quedó en silencio. Tenía que considerar los motivos de Haller. ¿De verdad estaba protegiendo las oportunidades de su cliente de un veredicto de inocencia o quería preservar su propia oportunidad de gloria en el juicio? Un caso de asesinato proporcionaba el mayor escenario en el tribunal. Si Haller ganaba el juicio, sería el héroe y tendría una cola de potenciales clientes. Si el caso nunca llegaba a juicio, sería otro el que se llevaría los aplausos.

—¿Sigues ahí? —preguntó Haller.

—Sí —dijo Bosch—. No hemos terminado de hablar de esto.

—Muy bien, muy bien. Escucha, ¿por qué no nos vemos mañana? Desayuno en Du-Par's. ¿Qué tal a las ocho en punto? Me presentas el caso. Te escucharé.

—¿Qué Du-Par's?

—El del Farmer's Market.

—Allí estaré.

—¿Adónde vas ahora?

—A Hollywood. Para comprobar algo.

Haller esperó más, pero Bosch no iba a contárselo. Trató de sacudirse su malestar y volver a concentrarse.

—Te lo contaré si da resultado —dijo al fin.

—Vale —dijo Haller—. Te veo mañana.

Bosch colgó, se quitó el auricular y soltó el teléfono en uno de los sujetavasos de la consola central. Lamentó su arrebato con Haller, pero ya no podía hacer nada al respecto. Se concentró en conducir al tomar Fairfax desde Santa Monica a Sunset.

Unos años antes se había descubierto que miembros de una banda callejera armenia habían alquilado una suite de oficinas en el edificio de doce plantas situado en Sunset y Wilcox. La oficina estaba en la séptima planta y al fondo del edificio, donde sus ventanas daban a la comisaría de Hollywood del Departamento de Policía de Los Ángeles, con una perspectiva impecable de la puerta de atrás y los aparcamientos adjuntos. Situando a alguien detrás de un telescopio en la oficina veinticuatro horas al día, la banda podía recopilar información de las unidades encubiertas de narcóticos y antivicio así como de los equipos de prevención de bandas. Se enteraron de cuándo estaban de guardia las diversas unidades, cuándo estaban en las calles y qué dirección tomaban al salir del aparcamiento.

En algún momento un informante reveló a un agente de la DEA la existencia del puesto de espionaje y el FBI lo desmanteló en una incursión que avergonzó sobremanera al departamento. El FBI requisó registros de vigilancia que contenían nombres en código de varios miembros de las unidades de la comisaría de Hollywood, que describían tanto sus coches personales como sus vehículos camuflados. También se descubrió que la banda de armenios había vendido los frutos recopilados de su vigilancia a otras bandas y empresas criminales que operaban en Hollywood.

El departamento instituyó varios cambios de procedimiento diseñados para impedir que se repitiera una situación tan embarazosa. Uno de ellos consistió en trasladar el parque móvil encubierto de la comisaría a un lugar alejado donado por la generosidad de una institución local, el Hollywood Athletic Club. Como ocurría con la mayoría de los secretos del departamento, la ubicación del aparcamiento de vehículos no identificados no era tan secreta. El escándalo del puesto espía se había producido después de que Bosch se trasladara a la Unidad de Casos Abiertos, en el Edificio de Administración de Policía del centro de la ciudad, pero incluso él había oído adónde habían desplazado los vehículos.

El Hollywood Athletic Club estaba en Sunset y a solo unas manzanas de la comisaría de Hollywood. Su aparcamiento se encontraba en la parte de atrás, rodeado de edificios por tres lados y por una valla en el cuarto, que discurría por Selma. No había ningún empleado allí, pero se requería una tarjeta-llave para entrar.

Bosch no tenía tarjeta-llave, pero no necesitaba entrar en el aparcamiento. Aparcó en la calle en Selma, bajó y caminó hasta la valla. Sabía que era un buen momento para hacer inventario de los coches encubiertos, porque casi todos ellos estarían en el aparcamiento. Eran solo las diez de la mañana y los equipos de antivicio, narcóticos y bandas que usaban los coches seguían los mismos horarios que sus presas. Es decir, empezaban las operaciones por la tarde y trabajaban por las noches. Las mañanas eran para quedarse durmiendo.

Los vehículos que utilizaban los equipos encubiertos se cambiaban o se intercambiaban con otras divisiones al menos una vez al año para evitar la familiaridad en la calle. De vez en cuando también se sacaba de circulación alguno. Algunos se intercambiaban con otras divisiones para que todos tuvieran coches nuevos. Habían pasado dos meses desde que enviaron a Cisco Wojciechowski contra el tráfico del carril contrario y por lo tanto cabía la posibilidad de que el Camaro naranja tostado que Bosch buscaba ya no estuviera allí. El hecho de que Ellis y Long estuvieran usando un coche diferente al parar a Haller para el control de alcoholemia parecía indicar que lo habían cambiado. Por otro lado, pensó Bosch, si habían cometido un crimen con el Camaro, podrían haberlo cambiado enseguida por un coche diferente. Un Dodge negro azabache, por ejemplo.

En cualquier caso, Bosch tenía que asegurarse, y su diligencia dio resultado. Localizó las familiares luces delanteras de un Camaro aparcado contra la pared del fondo. Tenía una gruesa capa de polvo en el parabrisas y era obvio que no lo habían utilizado durante una buena temporada. Bosch tuvo que dar unos pasos al lado de la valla para conseguir un ángulo lateral y confirmar el color: naranja tostado.

Usó el teléfono para sacar una foto del coche. Luego envió un mensaje de texto al número que Cisco le había dado antes con una pregunta: «¿Es este el coche?».

Bosch regresó caminando hasta su coche de alquiler. Cisco respondió cuando él estaba abriendo la puerta: «Creo que sí. Eso parece».

Bosch entró en el coche. Sintió la descarga de adrenalina. Ver el Camaro solo confirmaba una pequeña parte de su teoría y no era prueba de nada, pero la descarga de adrenalina se produjo de todos modos. Estaba reuniendo las piezas del puzle y siempre había euforia cuando encajaba alguna, aunque fueran las más pequeñas. El Camaro era importante. Si Ellis y Long lo estaban usando cuando sacaron a Cisco de la carretera, podrían haberlo utilizado unas semanas antes cuando el cadáver de James Allen fue transportado al callejón de El Centro.

Volvió al Chrysler y se dirigió hacia Santa Monica y luego al cementerio Hollywood Forever. Aparcó delante de la oficina, entró y encontró a Óscar Gascón detrás del escritorio de su pequeña oficina. El hombre reconoció a Bosch de la visita anterior.

—Detective, ha vuelto —dijo.

—Sí —confirmó Bosch—. ¿Cómo va el negocio?

—Sigue muerto. ¿Necesita volver a mirar las cámaras?

—Exacto. Pero tengo una fecha distinta. Cuando estuve aquí dijo que los tipos de la policía vinieron a ver la cinta de la noche del asesinato en el Haven House.

—Así es.

—¿Le parece bien que eche un vistazo a esa misma noche?

Gascón estudió un momento a Bosch como si estuviera tratando de comprender su punto de vista. Al final, se encogió de hombros.

—No veo por qué no.

Gascón tardó cinco minutos en recuperar de la nube el vídeo de la noche en que James Allen fue asesinado. Lo puso en velocidad rápida y Bosch observó la entrada al recinto del motel.

—¿Qué está buscando? —preguntó Gascón.

Bosch respondió sin apartar los ojos de la pantalla.

—Un Camaro naranja tostado —dijo.

Observaron en silencio durante los siguientes diez minutos. Los coches se movían por Santa Monica en los dos sentidos a una velocidad antinatural. Bosch decidió que si revisaban toda la noche sin ver el Camaro, le pediría verlo otra vez a una velocidad más lenta. Gascón podría protestar a eso, pero Bosch insistiría.

—Ahí —dijo Gascón de repente—. ¿No era eso un Camaro?

—Páselo más lento —dijo Bosch.

Gascón lo reprodujo a velocidad normal y observaron sin decir nada. El coche que habían visto entrar en el aparcamiento del Haven House no volvió a salir. Bosch se dio cuenta de que no había razón para pensar que el coche volvería a salir pronto.

—Vamos a rebobinar y lo vemos otra vez —dijo.

Gascón hizo lo que le pidieron. Luego, por su cuenta, puso la reproducción en cámara lenta. Esperaron y un coche naranja apareció en la pantalla desde el lado izquierdo y giró a la izquierda hacia la entrada del motel.

—Congele la imagen —ordenó Bosch.

Gascón detuvo la imagen cuando el coche cruzaba los carriles de sentido oeste de Santa Monica. Estaba justo de costado a la cámara, pero la imagen tenía mucho grano y poca definición. Las líneas generales del coche parecían coincidir con las de un Camaro, el diseño de cupé de dos puertas con un techo elegante de perfil bajo.

—¿Qué opina? —preguntó Gascón.

Bosch no respondió. Estaba estudiando la banda oscura de las ventanillas del coche y los tapacubos igualmente oscuros. Se parecía, pero Bosch no podía estar seguro. Se preguntó si la especialista en vídeo de Haller podría mejorar la calidad de la imagen.

—Siga adelante —dijo—. A más velocidad.

Anotó la hora en la parte inferior de la pantalla. El coche naranja entró en el motel a las 23:09. Gascón volvió a ponerlo en triple velocidad y se sentaron y miraron en silencio durante varios minutos. Varios vehículos entraron y salieron. Era una noche ajetreada en el motel. Al final, el coche naranja apareció y desapareció. Gascón retrocedió el vídeo y lo vieron otra vez a velocidad lenta. El coche salió del motel sin detenerse, giró a la derecha, se dirigió al oeste por Santa Monica y salió de la imagen.

—Ahora tiene prisa —dijo Gascón.

Bosch miró el contador de tiempo. El coche naranja salió a las 23:32, justo veintitrés minutos después de entrar. Bosch se preguntó si habían tenido tiempo suficiente para entrar en la habitación de Allen y sacarlo, vivo o muerto.

—Cuando los tipos del departamento estuvieron aquí, ¿se centraron en este coche? —preguntó Bosch.

—Oh, no, la verdad es que no —dijo Gascón—. Miraron un rato y me dio la impresión de que pensaban que era inútil. Se llevaron una copia a la Unidad Técnica de Vídeo para mejorarla. Nunca volví a saber nada de ellos.

Bosch mantuvo la mirada en la imagen mientras hablaban. Desde el lado derecho de la pantalla vio un coche naranja que circulaba hacia el oeste por Santa Monica hacia el Haven House. Cruzó la pantalla y giró en la entrada antes de desaparecer.

—Ha vuelto —dijo.

Gascón miró la pantalla, pero el coche ya se había ido.

—Retrocédalo —lo instruyó Bosch—. Llega desde el este esta vez. Párelo cuando llegue al centro.

Gascón actuó con rapidez y Bosch se acercó a la pantalla. Había una cabeza visible en el coche al cruzar directamente por delante del cementerio. La imagen era todavía pequeña y con grano, pero estaba más definida porque el coche estaba más cerca de la cámara. A Bosch no le cabía duda de que se trataba del Camaro. Desde ese ángulo, veía unos pocos píxeles amarillos en el centro de las ruedas negras: las pinzas de freno amarillas que Cisco Wojciechowski había descrito.

Sin embargo, la distancia de la cámara y las ventanillas con vidrios tintados hacían imposible que Bosch pudiera reconocer al conductor.

—Vale, reprodúzcalo —dijo—. A ver cuánto tiempo se quedan esta vez.

Bosch se fijó en que en ese momento el vídeo marcaba las 23:41. Vieron al Camaro girar otra vez en la entrada del motel. Gascón aceleró entonces la reproducción y observaron y esperaron. Bosch pensó en por qué había habido dos visitas al motel. Supuso que la primera vez, Ellis y Long podrían haber hecho una inspección del motel y de la habitación de Allen. Otra posibilidad era que el aparcamiento trasero estuviera demasiado lleno de gente yendo y viniendo. Una tercera posibilidad era que Allen estuviera con un cliente.

Esta vez, el Camaro tardó cincuenta y un minutos en salir. Una vez más se marchó con rapidez, girando a la derecha sin parar al salir y luego dirigiéndose al oeste y fuera de la imagen. Bosch consideró el tiempo que había transcurrido, y su instinto le decía que James Allen estaba muerto y en el maletero del Camaro cuando desapareció de la imagen.

—¿Qué opina? —preguntó Gascón.

—Creo que necesito una copia de esto —dijo Bosch.

—¿Tiene un USB?

—No.

—¿Y doscientos pavos, como los que me llevé la otra vez?

—Eso sí.

—Entonces iré a ver si puedo encontrar a alguien por aquí que tenga un USB.

39

En el camino de vuelta a casa, Bosch aparcó su coche de alquiler detrás del Poquito Más, en Cahuenga. Entró en el restaurante y pidió una ración de chile pasilla para llevar. Luego usó su aplicación Uber para pedir un coche. El coche y la comida llegaron al mismo tiempo. Bosch le dio al conductor la dirección de su casa y fue buscando por el camino indicaciones de vigilancia por parte de Ellis y Long. No había rastro de los polis de antivicio y no hubo ninguna conversación con el conductor en esta ocasión. Bosch decidió que tenía algo que ver con el hecho de que se hubiera sentado atrás.

Una vez dentro de su casa, Bosch cogió el archivo de pruebas de su dormitorio y lo dejó en la mesa del comedor. Antes de empezar su trabajo, abrió las puertas correderas para dejar entrar aire fresco. Salió un momento a la terraza y miró a su alrededor. A su derecha pudo ver, a través de un corte en el cañón, la plataforma en voladizo desde la cual Long había estado vigilando esa mañana. Se preguntó si habían averiguado que no estaba en casa y que no usaba el Cherokee.

Volvió a la mesa y colocó delante de él una libreta de formato legal. Empezó a usar el archivo de pruebas y sus propias notas y memoria para construir una cronología que le permitiera contemplar el caso en su conjunto, empezando mucho antes del asesinato de Alexandra Parks. Primero situó los homicidios en la cronología y luego añadió otros hechos relevantes a su alrededor.

Llevaba quince minutos con ello cuando sonó el timbre. Se levantó en silencio y se acercó a la puerta. A través de la mirilla vio la parte superior de una cabeza calva con un montón de manchas solares. Dio un paso atrás y abrió la puerta. Era su vecino Francis Albert.

—Detective Bosch, le he visto en la terraza hace un rato. ¿Iba a mostrarme unas fotos?

—Me olvidé por completo, Frank. Espere un momento.

Fue brusco, pero Bosch lo dejó de pie en la escalera de entrada. No quería que Albert entrara porque sería difícil sacarlo. Bosch regresó a la mesa donde había dejado el abrigo sobre el respaldo de una silla. Sacó las fotos de Ellis y Long del bolsillo y volvió a la puerta. Le entregó la fotocopia que contenía las dos fotos del rostro a Albert.

—¿El tipo que vio esta mañana era uno de ellos? —preguntó.

Albert no tardó mucho en llegar a una conclusión. Asintió.

—Sí, este tipo, este payaso —dijo.

Giró la foto de Long hacia Bosch. Bosch asintió.

—Sí, pensaba que podría serlo —dijo—. Gracias, Frank.

Se produjo una pausa incómoda porque Frank no se movió. Esperaba más.

—¿Me llamará si lo ve otra vez? —preguntó Bosch.

—Claro —dijo Albert—. ¿Cree que es un verdadero policía?

Bosch hizo una pausa y pensó un momento en la pregunta y en lo que debería decirle a Albert.

—En realidad no —dijo él.

Volvió a la mesa después de cerrar la puerta y revisó repetidamente la cronología, añadiendo matices y detalles. Después de otra media hora por fin tenía un documento que creía que detallaba el caso y su investigación por completo.

Fecha desconocida 2013 – reloj comprado por Dr. Schubert
Fecha desconocida 2014 – reloj robado o vendido por Schubert
11-dic – reloj comprado por Harrick en Grant & Sons

25-dic – reloj entregado a Alexandra Parks

Fecha desconocida – cristal del reloj roto

2-feb – reloj llega a Las Vegas por FedEx

5-feb – Gerard examina el reloj, todavía registrado a nombre de Schubert

5-feb – Gerard llama a la señora Schubert (reloj robado)

5-feb – Parks llama a Gerard, descubre que su reloj podría ser robado

5-feb – Parks llama a Grant & Sons (conversación desconocida)

5-feb – Dr. Schubert llama a Gerard / reloj no robado, pago deuda de juego

5-feb – Gerard llama a Parks (reloj no robado)

9-feb – Alexandra Parks asesinada

19-mar – Da'Quan Foster detenido / ADN coincidente

21/22-mar – James Allen asesinado / Camaro naranja en aparcamiento Haven House / dos puertas de coche en el callejón / ¿dos asesinos?

1-abr – Caída de Cisco / Camaro naranja

5-may – Haller detenido / Ellis y Long

7-may – Hermanos Nguyen interrogados por Bosch / hermanos Nguyen asesinados / ¿dos asesinos?

Bosch finalmente dejó el bolígrafo y estudió las fechas y los hechos de cada línea. Deconstruir el caso a una cronología simple le ayudaba a ver cómo se relacionaba todo y cómo los hechos caían como fichas de dominó, cada una moviendo la siguiente. Y el hilo conductor era el reloj. ¿Cuatro asesinatos relacionados por el cambio de propiedad de un reloj?

Bosch sabía que era el momento de conocer al doctor Schubert y terminar el puzle. Se echó atrás en la silla y pensó en la mejor manera de hacerlo. Sacó ciertas conclusiones sobre el hombre al que no conocía ni había visto antes, conclusiones basadas en lo que hacía para ganarse la vida y dónde y cómo vivía.

Decidió que la mejor forma de actuar sería asustar a Schubert y obtener su cooperación a través del miedo. Y en este caso, no iba a tener que fingirlo.

Bosch se levantó y se dirigió por el pasillo a su dormitorio. Era el momento de ponerse la verdadera ropa de detective.

40

Ellis estaba en el nuevo apartamento con las gemelas. Se encontraba revisando las grabaciones de los últimos días, buscando el siguiente proyecto en el que trabajar. Long lo llamó al móvil de tarjeta.

—Tenías razón —dijo—. Acaba de aparecer. Más vale que vengas.

Una de las chicas estaba en el sofá, pintándose las uñas. La otra estaba echando una siesta porque la noche anterior había sido muy ajetreada. Ellis fue a la cocina para tener cierta intimidad. Habló en voz baja a Long.

—¿Qué está haciendo? —preguntó.

—Bueno, lleva traje y corbata para empezar —dijo Long.

—Tratando de parecer un detective. Esa será su estrategia. ¿Qué más?

—Lleva una carpeta.

—¿Dónde está exactamente?

—En el garaje, apoyado en un coche sin marcas. Tendrías que venir. Creo que algo va a pasar.

—Querrá llevárselo a algún sitio privado.

Ellis tenía que pensar en eso. ¿Cuál sería la mejor oportunidad de hacer su propio movimiento?

—¿Sigues ahí? —preguntó Long.

—Estoy aquí —dijo Ellis—. ¿Sabes si va calzado?

—Eh, sí, va armado. Cadera izquierda. He visto el bulto en la chaqueta.

—Tendremos que recordar eso. Y estás seguro de que no te ha visto.

—No, tío, ha pasado por delante de mí.

—¿En el Cherokee?

—No, lleva un Chrysler. Parece de alquiler.

Ellis lo consideró. Bosch sabía que le habían puesto un transmisor GPS en el Cherokee. ¿Sabía que estaban vigilando a Schubert?

—¿Vienes o no? —preguntó Long.

—Enseguida.

Ellis colgó y entró en la sala.

41

El Center for Cosmetic Creation estaba situado en un edificio de dos pisos a una manzana del Cedars-Sinai, en West Hollywood. Toda la planta baja servía de garaje y las instalaciones médicas se situaban a solo un breve trayecto en ascensor. Bosch encontró el coche de Schubert con facilidad, porque tenía un lugar reservado con su nombre escrito con plantilla en la pared. Había un Mercedes-Benz plateado de aspecto elegante en aquel espacio. Bosch pasó por delante y encontró un espacio libre cerca. Aparcó y esperó. Mientras esperaba, miró la carpeta de informes y fotos que había recopilado, y ensayó su discurso. De eso iba a tratarse. Un discurso a Schubert. Una oferta para salvarle la vida.

Durante su espera, Bosch vio a unas cuantas pacientes del centro de cirugía plástica saliendo del ascensor y marchándose después de terminar con el tratamiento que habían elegido. Unas enfermeras empujaban las sillas de ruedas y las ayudaban a subir en los Town Car que esperaban. Bosch se fijó en que todos los Lincoln tenían matrículas del mismo servicio de alquiler de automóviles y comprendió que el trayecto formaba parte del paquete de la cirugía. Todas las pacientes menos una llevaban vendas en la cara. Bosch supuso que la que no lo hacía había venido para un implante mamario o una liposucción. La mujer se movió con cautela al levantarse de la silla de ruedas y subir muy despacio a la parte de atrás del coche que esperaba.

Todos los pacientes que Bosch vio salir eran mujeres. Todas de mediana edad o mayores. Todas solas. Todas probablemente tratando de aferrarse a una imagen de juventud, retrasando el momento temido en el que los hombres dejarían de mirarlas.

El mundo era cruel. Eso le hizo pensar a Bosch en su hija y en que pronto se marcharía de casa y viviría sola. Esperaba que nunca visitara un sitio como ese. Sacó su teléfono y le envió un mensaje de texto, aunque ella le había dicho que era improbable que hubiera cobertura de móvil en su lugar de acampada. Envió el mensaje de todos modos, más para sí mismo que para ella.

Eh, espero que estés divirtiéndote. ¡Te echo de menos!

Bosch estaba mirando la pantalla del móvil, esperando una respuesta, cuando oyó el zumbido de un cierre centralizado desbloqueándose. Levantó la mirada y vio a dos mujeres con bata de enfermera dirigiéndose a sus coches. Probablemente, el centro médico estaba cerrando. Momentos después de ellos llegó un hombre que Bosch supuso que era posiblemente un médico. Se estaba dirigiendo al Mercedes en el espacio de aparcamiento reservado para Schubert, pero pasó de largo hasta el coche de al lado. Después de que el hombre se marchara, Bosch arrancó su coche y lo aparcó en el espacio libre al lado del de Schubert. Bajó con la carpeta y rodeó el Mercedes de Schubert. Apoyándose contra la parte trasera del coche, dejó la carpeta en la tapa del maletero y cruzó los brazos ante el pecho.

Durante los siguientes veinte minutos enfermeras y miembros del equipo continuaron saliendo de manera esporádica del ascensor y entrando en el garaje, pero ninguno se acercó al Mercedes de Schubert. Unos pocos lanzaron a Bosch una mirada inquisitiva, pero nadie le preguntó por qué estaba allí ni qué estaba haciendo. Era viernes por la tarde, el final de la semana, y querían largarse. Bosch usó su teléfono para buscar una foto del cirujano plástico en las imágenes de Google. Encontró solo una y era de un artículo de 2003 aparecido en un periódico de sociedad de Beverly Hills. La foto mostraba al doctor y su mujer, Gail, asistiendo a una gala benéfica en el Beverly Hilton. Bosch tuvo la impresión de que Gail había hecho una o dos visitas a la consulta de su marido por razones profesionales. Tenía una expresión cincelada en su barbilla y el borde de sus cejas.

Un mensaje de texto apareció en la pantalla de su teléfono.

Mucho frío por la noche. ¡Hasta el domingo!

Era propio de Maddie ser escueta y comunicar el mensaje real entre líneas; el mensaje era que no iba a comunicarse más hasta que volviera a casa. Bosch abrió una ventana para escribir un mensaje de respuesta, pero no estaba seguro de qué decir.

—Disculpe.

Bosch levantó la mirada. Un hombre se estaba acercando y Bosch lo reconoció de la foto de doce años antes que había buscado en su móvil. Schubert hizo un gesto hacia el Mercedes en el que Bosch estaba apoyado.

—Es mi coche, si no le importa —dijo.

Vestía pantalones verdes, camisa de color azul claro y corbata gris. No llevaba americana, probablemente porque usaba una bata blanca de médico dentro del centro. Bosch se apartó del maletero del coche y se ajustó la chaqueta, asegurándose de moverla lo suficiente para mostrar la pistola que llevaba en la cartuchera. Vio que atraía la atención de Schubert.

—¿Qué es esto? —dijo Schubert.

—Doctor Schubert, mi nombre es Bosch y estoy aquí para salvarle la vida. ¿Hay algún sitio donde podamos hablar en privado?

—¿Qué? —exclamó el doctor—. ¿Es una broma? ¿Quién demonios es usted?

Schubert se mantuvo a distancia de Bosch al dirigirse hacia la puerta del lado del conductor de su coche. Sacó una llave del bolsillo y la pulsó, desbloqueando las puertas.

—Yo en su lugar no haría eso —advirtió Bosch.

Schubert se detuvo, con la mano a medio camino de la puerta, como si Bosch estuviera advirtiéndole de que podría estallar una bomba si abría. Bosch rodeó el coche por detrás, cogiendo la carpeta del maletero al acercarse.

—Oiga, ¿quién es usted? —preguntó Schubert.

—Ya se lo he dicho —respondió Bosch—. Soy el hombre que intenta que siga respirando.

Le pasó la carpeta a Schubert, quien la cogió a regañadientes. Hasta el momento, las cosas iban según el guion que Bosch había preparado. Los siguientes diez segundos determinarían si este seguía cumpliéndose.

—Mírelo —sugirió Bosch—. Estoy investigando una serie de asesinatos, doctor Schubert. Y tengo motivos para creer que usted (y posiblemente su mujer) son los siguientes.

Schubert reaccionó como si la carpeta estuviera al rojo vivo. Bosch lo estaba estudiando. Era más una reacción de miedo que de sorpresa.

—Ábrala —ordenó Bosch.

—Esto no son maneras —protestó el doctor—. No puede…

Se detuvo al ver la imagen sujeta a la cara interior de la carpeta. El primer plano del rostro horriblemente destrozado de Alexandra Parks. Schubert puso los ojos como platos y Bosch supuso que el cirujano plástico nunca había visto una cara como esa en todos sus años de trabajo.

Schubert examinó el otro lado de la carpeta. Bosch había sujetado el informe de incidente al lado derecho, no por su contenido, sino porque era una copia de un documento oficial y sabía que el membrete del Departamento del Sheriff del Condado de Los Ángeles en la parte superior aumentaría su legitimidad a ojos de Schubert. Harry quería que pensara que era policía durante el mayor tiempo posible. La charada terminaría si Schubert pedía ver una placa. Para impedir que eso ocurriera, el plan de Bosch era mantenerlo a contrapié y potenciar sus miedos.

Schubert cerró la carpeta. Parecía afectado. Trató de devolvérsela a Bosch, pero él no la acepto.

—Oiga, ¿de qué se trata? —rogó—. ¿Qué tiene esto que ver conmigo?

—Todo empezó con usted, doctor —contestó Bosch—. Con usted y Ellis y Long.

El reconocimiento fue inconfundible en el rostro de Schubert. Reconocimiento y terror, como si hubiera esperado todo el tiempo que su negocio con Ellis y Long —fuera el que fuese— no había terminado.

Bosch dio un paso adelante y, finalmente, cogió la carpeta.

—Bien —dijo—. ¿Adónde podemos ir a hablar?

42

Schubert utilizó una llave para desbloquear el ascensor. La caja de acero se elevó lentamente y ni él ni Bosch hablaron. Una vez que las puertas se abrieron, los dos hombres entraron en una zona de recepción y sala de espera muy lujosa, con asientos acolchados y una barra de café. Los distintos espacios estaban vacíos, sin personal. Parecía que todo el mundo se había ido a casa. Recorrieron un pasillo y entraron en el consultorio privado de Schubert. El doctor encendió la luz al entrar en una gran sala con una disposición de asientos informal, con sofá y sillas en un lado y un escritorio y un ordenador en el otro. Las dos zonas estaban separadas por una mampara de diseño japonés. Schubert se sentó pesadamente en la silla de cuero de respaldo alto situada detrás del escritorio. Negó con la cabeza como un hombre que de repente comprende que todo el boato de su vida, tan perfectamente situado, estaba cambiando de repente.

—No puedo creerlo —dijo.

Hizo un gesto hacia Bosch como si él fuera responsable de todo. Bosch se sentó en una silla delante del escritorio y dejó la carpeta encima del escritorio ultramoderno de aluminio pulido.

—Relájese, doctor —dijo Bosch—. Arreglaremos esto. La mujer de la foto que no quiere mirar era Alexandra Parks. ¿Le suena el nombre?

Schubert empezó a negar con la cabeza en una respuesta refleja, pero entonces su mente recordó el nombre.

—¿La mujer de West Hollywood? —preguntó—. ¿La que trabajaba para el ayuntamiento? Creía que habían detenido a alguien por eso. Un pandillero negro.

Bosch pensó que era interesante que Schubert hubiera descrito al sospechoso por su raza, como si eso tuviera una relación causal con el crimen. Le dio a Bosch una idea del hombre al que en los siguientes cinco minutos tenía que convencer para que se abriera y hablara.

—Sí, bueno, tenemos al hombre equivocado —dijo Bosch—. Y los culpables siguen en la calle.

—¿Se refiere a esos dos hombres? ¿Los dos policías?

—Exacto. Y necesito saber lo que sabe de ellos para que podamos pararlos.

—No sé nada de esto.

—Sí, lo sabe.

—No puedo implicarme. En mi negocio, la reputación lo es todo. He...

—Su reputación no significará mucho si está muerto, y tenemos un buen motivo para creer que está en su lista.

—Eso es imposible. Pagué y pagaré otra vez al final del mes que viene. Ellos lo saben. ¿Por qué iban...?

Schubert se dio cuenta de que en su pánico ya se había delatado. Bosch asintió.

—Por eso hemos de hablar —dijo—. Ayúdenos a terminar con esto. Lo haremos con discreción y seguridad. En la medida de lo posible, le mantendré al margen. Necesito la información, no a usted.

Esta vez Schubert asintió, no tanto para Bosch, sino para reconocer que un momento que había temido desde hacía mucho tiempo había llegado por fin y tendría que enfrentarse a él.

—Muy bien —dijo Bosch—, pero antes de empezar he de hablar con mi compañero y decirle dónde estoy. Es una cuestión de seguridad.

—Pensaba que se suponía que tenía que estar con un compañero en todo momento.

Bosch sacó su teléfono y marcó la contraseña.

—En un mundo ideal —dijo—. Pero en una investigación como esta cubrimos más terreno si nos separamos. Mantenemos el impulso.

Bosch miró su reloj y actuó como si estuviera haciendo una llamada. En cambio, abrió la aplicación de notas y empezó una grabación. Luego se llevó el teléfono al oído como si hubiera hecho la llamada y esperara una respuesta. Esperó varios segundos y dejó un mensaje.

—Eh, soy Harry. Son las 5:45. Estoy con el doctor Schubert en su oficina y voy a realizar el interrogatorio. Quiere cooperar. Te avisaré si surge algo que no pueda manejar. Te llamaré después.

Terminado su mensaje, hizo ver que desconectaba la llamada y dejó el teléfono encima de la carpeta, en el escritorio. Al mismo tiempo, se inclinó hacia delante y sacó su libreta del bolsillo trasero. A continuación se palpó los bolsillos de la chaqueta buscando un boli. Al no encontrar ninguno, se inclinó hacia una taza que estaba llena de bolígrafos y lápices.

—¿Puedo coger uno de estos para tomar notas? —preguntó.

—Mire, no he dicho exactamente que quisiera cooperar —dijo Schubert—. Me está obligando. Le dice a alguien que va a ser asesinado, y claro que querrá hablar con usted y descubrir de qué se trata.

—Así pues, ¿está bien que tome notas?

—Como quiera.

Bosch miró la carpeta que había colocado en el escritorio y luego a Schubert.

—¿Por qué no empezamos con el reloj? —dijo.

—¿Qué reloj? —preguntó Schubert—. ¿De qué estamos hablando?

—Doctor Schubert, sabe de qué reloj estoy hablando. El Audemars Piguet que compró en Las Vegas hace dos años. El modelo

Royal Oak Offshore de mujer. El que su mujer dijo que fue robado, pero luego usted dijo que lo vendió para pagar una deuda de juego.

Schubert parecía anonadado por el conocimiento de Bosch.

—Pero eso era mentira, ¿no? —continuó Bosch—. Y yo no puedo ayudarle a menos que empiece a hablar y a decir la verdad. Cuatro personas están muertas, doctor. Cuatro. Lo que las conecta es ese reloj. Si quiere protegerse, cuénteme la historia real.

Schubert cerró los ojos como si eso pudiera salvarle de la situación terrible en la que se hallaba.

—Esto puede tener repercusiones —supuso—. Tengo clientes. He de... —Titubeó.

—Proteger su reputación, sí, eso ya lo ha dicho —dijo Bosch—. Lo entiendo. No puedo prometerle nada, pero haré todo lo posible por usted. Si me cuenta la verdad.

—Mi mujer no lo sabe —dijo Schubert—. La amo y esto le haría mucho, mucho daño.

Lo dijo más para sí mismo, y Bosch decidió mantenerse al margen, esperar y dejar que lo elaborara. Finalmente Schubert pareció llegar a una resolución, abrió los ojos y miró a Bosch.

—Cometí un error —dijo—. Un error espantoso y... —Se perdió otra vez.

—¿Qué error, doctor? —preguntó Bosch.

Considerando a los otros implicados, tenía una idea de hacia dónde iba. Ellis y Long eran polis de antivicio y trabajaban en los pasillos oscuros del comercio sexual. De ese modo se habían cruzado en el camino de James Allen. No había ninguna razón para pensar que Schubert hubiera tomado una dirección diferente.

—Tuve una relación con una paciente —dijo Schubert—. Ella trabajaba en el sector del ocio para adultos. A lo largo de los años, hubo varias operaciones. Todas las mejoras que se le ocurran: labios, pechos, nalgas. Le ponía Botox con regularidad. Hubo una labioplastia, lifting en la cara y en los brazos..., cualquier cosa para mantener su carrera.

Bosch no tenía ni idea de que era una labioplastia, pero no quiso preguntar por temor a hundirse en profundidades por debajo del nivel al cual el resto de la lista lo había enviado.

—Esto por supuesto fue en el transcurso de años —dijo Schubert—. Casi una década.

Se detuvo como si hubiera explicado lo suficiente para que Bosch adivinara el resto. Bosch sabía que probablemente podría hacerlo, pero necesitaba que Schubert contara la historia.

—¿Cuándo dice «relación» de qué está hablando? —preguntó Bosch.

—Una relación doctor-paciente —respondió Schubert—. Era profesional.

—Vale. ¿Qué ocurrió entonces que trajo a los agentes Ellis y Long a su vida?

Schubert bajó la mirada un momento y lidió con lo que debía hacer.

—Quiero que prometa que no pondrá esto en ningún informe policial que no se considere estrictamente confidencial —dijo.

Bosch asintió.

—Tiene mi promesa. No pondré esto en ningún informe policial.

Schubert lo estudió un buen rato como si tomara la medida de su sinceridad. Al final asintió, más para sí mismo que para Bosch.

—Crucé una línea —dijo Schubert—. Me acosté con ella. Me acosté con mi paciente. Solo una vez y lo he lamentado en todo momento desde entonces.

Bosch asintió como si lo creyera.

—¿Cuándo cruzó esa línea? —preguntó.

—El año pasado —dijo Schubert—. Justo antes de Acción de Gracias. Fue un montaje. Una trampa.

—¿Cómo se llama?

—Deborah Stovall. Usa un nombre diferente como artista. Creo que es Ashley Juggs o algo parecido.

—Dice que es un montaje. Explíquese.

—Llamó a la oficina y preguntó por mí. Me ocupo de mis consultas telefónicas al final del día. Así que llamé y ella dijo que estaba teniendo una reacción alérgica a una inyección de Botox que le habían puesto en mi consulta. Le dije que viniera al día siguiente a primera hora y que echaría un vistazo, pero dijo que no podía salir en público por la hinchazón de la cara. Quería que yo acudiera a verla.

—Y fue.

—A pesar mío. Al final de mis visitas de ese día, preparé un maletín médico y fui a su apartamento. Esa parte no era inusual. De vez en cuando atiendo a domicilio, depende de quién sea la clienta. De hecho, ella era la segunda de dos llamadas que tenía programadas ese día. Pero (por cómo se gana la vida) debería haber sabido adónde podía llevar aquello.

—¿Dónde estaba su casa?

—En Fountain, cerca de Crescent Heights. Un apartamento. No recuerdo la dirección exacta. Está en su archivo médico.

—¿Qué ocurrió cuando llegó allí?

—Bueno, no mostraba ningún síntoma de infección ni reacción alérgica. Me contó que había ido mejorando durante el día y la hinchazón que había experimentado había desaparecido. No creo que hubiera nunca ningún problema.

—Vale, así que allí estaba —dijo Bosch—. ¿Qué ocurrió entonces?

—Tenía una compañera de piso —dijo Schubert—. Y esa chica no llevaba nada de ropa. Y una cosa...

—¿Cómo se llamaba la compañera de piso?

—Annie, pero no sé si era su nombre real o no.

—¿También estaba en el mundo del entretenimiento para adultos?

—Sí, por supuesto.

—Vale. ¿Tuvo sexo con una o con las dos?

Schubert bajó la barbilla e hizo un ruido desde la garganta que Bosch pensó que pretendía ser interpretado como tragarse las lágrimas.

—Sí... lo hice. Fui débil.

Bosch lo dejó esperando una reacción de compasión.

—Así pues, supongo que había cámaras, pero no las vio —dijo.

—Sí, había cámaras —dijo Schubert en voz baja—. Cámaras ocultas.

—¿Cómo se enteró? ¿Por las mujeres o por Ellis y Long?

—Por Ellis y Long. Vinieron aquí, se sentaron delante del escritorio como usted ahora y me mostraron el vídeo en un teléfono. Después me contaron cómo serían las cosas. Iba a hacer lo que me pedían y pagarles lo que ellos querían o divulgarían el vídeo en Internet. Se asegurarían de que lo viera mi mujer y harían que Deborah presentara una demanda ante el Consejo de Ética Médica de California. Me arruinarían.

Bosch asintió, era lo más cerca que podía llegar a una señal de compasión.

—¿Cuánto querían? —preguntó.

—Cien mil dólares para empezar —contestó Schubert—. Y luego otros cincuenta mil cada seis meses.

Bosch estaba empezando a comprender por qué Ellis y Long habían tomado medidas tan extremas como matar a cualquiera percibido como una amenaza a su operación. Schubert era la gallina de los huevos de oro, un flujo anual de ingresos para ellos mientras el cirujano plástico deseara cubrir su indiscreción.

—Así que les pagó los primeros cien mil.

—Los pagué.

—¿Cómo exactamente?

Schubert se había vuelto en su silla de escritorio y ya no estaba mirando a Bosch. A su derecha había un gran cartel que cubría una pared que mostraba la silueta de un cuerpo de mujer. Era clínico, no erótico, y detallaba en el exterior de la silueta los numerosos procedimientos diferentes que podían llevarse a cabo en diversas partes. A Bosch le pareció que Schubert se estaba dirigiendo a la mujer del cartel al responder.

—Les dije que no podía pagar en efectivo. Mi dinero... Yo nunca veo mi dinero. Tengo una empresa que controla este centro, y lo que sale va directamente a un depósito y se somete al control de contables y gestores económicos. Todo está supervisado por mi mujer. Tuve una adicción patológica que requería hacerlo así.

—¿Una adicción al juego? —preguntó Bosch.

Schubert se volvió y miró a Bosch como si acabara de recordar que estaba en la sala. Luego se volvió hacia el cartel.

—Sí, al juego —respondió—. Se había descontrolado y perdí un montón, así que me quitaron mi dinero. Lo controlaron. Era la única forma de salvar mi matrimonio. Pero eso significa que no puedo ir al banco o extender un cheque de ese importe sin una segunda firma.

—Así que les dio joyas —dijo Bosch—. El reloj de su mujer.

—Sí, exactamente. Ella estaba de vacaciones. Fuera de la ciudad. Les di las joyas. Su reloj, mi reloj, varios diamantes. Fue idea de ellos hacer que pareciera un asalto. Cuando ella volvió a casa, le dije que habían robado y que la policía se ocupaba. Estaban investigando. Ellis rompió una ventana en las cristaleras de la parte de atrás de la casa para que pareciera que los ladrones habían entrado por ahí.

Bosch se estiró sobre el escritorio para coger la carpeta. La deslizó desde debajo del teléfono.

—Deje que mire algo aquí —dijo.

Abrió la carpeta y fue pasando los informes sujetos al lado derecho hasta que encontró la cronología que había preparado esa mañana.

La historia de Schubert encajaba con los hechos que Bosch había acumulado. Entrega las joyas a Ellis y Long como pago de extorsión. Luego ellos llegan a un acuerdo con los hermanos Nguyen para venderlas como propiedad heredada en Nelson Grant & Sons. Las joyas empiezan a venderse. Harrick compra el reloj de mujer para su esposa como regalo de Navidad. Ellis y Long empiezan a conseguir su dinero y los hermanos Nguyen se llevan una parte por venderlo sin preguntar por su procedencia.

Las cosas se tuercen cuando a Alexandra Parks se le rompe el cristal de su reloj y lo envía a reparar al servicio técnico de Las Vegas. Al descubrir que podría haber un problema con la propiedad del reloj, Parks, directora de protección al consumidor y casada con un agente de la ley, discretamente investiga la historia del reloj. Llama a Nelson Grant & Sons y hace preguntas. Quizá les dice que su marido es agente del sheriff, quizá eso ya lo sabían de cuando Harrick compró el reloj. Se diga lo que se diga, la llamada preocupa a los hermanos Nguyen hasta el punto de que contactan con Ellis y Long y dicen: «Podríamos tener un problema aquí».

Ellis y Long se deciden por una solución extrema: eliminar a Parks antes de que investigue más y tire del hilo en su operación de extorsión. Bosch tenía que suponer que Schubert no era la única víctima de la trama y que había todo un engranaje de hacer dinero en marcha, que usaba a las mujeres para lograr que hombres actuaran ante cámaras ocultas.

Ellis y Long idean un plan para asesinar a Parks y hacer que parezca un crimen de motivación sexual. Usan a James Allen, un chivato al que controlan y al que podrían haber utilizado en tramas similares, para conseguir un condón con semen que puedan dejar en la escena del crimen y enviar a los investigadores en la dirección equivocada hacia el hombre equivocado.

Esa teoría excluía a James Allen y la pregunta de por qué resultó asesinado. ¿Para atar cabos sueltos? ¿O había amenazado a los polis de antivicio de alguna manera? El asesinato de Lexi Parks había inundado los medios. Allen podría haber visto la noticia, y luego sumado dos y dos después de que su cliente Da'Quan Foster fuera detenido por pruebas de ADN. Si hizo un movimiento contra

Ellis y Long, pidió dinero o los amenazó de algún modo, eso pudo haberle costado la vida. Fue asesinado y su cuerpo colocado de manera que pudiera enviar a los investigadores en otra dirección. Ellis y Long tenían que conocer el primer asesinato, el cuerpo dejado en el callejón de El Centro. Incluso podrían haber sido sus responsables.

El desvío de atención, pensó Bosch. Había un patrón en ello. Un patrón repetitivo. Primero Alexandra Parks, después James Allen.

43

Ellis se unió a Long en el Charger.

—Ya era hora —dijo Long.

—Deja de llorar —advirtió Ellis—. Estaba ocupándome de las chicas. ¿Cuál es la situación aquí?

—Schubert ha salido y Bosch se le ha plantado delante. Luego han entrado. Eso ha sido hace treinta y cinco minutos.

Ellis asintió y reflexionó. Schubert había estado dentro con Bosch el tiempo suficiente para asumir que el doctor lo había soltado todo. Eso marcaba el final del juego para Ellis. Era hora de cerrar la operación. Hora de cerrar todas las operaciones.

No sabía qué había hecho Long, pero él desde luego había planeado ese día. Sacó su teléfono y abrió la aplicación del tiempo. Había varias ciudades marcadas por si acaso su teléfono caía en manos ajenas. Pero solo una importaba. Había veinticuatro grados en Placencia, Belice. ¿Podía existir un clima mejor?

Apartó el teléfono.

—Se acabó —dijo.

—¿Qué? —preguntó Long.

—Esto. Aquí mismo. Este es el final del trayecto. Hemos de tomar una decisión.

—¿Qué decisión?

—Quédate este coche, yo vuelvo a mi coche y nos separamos. Cogemos nuestro botín y nos separamos. Para siempre.

—No, no, no podemos…

—Ha terminado. Fin.

—¿Cuál es la otra opción?

La voz de Long se perdió. Había subido un punto o dos cuando el pánico empezó a atenazar sus cuerdas vocales.

—Entramos —propuso Ellis—. Y acabamos con ello. No dejamos a nadie para que cuente la historia.

—¿Eso es? —preguntó Long—. ¿Ese es tu gran plan?

—No es un plan. Solo podría darnos más tiempo. Entramos, nos ocupamos del asunto y podrían no encontrarlos hasta mañana por la mañana. Para entonces tú estás en México y yo estoy a medio camino de cualquier parte.

Long tamborileó con los dedos de las dos manos en sus muslos.

—Ha de haber otro camino, otro plan —dijo.

—No hay nada —contestó Ellis—. Te lo dije. Fichas de dominó. Este es el resultado. Decide.

—¿Y las chicas? Podríamos…

—Olvídate de las chicas. Me ocuparé de ellas en cuanto salga de aquí.

Long lo miró con brusquedad.

—¿Qué cojones, tío? —dijo.

—Te lo he dicho —dijo Ellis—. Dominó.

Ahora Long se estaba frotando la mandíbula con una mano mientras sujetaba el volante con la otra.

—Decide —repitió Ellis.

44

Bosch estudió la cronología y vio que todo encajaba, cómo caían las fichas de dominó de manera que señalaban directamente a Ellis y Long.

—¿Cuándo fue la última vez que vio a Ellis y Long? —preguntó.

Schubert había caído en un ensimismamiento mientras Bosch examinaba la cronología. En ese momento se enderezó ante la pregunta.

—¿Verlos? No los he visto en meses. Pero me han llamado mucho. Me llamaron hace un par de días para preguntar si alguien había estado cotilleando. Supongo que estaban hablando de usted.

Bosch asintió.

—¿Tiene su número? —preguntó.

—No, siempre me llaman ellos —respondió Schubert—. El número siempre está bloqueado.

—¿Y Deborah? ¿Tiene su número?

—En los archivos.

—Lo necesito. Y su dirección.

—Creo que es ilegal que comparta información de un historial médico.

—Sí, pero ya hemos dejado eso atrás, ¿no?

—Sí, supongo. ¿Qué pasa ahora?

—Eh… Tengo que trabajar para conseguir confirmación independiente de parte de esto. Y haré una visita a Deborah y su compañera de piso. Voy a necesitar una lista de todas las joyas que le dio a Long y Ellis además de los relojes.

—Tengo una lista. Mi mujer la hizo.

—Bien. ¿Dónde les entregó físicamente todo el material?

Schubert bajó la mirada cuando respondió.

—Vinieron a mi casa y examinaron lo que teníamos —dijo—. Mi mujer estaba en Europa. Me quedé allí mientras examinaban sus cosas. Cogieron lo que quisieron y dejaron el resto. Sabían lo que era valioso y lo que no. Lo que podían vender y lo que no.

—¿Se llevaron algo además de las joyas?

—Uno de ellos (Ellis) entendía de vino. Examinó nuestra bodega y se llevó dos botellas de Lafite del ochenta y dos.

—A lo mejor solo se llevó lo viejo porque parecía valioso.

—No, se llevó las Lafite del ochenta y dos y dejó las del ochenta. La del ochenta y dos vale cincuenta veces más que la del ochenta y sabe cincuenta veces mejor. Él lo sabía.

Bosch asintió. Se dio cuenta de que el vino podría ser más importante para el caso que las joyas. Si Ellis se lo había quedado, todavía podría haber una botella en alguna parte en su posesión, y eso podría relacionarlo con el caso y ser un punto verificable si la historia de Schubert era cuestionada en el tribunal o en otro sitio.

—¿Dijo que fue idea de ellos hacer que pareciera un robo?

—Cuando les dije que no podía pagarles en efectivo sin que mi mujer se enterara, dijeron que podían hacerlo pasar por un robo, pero que yo no lo denunciara. Que solo le dijera a mi mujer que lo había hecho cuando ella volviera de su viaje. Incluso falsificaron un informe de la denuncia de robo para que se lo mostrara a ella. Tenía nombres falsos, todo falso.

—¿Todavía lo tiene?

—Sí, en casa.

—Vamos a necesitarlo. ¿Hizo una reclamación al seguro por todo lo que se llevaron?

Si Schubert también había cometido un fraude al seguro, eso debilitaría su fiabilidad como testigo.

—No, no lo hice —dijo Schubert—. Esa era su regla. No querían que las joyas se declararan robadas porque les costaría venderlas y cobrar su dinero. Me dijeron que si descubrían que había hecho una reclamación volverían y nos matarían a mi mujer y a mí.

—¿Y a su mujer no le extrañó eso? Lo del seguro, quiero decir.

—Le conté que estábamos negociando con ellos y luego salí e hice algunos trabajos a domicilio en efectivo y poco a poco junté el dinero e hice ver que venía de la compañía de seguros.

—¿A domicilio?

—Ya le he dicho antes que trabajo a domicilio en ocasiones. Detective, hay gente que tiene dinero y está dispuesta a pagar por la confidencialidad. No usan el seguro médico. Pagan en efectivo para que no quede registro y nadie lo sepa nunca. Tengo esa clase de encargos; sobre todo estoy hablando de inyecciones de Botox y otras cosas menores, pero en ocasiones son operaciones quirúrgicas completas.

Eso no era noticia para Bosch. Los ricos y famosos de Los Ángeles tenían ese poder. Le vino a la cabeza Michael Jackson. La megaestrella de la canción había muerto en casa y bajo el cuidado de un médico privado. En un lugar donde la imagen a menudo contaba más que ninguna otra cosa, a un cirujano plástico que trabajaba a domicilio podía irle muy bien.

—¿Era así como planeaba conseguir el dinero para pagarles cincuenta mil cada seis meses?

—Ese era el plan. Hay un pago a final de junio y casi lo tengo listo.

Bosch asintió. Quería decirle a Schubert que no tendría que hacer ese pago, pero se contuvo. No había forma de saber cuánto tiempo se prolongaría la investigación. Volvió a centrar el interrogatorio.

—¿Se llevaron algo más en ese robo ficticio?

—Una obra de arte. No valía mucho. Era especial para mí. Creo que se la llevaron por eso. Decían que eran mis dueños y que podían hacer lo que quisieran.

Schubert estaba arrellanado con los codos en los brazos del asiento. Cerró los ojos y se masajeó el puente de la nariz con dos dedos.

—Ahora todo esto saldrá a la luz, ¿verdad? —dijo.

—Haremos lo posible para mantenerlo al margen —contestó Bosch—. Todo lo que ha ocurrido pasó después de esto, de todas maneras. Todo lo desencadenó Alexandra Parks al enviar el reloj a arreglar.

—Entonces ¿por qué está tan seguro de que estoy en peligro?

—Porque estos dos tipos son policías y saben cómo funciona el sistema. Si no hay testigos, no hay ninguna amenaza para ellos. No han vuelto a usted porque probablemente no saben que todo lleva al reloj. Cuando lo sepan, vendrán, y no será solo para recoger los siguientes cincuenta mil.

—Bueno, ¿no tiene suficiente para detenerlos? Parece que lo sabe todo.

—Creo que con confirmación de partes de su historia, habrá pruebas más que suficientes para eso.

—¿Es de Asuntos Internos?

—No.

—Entonces...

Se oyó un ruido procedente de fuera del consultorio. Sonó como el golpe de una puerta al cerrarse.

—¿Hay alguien más ahí? —preguntó Bosch.

—Eh, tal vez una de las chicas —respondió Schubert.

Bosch se levantó.

—No vi a nadie al entrar aquí —dijo en voz baja.

Se acercó a la puerta, se le ocurrió abrirla y mirar al pasillo, pero se lo pensó mejor. Inclinó la cabeza hacia la jamba y escuchó. No oyó nada al principio, pero luego percibió claramente un voz susurrada procedente del pasillo.

—Despejado —dijo la voz.

Era un hombre. Supo entonces que Ellis y Long estaban en el edificio e iban a por ellos.

45

Bosch enseguida pulsó el botón del pomo para cerrar la puerta, luego se estiró y apagó la luz del techo. Se movió con rapidez hacia el escritorio, sacando su arma de la cartuchera que llevaba en la cadera.

Schubert se levantó de su silla y sus ojos se ensancharon con cada paso que Bosch dio hacia él.

—Están aquí —susurró Bosch—. Tienen que haberme seguido o estaban vigilándolo y esperando.

—¿A qué?

—A que yo hiciera la conexión.

Bosch señaló a una puerta a la izquierda del escritorio.

—¿Adónde da? —preguntó.

—Es solo un cuarto de baño —dijo Schubert.

—¿Tiene ventana?

—Sí, pero es pequeña y hay una caída de seis metros.

—Mierda.

Bosch se volvió y examinó la sala tratando de concebir un plan. Sabía que salir al pasillo sería un error, los convertiría en objetivos vulnerables. Tendrían que atrincherarse donde estaban.

Se volvió y cogió el teléfono del escritorio. Sabía que llamar desde el fijo proporcionaría de manera automática la dirección del edificio a la operadora de Emergencias. Eso aceleraría la respuesta.

—¿Cómo consigo línea externa? —preguntó con rapidez.

Schubert se estiró y pulsó un botón de la base del teléfono. Bosch oyó el tono y marcó el 911. Luego señaló a la ventana de la oficina.

—Cierre la cortina, que quede a oscuras.

La llamada al 911 empezó a sonar. Schubert obedeció y pulsó un botón situado en la pared, al lado de la ventana. Una cortina empezó a desplazarse de manera automática desde el riel del techo. Bosch no apartó la mirada de la puerta del consultorio.

—Vamos, vamos, vamos, contesta —dijo.

Una vez que la cortina bloqueó la luz directa, la habitación quedó en penumbra. Bosch señaló entonces la puerta del cuarto de baño.

—Entre ahí —ordenó—. Cierre la puerta y quédese tumbado en el suelo.

Schubert no se movió.

—Ha llamado al 911 —dijo—. ¿No puede pedir refuerzos?

—No, no puedo.

—¿Por qué no?

—Porque no soy policía. Ahora métase ahí.

Schubert parecía desconcertado.

—Pensaba...

—¡Métase ahí!

No hubo nada susurrado en la orden esta vez. El grito propulsó a Schubert hacia atrás, hacia el cuarto de baño. Schubert entró y cerró la puerta. Bosch oyó el clic de la cerradura. Sabía que llegado el caso eso no detendría a Ellis y Long. Pero podría darle unos segundos más.

La operadora del 911 respondió por fin y Bosch habló en voz alta y exageradamente cargada de pánico. Quería que Ellis y Long supieran que estaba pidiendo ayuda. Probablemente estaban en el pasillo en ese momento y Bosch pensó que había alguna posibilidad de que se retiraran si le oían hacer la llamada.

—Sí, hola, necesito ayuda. Hay dos hombres armados en mi consulta y van a matar a todos —dijo en voz alta—. Sus nombres son Ellis y Long, Ellis y Long, y han venido a matarnos.

—Esperé, señor —dijo la operadora—. Su localización es calle Tres Oeste 1515.

—Sí, eso es. Dese prisa.

—¿Cómo se llama, señor?

—¿Qué importa eso? Envíe la ayuda.

—Necesito su nombre, señor.

—Harry Bosch.

—Bien, señor, estamos enviando ayuda. Por favor, manténgase en la línea.

Bosch se colocó justo detrás del escritorio. Sujetó el teléfono entre el hombro y la mejilla y con el muslo y una mano levantó el borde del escritorio para tumbarlo de costado, con su parte superior de aluminio convertida en una barricada de cara a la puerta. Todo lo que había en el escritorio, incluido el teléfono del escritorio, su móvil y la taza llena de bolis se deslizaron y resonaron en el suelo. El auricular del teléfono se separó de su cuello cuando el cable alcanzó su extensión máxima. Bosch sabía que no tenía tiempo de rodear el escritorio para recuperarlo. Tenía la esperanza de que la llamada no se desconectara y que la operadora no decidiera que era una broma.

Bosch se agachó detrás de la barricada. Golpeó con un puño debajo del escritorio y notó y oyó madera. La doble capa de madera y metal podría parar las balas, si tenía suerte.

Se agachó más detrás de la barricada y apuntó a la puerta con su Glock. Había traído la pistola como parte del atrezo para que Schubert creyera que era un poli y podría ser lo único que los mantuviera vivos. El arma tenía trece balas en el cargador y una en la recámara. Esperaba que bastara.

Oyó un ligero sonido metálico procedente del otro lado del consultorio y supo que Ellis y Long estaban detrás de la puerta y probando el pomo. Estaban a punto de entrar. Bosch se dio cuenta en ese mismo momento de que estaba en el lugar equivocado. Se había posicionado en el centro en la sala, justo donde esperarían que estuviera.

46

Ellis indicó a Long que la puerta estaba cerrada y que tendría que derribarla de una patada. Long le lanzó la linterna y luego retrocedió unos pasos. Levantó la pierna, apuntando con el talón a un punto justo encima del pomo. Lo había hecho muchas veces a lo largo de los años y se le daba bien.

La puerta se abrió y golpeó en la pared interior del consultorio, revelando una habitación oscura, iluminada solo por la tenue luz que se filtraba por los bordes de una cortina en el extremo de la pared del fondo. Long quedó en posición vulnerable cuando el impulso de su patada lo llevó al interior de la oficina. Ellis entró detrás de él, siguiendo su flanco izquierdo y empuñando su pistola y la linterna en la configuración estándar de muñecas cruzadas.

—¡Policía! —gritó—. ¡Que nadie se mueva!

La luz se proyectó en un escritorio que se había volcado de costado para crear una barricada. Ellis apuntó su arma al borde superior del escritorio, listo para que Bosch o Schubert se asomaran.

—¡Esperen!

La voz llegó de detrás de la puerta que estaba a la izquierda del escritorio. Ellis recalibró el punto de mira de su linterna y su pistola.

—¡Soy yo! —gritó Schubert—. ¡Me ha dicho que era policía!

La puerta se abrió y allí estaba Schubert, con las manos levantadas.

—No disparen. Pensaba que…

Ellis abrió fuego, con tres rápidos disparos sobre Schubert. En su visión periférica vio a Long a su derecha, volviéndose y levantando la pistola para disparar también.

—¡No!

El grito llegó de detrás de él y a la derecha. Ellis se volvió y vio a Bosch moviéndose lateralmente desde detrás de una mampara que dividía la sala. Tenía una pistola levantada y abrió fuego al mismo tiempo que Ellis comprendía que el escritorio volcado era un señuelo y Bosch tenía la mejor posición.

Ellis se lanzó adelante para poner el cuerpo más grande de Long entre Bosch y él mismo. Vio que su compañero reaccionaba cuando las balas impactaron en él. Los impactos redireccionaron el impulso de Long en un giro. Iba a caer. Ellis cambió de lado el peso de su cuerpo y clavó el hombro en el torso de Long, sosteniendo a su compañero en pie y moviendo su pistola en torno a su torso al mismo tiempo. Ellis abrió fuego sin pensarlo, disparando a ciegas en la dirección en la que había visto a Bosch por última vez. Luego cambió de posición y empezó a retirarse hacia la puerta, arrastrando a Long consigo como escudo.

Hubo más disparos, y Ellis notó los impactos a través del cuerpo de su compañero. En el umbral dejó caer a Long y disparó dos tiros más en la dirección desde la que habían salido los disparos de Bosch. Retrocedió en el pasillo y luego se volvió y corrió hacia una puerta marcada con un cartel de salida.

Al correr por la escalera al garaje, Ellis tenía una pregunta rebotando en los impulsos de su cerebro.

¿Huir o luchar?

¿Todo había terminado o quedaba alguna posibilidad de contenerlo, de volverlo todo contra Bosch? De decirles que había sido Bosch. Bosch había abierto fuego. Bosch estaba llevando a cabo alguna clase de venganza loca. Bosch…

Sabía que se estaba engañando. No podía funcionar. Si Bosch seguía vivo, no funcionaría.

Ellis corrió por el garaje hasta su coche. Oyó el sonido de las sirenas que se acercaban, agentes del sheriff que respondían a la llamada de Bosch a Emergencias. Calculó que estarían a dos o tres manzanas. Tenía que salir de allí antes de que llegaran. Esa era la prioridad número uno. Después de eso, sabía que era el momento de huir.

Estaba preparado. Sabía que un día podría llegar ese momento y lo había planeado.

47

Empuñando la pistola con las dos manos, Bosch avanzó hacia Long, que se había derrumbado en el umbral. Estaba retorciéndose de dolor y jadeando. Bosch vio las dos últimas balas que había disparado incrustadas en la camisa de Long, que se mantenía en su lugar por el chaleco antibalas que llevaba debajo. Bosch arrancó la pistola de la mano de Long y la lanzó por el suelo tras él. Apoyó su peso en Long y se inclinó adelante para mirar con cautela al pasillo y asegurarse de que Ellis no estaba esperando allí.

Satisfecho de que Ellis se hubiera ido, Bosch retrocedió y colocó a Long boca abajo. Cogió las esposas del cinturón del agente de antivicio y las usó para sujetarle las muñecas a la espalda. Fue entonces cuando vio la sangre en el costado derecho de Long. Uno de los disparos de Bosch había encontrado piel debajo del chaleco. Long estaba sangrando de una herida que tenía justo encima de la cadera derecha. Bosch sabía que un proyectil de calibre 45 disparado desde tres metros iba a causar un gran daño interno. Long podría estar herido de muerte.

—Hijo de puta —logró decir Long por fin—. Vas a morir.

—Todo el mundo muere —dijo Bosch—, cuéntame algo que no sepa.

Bosch oyó entonces múltiples sirenas y se preguntó si los agentes del sheriff habrían detenido a Ellis al salir.

—Tu compañero te ha abandonado, Long —dijo—. Primero te usa como escudo humano y luego te suelta como un saco de patatas. Menudo compañero.

Bosch le dio un golpecito en la espalda y se alejó. Fue al otro umbral para ver a Schubert. El doctor estaba tumbado boca arriba, con la cabeza bajo el lavabo del cuarto de baño y la pierna izquierda doblada de manera antinatural bajo su cuerpo. Había dos heridas de impacto en el pecho y otra en el centro del cuello. Una de ellas le había roto la columna y eso había causado que cayera de ese modo. Tenía los ojos abiertos, pero no respiraba. Bosch no podía hacer nada por él. No entendía por qué Schubert había pensado que entregarse a Ellis y Long le salvaría. Se preguntó si debería sentir remordimientos por engañarlo, por convencerle de que era un policía trabajando en un caso.

No los sentía.

Al arrodillarse al lado de Schubert, Bosch cobró conciencia de un tono procedente del teléfono fijo que estaba en el suelo detrás de él. Se había desconectado la llamada al centro de comunicaciones del sheriff cuando Bosch había volcado el escritorio. Dio la espalda al cadáver, encontró el auricular y lo reunió con su base, dejándolo en el suelo. También vio un marco hecho añicos que había caído del escritorio. Contenía una foto de Schubert y su mujer sentados en el puente de mando de un velero y sonriendo a la cámara.

El teléfono del escritorio empezó a sonar y uno de los botones destelló. Bosch levantó el auricular y pulsó el botón.

—Harry Bosch.

—Aquí el agente del sheriff Maywood, ¿con quién estoy hablando?

—Acabo de decírselo, Harry Bosch.

—Estamos en la puerta del Center for Cosmetic Creation. ¿Cuál es la situación ahí?

—Tenemos un muerto y un herido. Y luego yo, que soy quien ha llamado al 911. Un hombre armado ha escapado, ¿lo han pillado?

Maywood no hizo caso de la pregunta de Bosch.

—Muy bien, señor, quiero que escuche con atención. Necesito que usted y el hombre herido salgan del edificio con las manos en la nuca y los dedos enlazados. Si tienen armas, déjenlas en el edificio.

—No creo que el herido vaya a caminar pronto.

—¿Está armado?

—Ya no.

—Bien, señor. Necesito que salga ahora, manos enlazadas detrás de la cabeza. Deje todas las armas dentro.

—Entendido.

—Si vemos un arma lo consideraremos una provocación. ¿Está claro, señor?

—Como el agua. Bajo en el ascensor.

—Estaremos esperando.

Bosch colgó y se levantó. Miró a su alrededor buscando un sitio para dejar su Glock y vio la pistola de Long en el suelo al lado derecho del escritorio. Se acercó y la recogió, con cuidado de no tocar el gatillo y borrar una huella con la suya. Puso las dos armas encima de una vitrina de cristal que contenía una colección de instrumentos quirúrgicos antiguos.

Antes de salir del consultorio, Bosch buscó su teléfono entre los escombros. Se había deslizado por el suelo cuando él había volcado el escritorio. Lo cogió y miró la pantalla. Seguía grabando. Lo apagó y guardó el fichero con el nombre «Schubert». A continuación se lo envió a Mickey Haller y se guardó el teléfono en el bolsillo.

Empezó a dirigirse a la puerta, pero pensó en algo. No tenía ni idea de cuánto tiempo sería retenido e interrogado en el Departamento del Sheriff. No tenía ni idea de si la noticia del tiroteo alcanzaría las montañas fuera de la ciudad. Pero por si acaso llamó a su hija. Sabía que tenía mala cobertura pero dejó un mensaje.

—Maddie, soy yo. Solo quería que sepas que estoy bien. Oigas lo que oigas, estoy bien. Si llamas y no me encuentras, llama al tío Mickey. Él te explicará.

Bosch apartó el teléfono y estaba a punto de colgar cuando se le ocurrió otra cosa y levantó el teléfono otra vez.

—Te quiero, Mads, y te veré pronto.

Y colgó.

Al salir de la oficina, Bosch tuvo que rodear a Long en el umbral. El poli de antivicio no se movía. Su respiración era superficial y tenía el rostro muy pálido y perlado de sudor. También había una mancha de sangre cada vez mayor en el suelo a su lado.

—Una ambulancia —logró decir Long con la voz convertida en un susurro ronco—. Me estoy muriendo.

—Se lo diré —dijo Bosch—. ¿Quieres contarme algo más antes de que me vaya? ¿Tal vez algo sobre Ellis? ¿Como adónde se largará desde aquí?

—Sí, te diré algo. Que te den por culo.

—Muy original, Long.

Bosch entró en el pasillo y empezó a desandar su camino hasta el ascensor. Sin embargo, al dar dos pasos, se dio cuenta de que existía la posibilidad de que Ellis siguiera en el edificio. Podría haber llegado tarde para fugarse al ver la respuesta de los agentes del sheriff. Era posible que se hubiera retirado y estuviera escondido.

Bosch regresó con rapidez a la oficina y recuperó su Glock. Luego volvió al pasillo y se dirigió al ascensor, moviéndose en posición de combate, con la pistola levantada y preparada.

Entró en el ascensor sin ver ninguna señal de Ellis. Pulsó el botón y las puertas se abrieron de inmediato. La cabina de acero inoxidable estaba vacía. Entró, pulsó el botón de la planta baja y las puertas se cerraron. Cuando el ascensor empezó a bajar, Bosch enseguida sacó el cargador de la Glock y extrajo la bala de la recámara. Guardó la bala suelta en el cargador y dejó este y el arma en el suelo, en la parte de atrás del ascensor. Luego se volvió hacia las puertas, levantó las manos y entrelazó los dedos detrás en la nuca.

Cuando las puertas se abrieron al cabo de un momento, Bosch vio un coche patrulla del sheriff aparcado de costado en la zona de entrada de ascensores. Los dos agentes que usaban el vehículo como protección tenían las armas levantadas y apuntadas hacia él.

Un hombre empuñaba su pistola con los dos brazos extendidos sobre el capó delantero, el otro estaba posicionado de manera similar en el maletero trasero.

—Salga del ascensor —gritó el hombre de delante—. Mantenga las manos en la nuca.

Bosch empezó a salir como le ordenaban.

—Mi pistola está en el suelo del ascensor —gritó Bosch—. Está descargada.

En cuanto Bosch salió del ascensor, vio que los hombres del coche levantaban sus armas. Eso le dio un aviso de una fracción de segundo para saber que estaban a punto de tirarlo al suelo. Llegaron agentes de ambos lados del ascensor y lo agarraron. Lo tiraron boca abajo en el suelo de baldosas, le estiraron los brazos por detrás de la espalda y lo esposaron.

El dolor atravesó la mandíbula de Bosch. Había vuelto la cara en el último momento de la caída, pero aun así recibió de lleno el impacto en la mejilla izquierda y la mandíbula.

Notó manos palpando bruscamente en sus bolsillos y sacando el móvil, la cartera y las llaves. Vio un par de botas negras de patrulla bien lustradas tomando posición delante de su cara. El agente se agachó y Bosch podía verle la mitad inferior de la cara si levantaba la vista hacia él. Llevaba galones de sargento en las mangas del uniforme. El hombre estaba mirando la tarjeta de identificación de agente retirado de Bosch. Entonces se agachó para mirarlo.

—Señor Bosch, soy el sargento Cotilla. ¿Quién más hay dentro del edificio?

—Como he dicho por teléfono, hay un muerto y un herido —respondió Bosch—. Es lo que sé seguro. Había un tercer hombre, pero ha huido. Podría estar escondido dentro, pero no lo sé seguro. El hombre herido morirá pronto si no le llevan un equipo médico. Es un agente de antivicio de la policía de Los Ángeles llamado Kevin Long. Por lo que sé, tiene un impacto en el costado, encima de la cadera izquierda.

—Vale, tenemos una ambulancia en camino. ¿Y el hombre muerto quién es?

—El doctor Schubert, el dueño de la casa.

—Y usted es un expolicía.

—Retirado este año. Ahora soy detective privado. También soy el que ha disparado a Long, antes de que pudiera dispararme a mí.

Hubo un largo silencio mientras Cotilla digería este dato. Como policía de calle listo, decidió que eran otros los que tenían que responder a la declaración de Bosch.

—Vamos a meterle en un coche, señor Bosch —dijo—. Los detectives querrán hablar con usted de todo eso.

—¿Puede llamar al detective Sutton? —preguntó Bosch—. Esto está relacionado con los dos muertos de ayer en la joyería de Sunset Plaza. Estoy convencido de que el caso será suyo.

48

En esta ocasión no metieron a Bosch en la sala de reuniones de la comisaría de West Hollywood. Lo condujeron a una sala de interrogatorios con la pared gris, con el ojo de una cámara observándolo desde arriba. Lo mantuvieron esposado y no le devolvieron ni el móvil ni la cartera ni las llaves.

La Glock también había desaparecido.

A las dos horas, Bosch tenía las manos entumecidas y estaba cada vez más impaciente por la espera. Sabía muy bien que los investigadores —dirigidos por Sutton o no— estarían en la escena del crimen, supervisando la recopilación y documentación de pruebas físicas. Pero lo que frustraba a Bosch era que nadie había llevado a cabo ni siquiera un interrogatorio preliminar con él. Que él supiera, la información que había dado el sargento Cotilla no se había derivado a los investigadores y tampoco había una alerta de busca y captura de Don Ellis. Bosch supuso que podría cruzar la frontera de México antes de que el Departamento del Sheriff divulgara finalmente la alerta.

Transcurridos 150 minutos, se levantó y caminó a la puerta de la sala. Se puso de espaldas e intentó girar el pomo con las manos. Como esperaba, la puerta estaba cerrada. Enfadado, empezó a dar coces a la puerta. Bosch esperaba que el ruido que estaba haciendo provocara una respuesta.

Levantó la mirada, convencido de que sus acciones estaban siendo observadas por quienes controlaban las cámaras.

—¡Eh! —gritó—. Quiero hablar. Envíen a alguien a hablar. ¡Ahora!

Pasaron otros veinte minutos. Bosch estaba pensando en empezar a romper los muebles. La mesa era vieja, estaba rallada y tenía aspecto de haber resistido muchos embates. Las sillas, en cambio, eran otra historia: nuevas y con patas lo bastante delgadas para que Bosch supiera que podría romperlas con los pies.

Levantó la mirada a la cámara.

—Sé que pueden oírme —gritó—. Que venga alguien ahora. Tengo información importante. Dick Sutton, Lazlo Cornell, el sheriff Martin en persona. No me importa, un asesino está huyendo.

Esperó un poco y estaba a punto de poner en marcha otra andanada cuando oyó la cerradura. La puerta se abrió y entró Dick Sutton. Actuó como si no tuviera ni idea de lo que Bosch había pasado en las tres últimas horas.

—Harry, perdona por retenerte aquí —empezó—. He estado trabajando en la escena del crimen y acabo de volver para hablar contigo y ver qué tenemos.

—Bien —dijo Bosch—, acabas de salvar a la comisaría de tener que sustituir los muebles, porque ya estaba a punto de romperlo todo. No noto las manos, Dick.

—Oh, joder, no deberían haber hecho eso. Date la vuelta que te las quito.

Bosch dio la espalda a Sutton y enseguida sintió el alivio de la sangre circulando por sus manos otra vez.

—Siéntate —dijo Sutton—. Hablemos.

Bosch estaba frotándose las manos, tratando de desembarazarse de la sensación de hormigueo y cosquilleo. Apartó una silla y se sentó.

—¿Por qué estaba cerrada la puerta, Dick? —preguntó.

—Precaución —dijo Sutton—. Primero había que ver lo que teníamos.

—¿Y?

—Y es una escena complicada. Le dijiste al sargento que había un cuarto hombre implicado y que escapó.

—Exacto, Don Ellis. Es el compañero de Long, aunque lo lanzó a los leones allí.

—¿Cómo fue?

—Lo usó como escudo cuando empezaron los disparos. Luego lo dejó atrás. Hablando de Long, ¿se salvará?

—Sí, se salvará. El Cedars está a solo unas manzanas, ha tenido suerte. Mi compañero está allí ahora para ver si puede meterse en una habitación con él y escuchar su historia.

—Ojalá pudiera estar allí. El tipo va a mentir y me colgará todo a mí, o si es listo, culpará a Ellis.

—Nos preocuparemos por Long después. Quiero escuchar tu historia, Harry. Le has dicho al sargento que estos son los dos tipos de ayer de la joyería.

—Y también mataron a Lexi Parks y a un travesti de Hollywood hace un par de meses. Han estado ocupados.

—Muy bien, llegaremos a todo eso, pero cuéntame qué ha ocurrido hoy en ese consultorio.

—Puedo contártelo, pero también puedes oírlo tú.

Esto detuvo a Sutton. Bosch asintió.

—Dame mi teléfono —dijo Bosch—. Grabé toda mi entrevista con Schubert en mi teléfono. Todavía estaba grabando cuando aparecieron Ellis y Long.

—¿Estás diciendo que tienes el tiroteo grabado? —dijo Sutton.

—Exacto. Pero no puedes acceder sin una orden. Si quieres oírlo ahora, dame el teléfono. Lo pondré para ti. Trae a Cornell y Schmidt. Quiero que lo oigan también.

Bosch consideró en ese momento si debería pedir que llamaran además a Haller, pero descartó la idea. La última vez que había llamado a Haller, las cosas no habían ido bien. Bosch había estado en un millar de salas de interrogatorios antes, y no había ningún movimiento que un detective pudiera hacer sin que él lo viera venir. Sintió que podía protegerse a sí mismo tan bien como podía protegerlo Haller.

Sutton se levantó y se acercó a la puerta.

—Dick, otra cosa —dijo Bosch.

Sutton hizo una pausa con la mano en el pomo.

—¿Qué? —preguntó.

—Un aviso con la grabación —dijo Bosch—. Mi consejo es que te asegures de que se maneja bien. No puede desaparecer ni ser enterrada. No eres el único que la tiene.

—¿Haller?

—Exacto.

—¿Te tomaste el tiempo de enviársela antes de rendirte allí?

Bosch asintió.

—No soy estúpido, Dick —dijo—. Al departamento no le va a gustar como queda este caso y no creo que al Departamento del Sheriff le guste mucho más el resultado. Tenéis a un tipo en la cárcel del condado por un asesinato que cometieron Long y Ellis. Así que, sí, me tomé el tiempo para enviárselo a mi abogado.

Sutton abrió la puerta y salió.

49

Tuvieron que llevar otra vez a Bosch a la sala de reuniones para la reproducción de la grabación de su teléfono. El motivo era que tenían que acomodar a una multitud de investigadores y jefes que necesitaban escuchar el audio de cuarenta y dos minutos de lo ocurrido en el consultorio del doctor Schubert. Estaba Sutton, por supuesto, y Schmidt y Cornell, así como los dos detectives del equipo de Agentes Implicados en Tiroteos del Departamento de Policía de Los Ángeles y otra de la División de Asuntos Internos.

La investigadora de Asuntos Internos era Nancy Mendenhall, y Bosch la conocía de un caso de cuando todavía estaba en el departamento. Su experiencia con ella había sido muy buena. Verla en el grupo reunido en torno a la mesa fue un punto positivo para Bosch. Sabía que ella escucharía y haría lo correcto... siempre que se lo permitieran. También estaba en la sala el capitán Ron Ellington, jefe de la Oficina de Estándares Profesionales del departamento, que incluía Asuntos Internos. Era el jefe de Mendenhall y se encontraba allí porque sería su informe sobre las proezas de Ellis y Long el que aterrizaría en los escritorios del jefe de policía y de la Comisión Policial.

Aunque el tiroteo se había producido en la jurisdicción del Departamento del Sheriff, la investigación se había elevado a la categoría de interdepartamental por la participación de Ellis y Long. Sutton explicó eso después de que el grupo se sentara en torno a la mesa. También anunció que había una grabación del tiroteo y quería que el grupo la escuchara primero. Invitó a Bosch a ofrecer comentarios cuando se necesitaran durante la reproducción del audio.

El teléfono fue colocado entonces en modo altavoz y se puso en marcha la grabación. Bosch la fue parando de vez en cuando para describir las escenas y explicar de qué modo las respuestas de Schubert encajaban con la investigación del asesinato de Alexandra Parks y los asesinatos que siguieron. Solo Mendenhall tomó notas. Los otros se limitaron a escuchar y en ocasiones cortaron las explicaciones de Bosch como si no quisieran que él interpretara el significado de lo que se había dicho en el consultorio de Schubert.

A medio camino de la reproducción, la grabación fue interrumpida cuando el nombre de Mickey Haller apareció en la pantalla. Estaba llamando al teléfono de Bosch.

—Es mi abogado —dijo Bosch—. ¿Puedo contestar?

—Sí —dijo Sutton—. Date prisa.

Bosch se levantó y salió al pasillo para tener un poco de intimidad.

—He escuchado la grabación. Joder, ¿estás bien, hermano? —dijo Haller.

—Sí, pero por poco —dijo Bosch—. Estoy pasando la grabación en una sala llena de policías; del sheriff y del departamento.

Hubo una pausa mientras Haller lo digería.

—No estoy seguro de que sea el mejor movimiento —dijo por fin.

—Es el único movimiento —dijo Bosch—. Es la única forma de salir de aquí esta noche. Además, dentro hay al menos dos personas en las que confío. Una de cada equipo.

—Bueno, no cabe duda de que la grabación es el Santo Grial. Voy a presentar un 995 en cuanto pueda. DQ va a salir de la prisión del condado con esto. Lo has hecho, tío. Tenía razón contigo, joder.

—Sí, bueno, veremos.

Bosch sabía que una moción 995 en ese caso era esencialmente una petición al tribunal para que cambiara de idea a la vista de las nuevas pruebas. Se presentaría ante el juez que había ordenado la prisión preventiva de Da'Quan Foster en la vista preliminar.

—¿Dónde estás, en Whittier o en West Hollywood? —preguntó Haller.

—En la comisaría de West Hollywood —dijo Bosch—. La misma banda que la otra vez con unos pocos más del departamento ahora.

—Seguro que no están contentos.

—No, no parece. Ellis y Long son sus hombres.

Sutton asomó la cabeza desde la sala de reuniones y giró un dedo, señalando a Bosch que terminara la llamada y volviera a la reunión. Bosch asintió y levantó un dedo. Un minuto.

—¿Necesitas que vaya y les dé una patada en el culo? —preguntó Haller.

—No, todavía no —dijo Bosch—. Veremos cómo va. Te llamaré si te necesito.

—Vale, pero recuerda lo que te dije la última vez. Ya no son tus amigos, Harry, y desde luego no son amigos de Da'Quan Foster. Ten cuidado.

—Entendido.

Bosch colgó y volvió a entrar.

La reproducción continuó, y a los treinta y cuatro minutos, la intensidad en la sala de reuniones se elevó palpablemente cuando Bosch dijo en la grabación:

—¿Hay alguien más ahí?

Bosch se había mantenido en silencio durante la mayor parte de la reproducción de la entrevista con Schubert, pero a partir de ese momento se sintió obligado a ofrecer descripciones de lo que estaba ocurriendo en el consultorio para complementar lo que había capturado la grabación. Esta era clara en un radio de unos dos metros. Los sonidos y las voces más distantes eran confusos y carecían de nitidez. Bosch trató de ser breve con sus descripciones para no solaparse con lo que procedía del teléfono.

«Oímos un ruido, como una puerta cerrándose en el pasillo...»

«Estaba escuchando en la puerta del consultorio y oí que uno de ellos decía "Despejado". Sabía que estaban buscándonos...»

«Volqué el escritorio porque mi primer plan era crear una barricada...»

«Los tres primeros fueron de Ellis disparando a Schubert. El doctor tenía las manos levantadas y no planteaba ninguna amenaza. Le disparó tres veces. Luego soy yo el que grita y dispara. Cuatro tiros, creo, al principio. Luego dos más cuando Ellis está retrocediendo, usando a Long como escudo.»

La grabación finalizó cuando Bosch anunció al agente desde el teléfono del consultorio que iba a salir. Hubo un momento de silencio entre los investigadores reunidos en torno a la mesa. Bosch se fijó entonces en que Cornell negaba con la cabeza y se echaba atrás en su silla de manera desdeñosa.

—¿Qué? —dijo Bosch—. ¿Van a seguir acusando a Foster?

Cornell señaló el móvil que todavía estaba en medio de la mesa.

—¿Sabe lo que es eso? —preguntó—. Son un montón de palabras. No tiene nada, ninguna prueba que relacione directamente a estos dos con Parks. Y no olvidemos que usted está demandando a su propio departamento y hará cualquier cosa por avergonzarlo.

Bosch negó con la cabeza, desdeñosamente, y miró a Sutton, que mantenía la postura que había adoptado mientras escuchaba la grabación, inclinado hacia delante, con las manos entrelazadas sobre la mesa. En ese momento extendió un dedo y señaló el teléfono de Bosch.

—Necesito que me lo mandes —dijo.

—Yo también —dijo Mendenhall.

Bosch asintió y cogió su teléfono. Movió una carpeta que contenía una copia de la grabación a un mensaje de correo y luego entregó su teléfono a Sutton para que pudiera escribir su dirección de correo. El proceso se repitió con Mendenhall.

—¿Ahora qué? —preguntó Bosch.

—Puedes irte —dijo Sutton.

Cornell hizo otro gesto de insatisfacción, levantando una mano en el aire. Sutton no hizo caso.

—Haznos un favor, Harry —sugirió Sutton—. Tenemos un montón de periodistas de televisión a las puertas de la comisaría, preparados para las noticias de las once. No hables con ellos de nada de esto. Eso no ayudará a nadie.

Bosch se levantó y guardó su teléfono.

—No te preocupes —dijo—. ¿Y el resto de mis cosas? ¿Cartera, pistola, coche?

Sutton torció el gesto.

—Eh, te daremos tu cartera —dijo—. Respecto al coche y la pistola tendrás que esperar por el momento. Vamos a preparar un paquete completo de balística y necesitaremos el arma para eso. Y todo el edificio está precintado y se considera una escena del crimen ahora mismo. Trabajaremos allí unas horas más. ¿Está bien si nos quedamos el coche hasta mañana?

—No hay problema. Tengo otro en casa.

Sabía que también tenía otra pistola en casa, pero eso no lo mencionó.

Mendenhall se levantó y guardó su libreta en una mochila de cuero que le servía de bolso y de maletín y probablemente contenía también su arma de servicio.

—Puedo llevarte —dijo.

50

Mendenhall condujo su coche oficial hacia Hollywood. Bosch imaginó que había un propósito más allá de la cortesía de ofrecerse a llevarlo. Después de decirle que vivía en el paso de Cahuenga, Bosch fue al grano, volviéndose en su asiento para mirarla. Mendenhall era una morena de ojos oscuros y piel suave. Bosch calculaba que estaría cerca de los cincuenta. Al mirarle las manos en el volante no vio ningún anillo. Recordaba eso de Modesto. Sin anillos.

—Entonces, ¿cómo es que terminaste en este lío? —preguntó él.

—Diría que es por mi familiaridad contigo. Tu última relación con Asuntos Internos está en litigio y eso crea un conflicto de intereses con O'Dell. Yo era la siguiente en la lista por Modesto.

La demanda de Bosch contra el departamento por prácticas laborales injustas nombraba al investigador de Asuntos Internos Martin O'Dell como acusado junto con varios más implicados en que lo obligaran a retirarse. Unos años antes, Bosch había trabajado en un caso en el cual Mendenhall lo había seguido a Modesto por la sospecha de que estaba actuando al margen de las políticas del departamento. Mendenhall terminó ayudándole a escapar de los captores que pretendían matarlo y exonerándolo de cualquier mala práctica departamental. El episodio dejó a Bosch con algo que nunca había conocido antes: respeto por un investigador de Asuntos Internos. Se había producido una conexión entre ellos en Modesto, pero, como en ese momento Bosch era objeto de una investigación conducida por ella, nunca hizo nada al respecto.

—Deja que te pregunte algo —dijo.

—Puedes preguntarme lo que quieras, Harry —dijo ella—. Pero no prometo responder. De algunas cosas no puedo hablar. Sin embargo, al igual que antes, si tú eres franco conmigo, yo seré franca contigo.

—Me parece bien.

—¿Por dónde voy, por Laurel Canyon a Mulholland o hasta Highland y luego subo?

—Eh, yo iría por Laurel Canyon.

Su ruta sugerida tardaría más que la otra. Esperaba usar el tiempo adicional para sacarle más información.

—Bueno, ¿Ellington te dijo que me llevaras a casa? ¿Para ver si hablaba fuera de la sala?

—No, ha sido una idea espontánea. Necesitabas que te llevaran y me ofrecí. Si quieres hablar más, desde luego, te escucharé.

—Hay algo más, pero deja que te haga unas preguntas antes. Empecemos con Ellis y Long. ¿Gran sorpresa hoy en Asuntos Internos o ya los conocíais?

—Bueno, no te andas por las ramas, ¿eh?

—Son polis corruptos. Vosotros perseguís a los polis corruptos. Me preguntaba si ya estaban en vuestro radar.

—No puedo entrar en detalles, pero sí, estaban en el radar. La cuestión es que no estábamos hablando ni remotamente del nivel de acción que estamos viendo hoy. Lo que había eran quejas por el horario, insubordinación. Pero normalmente cuando ocurren esas cosas, son indicadores de problemas más grandes.

—Así que no hay quejas externas. Todo surgido en el departamento.

—Sí, nada más.

—¿Y Long? ¿Se va a salvar?

—Se recuperará.

—¿Está hablando?

—Por lo último que sé, todavía no.

—¿Y nadie tiene una pista de Ellis?

—Todavía no, pero no por falta de interés. Es una operación del Departamento del Sheriff, pero estamos encima. Robos y Homicidios, Delitos Graves, Fugitivos, no quieren que les estalle como otro Dorner. Quieren terminar con esto rápido.

Christopher Dorner era un expolicía del Departamento de Policía de Los Ángeles que había iniciado una cadena de crímenes un par de años antes. La enorme caza al hombre que siguió acabó en una cabaña cerca del lago Big Bear, donde Dorner se suicidó durante un tiroteo con agentes que lo habían rodeado. Su notoriedad fue tal que dentro del departamento su apellido se había convertido en un nombre aplicado a cualquier controversia con agentes o cualquier escándalo que implicara una conducta perturbada y letal.

—Así pues —dijo Bosch—, la gran pregunta: ¿hay caso? ¿Los van a acusar?

—Eso en realidad son dos grandes preguntas —contestó Mendenhall—. Las respuestas, en lo que a mí respecta, son sí y sí. Pero es un caso del sheriff. Nunca se sabe. Buscaremos cualquier cosa en nuestro terreno, lo que incluye a James Allen y lo que sea que esos dos tuvieran en marcha.

Bosch asintió y dejó que pasara más asfalto bajo el coche antes de responder.

—¿Quieres mi consejo con Allen?

—Por supuesto —dijo ella.

—Mirad los coches del aparcamiento de vehículos camuflados detrás del Hollywood Athletic Club. En la fila del fondo contra la pared hay un Camaro naranja que han sacado de circulación.

—Vale.

—Estoy seguro de que lo usaron Ellis y Long en marzo cuando dejaron a Allen en ese callejón.

—¿El maletero?

Bosch asintió.

—Pediré un trabajo forense completo —dijo ella.

—Si encuentras algo, manda una copia del informe a ese capullo de Cornell.

Bosch vio la sonrisa de Mendenhall en el brillo de las luces del salpicadero. Circularon un rato en silencio. Ella giró en Mulholland y puso rumbo al este. Cuando habló, lo que dijo no tenía nada que ver con el caso.

—Harry, tengo curiosidad. ¿Por qué no me llamaste después de lo de Modesto?

A Bosch lo pilló con la guardia baja.

—Eso es una bola con efecto —logró decir mientras trataba de formular una respuesta.

—Lo siento, estaba pensando en voz alta —dijo ella—. Es solo que pensaba que habíamos conectado allí. En Modesto. Pensaba que tal vez llamarías.

—Bueno, pensé…, no sé, que estando tú en Asuntos Internos y yo siendo investigado, no habría estado bien empezar nada. Eso podría haber terminado contigo investigada.

Mendenhall asintió, pero no dijo nada. Bosch la miró pero no logró interpretar su reacción.

—Olvídalo —dijo—. No debería haberlo preguntado. Es muy poco profesional. Sigue con tus preguntas.

Bosch asintió.

—Vale —aceptó—. Bueno, ¿qué se piensa ahora de Ellis y su paradero?

—Se está pensando en México —dijo ella—. Probablemente tenía un plan de fuga preparado. Coche, dinero, tal vez múltiples identidades. Vivía solo y parece que no volvió después de salir del consultorio de Schubert.

—Está desaparecido.

Mendenhall asintió.

—Podría estar en cualquier parte.

51

Ellis aguardaba en la oscuridad, con el rostro de un tono azul tenue por la luz que se proyectaba desde la pantalla de un móvil. Estaba esperando para ocuparse del último detalle antes de su desaparición. Su toque y declaración final sobre esa ciudad que lo había cambiado de tantas maneras.

Miró las noticias y releyó el artículo. Contenía una muy débil serie de hechos y no se había actualizado en las últimas dos horas. Sabía que sería todo lo que harían público esa noche. La conferencia de prensa se había programado para la mañana, cuando el sheriff y el jefe de policía compartirían un podio y se dirigirían al conjunto de los medios. Ellis consideró quedarse a verlo en directo en la televisión local, para ver cómo el jefe trataba de darle la vuelta. Sin embargo, su instinto de supervivencia se imponía a ese deseo. Sabía que sería mejor usar las horas que faltaban para poner distancia entre él y la ciudad. Esa ciudad desagradable que vaciaba a la gente y la corroía desde dentro.

Además, lo tendría todo en las noticias del móvil. La historia sin duda sería grande y de escala nacional. Sobre todo después de que encontraran a Bosch. Y después de que encontraran a las gemelas.

Pensó en las gemelas. No habían visto las noticias. No sabían nada ni esperaban nada salvo lo usual de él. Incluso cuando vieron que empuñaba un arma, creyeron que era para protegerlas de alguna amenaza exterior. Murieron pensando eso.

Abrió la aplicación de fotos en el teléfono y fue a los archivos. Había tomado tres fotos de las víctimas en su reposo final. Se dio cuenta de que era imposible saber si estaban muertas por esas fotos. Sus caras estaban tan esculpidas, estiradas y remodeladas por la cirugía que parecían congeladas en la vida y en la muerte.

Después de un rato miró el archivo de noticias otra vez. Todavía nada nuevo sobre lo ocurrido en el consultorio de Schubert. Ni siquiera había una actualización sobre el estado clínico de Long. Todo lo que se había informado hasta el momento era que estaba vivo y lo estaban tratando en el Cedars, donde constaba que su situación era crítica.

El nombre de Long no se había hecho público. Los artículos solo decían que era un agente de antivicio del Departamento de Policía de Los Ángeles que se encontraba fuera de servicio en el momento del tiroteo. No se ofrecía ninguna explicación de qué estaba haciendo en el centro de cirugía plástica cuando se produjeron los hechos.

Tampoco se mencionaba a Ellis. No se decía ni una palabra de él o de que hubiera estado en ese lugar. Todo eso surgiría por la mañana, cuando el jefe de policía se plantara ante los medios y tratara de darle la vuelta a otra historia de polis descarriados.

Ellis se preguntó cuánto tiempo pasaría antes de que Long empezara a hablar. No le cabía duda de que ocurriría en algún momento. Long era el débil. Era manipulable. Por eso lo había elegido. Pero ahora lo manipularían otros. Los investigadores. Los interrogadores. Los fiscales. Lo exprimirían, lo quebrarían y luego, finalmente, le darían un atisbo de luz y Long iría a por ella. Sería una luz falsa, pero él no lo sabría.

Ellis revisó su situación una vez más. ¿Alguna vez había mencionado su estrategia de fuga a Long? El éxito del plan de fuga dependía de su autocontención. Solo funcionaba si únicamente una persona conocía el plan, y una vez más Ellis se tranquilizó de que Long no supiera nada. Estaba a salvo.

52

Después de que lo dejaran delante de su casa, Bosch fue a la cochera a por el Cherokee. Sutton se había quedado las llaves del coche de alquiler de Bosch, pero no el llavero donde llevaba las llaves de casa y de su coche personal. Abrió en silencio la puerta delantera del Jeep y se inclinó detrás del volante. Metió la mano debajo del asiento del conductor y luego hacia los muelles. Su mano encontró la empuñadura de la Kimber Ultra Carry. La sacó y comprobó el funcionamiento del mecanismo y el cargador. Le había servido de pistola de respaldo durante la última década de su carrera en el departamento de policía. Puso una bala en la recámara. Estaba listo.

Agachado, abrió la puerta de la cocina y la empujó. Al entrar en la casa, levantó el arma pero fue recibido solo por la oscuridad y el silencio. Subió la mano y pulsó los dobles interruptores de la pared interior. Se encendieron las luces de la cocina y las del pasillo de detrás.

Bosch avanzó por la cocina y apagó las mismas luces al llegar al otro extremo. No quería estar iluminado al entrar en el pasillo y adentrarse más en la casa.

Bosch se movió con lentitud y con cautela por su casa, encendiendo las luces de las habitaciones al registrarlas. No había rastro de Ellis. Cuando llegó a la última habitación —el dormitorio de su hija—, dio media vuelta y verificó otra vez cada habitación y cada armario.

Satisfecho de que su corazonada de que Ellis podría intentar algo contra él era equivocada, Bosch empezó a relajarse. Encendió las luces de la sala y fue al equipo de música. Lo puso en marcha y colocó la aguja en el álbum que ya estaba puesto en el tocadiscos. Ni siquiera miró cuál era.

Dejó su pistola en el receptor estéreo, se quitó la chaqueta y la lanzó al sofá. Estaba exhausto de un día largo y tenso, pero demasiado acelerado para dormir. Los primeros compases de trompeta se alzaron desde los altavoces y Bosch supo que era Wynton Marsalis tocando *The Majesty of the Blues,* una vieja grabación que había comprado recientemente en vinilo. La canción parecía apropiada para el momento. Abrió la corredera y salió a la terraza de atrás.

Fue a la barandilla y resopló. El aire de la noche era cortante y traía el aroma de eucalipto. Bosch miró su reloj y decidió que era demasiado tarde para llamar a Haller y ponerlo al día. Contactaría por la mañana, probablemente después de ver cómo actuaban la policía de Los Ángeles y el Departamento del Sheriff en la conferencia de prensa que sin duda programarían. Lo que dijeran el sheriff y el jefe de policía dictaría la estrategia de Haller.

Se inclinó adelante, apoyó los codos en la barandilla y miró a la autovía al fondo del desfiladero. Era más de medianoche y el tráfico todavía persistía en ambas direcciones. Como siempre. Bosch no estaba seguro de si sería capaz de dormir cómodamente en una casa sin el sonido de fondo de la autovía debajo.

Se dio cuenta de que debería haber entrado en la casa como hacía su hija al volver de clase. Es decir, parando de inmediato en la nevera después de entrar por la puerta de la cocina. En su caso una buena cerveza fría le entraría de maravilla en ese momento.

Oyó la voz detrás de él antes de oír nada más.

—Bosch.

Se volvió despacio. Había una figura envuelta en la oscuridad del rincón del fondo de la terraza, donde incluso la tenue luz de la luna quedaba bloqueada por el alero del tejado. Bosch se dio cuenta de que había pasado a su lado al salir a la terraza. Las sombras en el rincón eran demasiado profundas para ver una cara, pero conocía la voz.

—Ellis —dijo Bosch—. ¿Qué estás haciendo aquí? ¿Qué quieres?

La figura dio un paso adelante. Primero la pistola que lo apuntaba entró en la tenue luz de la luna, luego Ellis. Bosch miró más allá de él a la sala de estar, donde vio la Kimber que había dejado en el receptor estéreo. No le serviría de nada.

—¿Qué crees que quiero? —dijo Ellis—. ¿Pensabas que me iría sin hacerte una visita?

—No creía que fueras tan estúpido —dijo Bosch—. Pensaba que eras el listo.

—¿Estúpido? No he sido yo el que ha ido a casa solo.

—Deberías haberte ido a México mientras tenías ventaja.

—México es muy obvio, Bosch. Tengo otros planes. Solo he de terminar un asuntillo aquí.

—Claro, no te gustan los cabos sueltos.

—No podía arriesgarme a que no te rindieras. Te investigamos, Bosch. Retirado e implacable son una mala combinación. No podía arriesgarme a que siguieras yendo a por mí. El departamento se rendirá. Buscarme para llevarme a juicio no es algo que vaya a estar en la lista de prioridades de nadie en el Edificio de Administración de la Policía. En cambio tú… Suponía que necesitaba terminar aquí antes de irme.

Ellis dio otro paso hacia Bosch, reduciendo la distancia para el disparo. Emergió por completo de la oscuridad. Bosch le vio la cara. Tenía la piel tensa en torno a los ojos, que mostraban un brillo húmedo en su centro negro. Bosch se dio cuenta de que podría ser la última cara que viera.

—¿Irte adónde? —preguntó.

Harry levantó las manos lentamente, a sus costados, como para subrayar su vulnerabilidad, para dejar que Ellis supiera que había ganado y permitirle el momento.

Hubo una pausa y entonces Ellis respondió.

—A Belice. Hay playa allí. Y es un sitio donde no me encontrarán.

Bosch supo entonces que tenía una oportunidad. Ellis quería hablar, alardear incluso.

—Háblame de Alexandra Parks —dijo.

Ellis hizo una mueca. Conocía la estrategia de Bosch.

—No creo que tenga que concederte eso —dijo—. Te irás sin saberlo.

Ellis calibró la mira de su arma, levantando el cañón por si acaso Bosch llevaba chaleco. Desde esa distancia no podía fallar un disparo a la cabeza.

Bosch miró una vez más por encima del hombro del asesino a la sala de estar y la pistola que había dejado atrás. Un error fatal.

Entonces vio movimiento en la casa. Mendenhall estaba en el salón, moviéndose hacia la puerta abierta de la terraza. Entre la música del interior y la autovía exterior, Ellis no la oiría. Se estaba acercando a él, con la pistola sujeta con las dos manos y lista.

Bosch miró a Ellis.

—Pues deja que te pregunte otra cosa —dijo—. Tú y Long me vigilasteis. Conocíais a mi hija. ¿Qué habría ocurrido si hubiera estado aquí cuando has entrado esta noche?

Bosch vio una sonrisa formándose en las sombras de la cara de su asesino.

—Lo que habría ocurrido es que habría muerto antes de que tú llegaras aquí —dijo Ellis—. Te habría dejado encontrarla.

Bosch le sostuvo la mirada. Pensó en las fotos de la escena del crimen de Alexandra Parks. La brutalidad infligida. Quería lanzarse hacia Ellis, echársele a la garganta. Pero eso es lo que él estaría esperando.

En cambio, se quedó quieto. Vio que Mendenhall estaba en el umbral que separaba la casa de la terraza. Sabía que en cuanto pisara una de las planchas de madera, Ellis sería consciente de que estaba allí. Bosch cambió ligeramente su posición para tratar de cubrir su avance.

—¿Por qué no lo haces ahora? —dijo.

Mendenhall dio los últimos dos pasos detrás de Ellis y entonces, sin pausa, se oyó el sonido brusco de un disparo que pareció resonar justo a través del pecho de Bosch.

Ellis cayó en la terraza sin disparar ni un tiro. Bosch notó un fino chorro de sangre en la cara.

Por un momento, él y Mendenhall se quedaron allí mirándose. Entonces Mendenhall se arrodilló al lado de Ellis y rápidamente lo esposó a su espalda, siguiendo la normativa y el procedimiento, aunque estaba claro que no representaba una amenaza para nadie. Después sacó su teléfono y marcó un número rápido. Mientras esperaba que la llamada se conectara, miró a Bosch, que no se había movido ni un centímetro desde que Ellis le había apuntado con su pistola.

—¿Estás bien? —preguntó—. Tenía miedo de atravesarlo y darte a ti.

Bosch se agachó un momento, apoyando las manos en las rodillas.

—Estoy bien —respondió Bosch—. Por poco. Estaba viendo el final de todo, ¿me explico?

—Creo que sí —dijo Mendenhall.

—¿Qué quieres que haga?

—Eh, ¿qué tal si entras y te sientas? Mantengamos la terraza despejada. Voy a llamar a todo el mundo.

Justo entonces respondieron la llamada. Mendenhall se identificó y dio la dirección de la casa. Con una voz tan calmada como la que usaría para encargar una pizza, pidió una ambulancia de rescate y un supervisor. Destacó que la escena estaba a salvo y colgó. Bosch sabía que había hablado con el centro de comunicaciones y había sido circunspecta en los detalles que ofreció porque no quería atraer a los medios. Había escáneres de la policía en todas las salas de redacción de la ciudad.

A continuación, Mendenhall llamó a su jefe, Ellington, y le informó con más detalle de lo que acababa de ocurrir. Cuando terminó con la llamada, entró en la casa y encontró a Bosch sentado en el sofá del salón.

—Has apagado la música —dijo Mendenhall.

—Sí, pensaba que debía.

—¿Qué era?

—Wynton Marsalis. *The Majesty of the Blues.*

—Me ha cubierto. Ellis no ha oído que me acercaba a él.

—Si veo a Wynton, le daré las gracias. Ya van dos, sabes.

—¿Dos qué?

—Dos veces que me salvas la vida.

Ella se encogió de hombros.

—Servir y proteger, ya conoces el lema.

—Es más que eso. ¿Qué te hizo volver?

—Tu consejo sobre el Camaro naranja. Hay uno aparcado en la curva. Pasé al lado al bajar la colina y pensé: «Es él, está esperando a Bosch». Así que volví.

—¿Y la puerta? Estoy seguro de que la cerré.

—El abecé de Asuntos Internos. He colocado muchos micrófonos en mis tiempos. Sé arreglármelas con una cerradura y una ganzúa.

—Impresionante, Mendenhall. Pero sabes que probablemente pagarás por esto en el departamento. No importa que fuera corrupto. Has matado a un poli.

—No tenía elección —dijo—. Ha sido un disparo justificado y no me preocupa.

—Está claro, pero aun así habrá consecuencias.

Bosch sabía que la política del departamento sostenía que el uso de fuerza letal estaba justificado si se usaba para impedir la muerte inminente o daño físico grave de un agente o un ciudadano. A Mendenhall no se le exigía identificarse ni dar a Ellis la oportunidad de soltar el arma. El hecho de que llegara por detrás y le metiera una bala en el cerebro estaba dentro de la normativa. Quedaría rápidamente exonerada por la junta interna de revisión de tiroteos y luego por la fiscalía. Sería en la opinión de sus colegas y las insinuaciones y cotilleos que la seguirían en el departamento donde podría no irle tan bien.

Mendenhall miró el cadáver a través de la puerta abierta y Bosch la vio tratando de controlar el temblor de su cuerpo. Era una respuesta que a menudo se producía después de un tiroteo.

—¿Estás bien? —preguntó.

—Estoy bien —contestó ella—. Solo un poco... Acabo de matar a un hombre, ¿sabes?

Bosch asintió.

—Y has salvado a otro —dijo—. Recuerda eso.

—Lo haré —acordó ella—. ¿Qué estaba diciendo? Al final. No pude oírlo al llegar desde atrás. La música también tapó eso.

Bosch hizo una pausa antes de responder. Se dio cuenta de que tenía una oportunidad. Mendenhall no había oído nada. No había ningún testigo de lo que le había dicho Ellis en la terraza. Lo que Bosch dijera en ese momento sería considerado recuerdo inmediato por los tribunales y se le daría el peso de la verdad cuando se repitiera desde el estrado de los testigos. Sabía que podía garantizar la libertad de Da'Quan Foster diciendo que Ellis se había vanagloriado de que él y Long habían asesinado a Alexandra Parks, que lo había reconocido todo.

Bosch pensó en todas las líneas invisibles que había cruzado en la semana en que había trabajado en el caso. Se le vino a la cabeza una imagen; un hombre con un paraguas en busca de equilibrio en una cuerda tensa. Ese hombre era él.

Decidió que esa línea no la podía cruzar.

—No dijo gran cosa, salvo que se iba a Belice —respondió—. Solo quería asegurarse de que yo estuviera muerto antes de largarse.

Mendenhall asintió.

—Gran error —dijo.

53

Bosch enseguida se vio acosado por su decisión de no mentir y no decir que Ellis había reconocido que él y Long habían matado a Alexandra Parks. En los días que siguieron a la muerte del policía antivicio, los cargos contra Da'Quan Foster por el caso Parks se mantuvieron mientras el Departamento del Sheriff avanzaba lentamente en sus investigaciones. Long fue acusado de diversos crímenes, incluido el asesinato del doctor Schubert bajo la ley de homicidio culposo que lo consideraba responsable por sus acciones de conspiración. Sin embargo, la posición oficial en el caso Parks permaneció invariable. El Departamento del Sheriff se negó a reconocer que la acusación de asesinato contra Foster era el resultado de una compleja trampa orquestada por Ellis y Long.

La burocracia, la política y la incapacidad de las instituciones públicas para reconocer humildemente sus errores eran las culpables. Las dos agencias de la ley estaban esperando el momento oportuno, negándose a comentar lo que denominaban una investigación conjunta en marcha de la relación entre los asesinatos de Alexandra Parks, James Allen, Peter y Paul Nguyen y George Schubert. Los asesinatos de Deborah Stovall y Josette Leroux, conocidas profesionalmente en el circuito del porno como Ashley Juggs y Annie Minx, también formaban parte de la investigación conjunta. Mientras tanto, Foster permanecía en la cárcel del condado de Los Ángeles sin posibilidad de fianza.

Las agencias de las fuerzas del orden podrían haber sido absorbidas por la inercia, pero el abogado de Foster era un bólido lanzado. Cuando los cargos contra su cliente no fueron retirados de inmediato tras la muerte de Ellis y la acusación de asesinato de Long, Mickey Haller presentó una moción 995 de urgencia para anular lo dictado en la vista preliminar sobre la base de nuevas pruebas. Una semana más tarde, en una mañana de jueves en que la temperatura en el centro ya había pasado de los veintiséis grados en la llamada al orden de las ocho de la mañana, Mickey Haller se situó ante el juez Joseph Sackville en el Departamento 114 del edificio del Tribunal Penal.

Una diferencia con la última vez que Bosch había visto a Haller actuar en el tribunal era que en esta ocasión él era un participante y no un observador. Haller llamaría a Bosch como su único testigo y lo usaría para presentar la grabación realizada durante la conversación y posterior tiroteo en el consultorio de Schubert. También le pediría que detallara los pasos de su investigación del asesinato de Parks y su relación con el asesinato de James Allen.

Foster no sería llamado al estrado de los testigos. También era un movimiento arriesgado. Cualquier mal paso en su testimonio podría utilizarse contra él después en el juicio si Haller no lograba la derogación del dictamen del juez en la vista preliminar. Los detalles de su coartada podían detallarse en el resumen de Bosch de la investigación. La experiencia de Bosch para testificar en juicios durante más de tres décadas lo convertían claramente en una opción mejor que Foster.

El testimonio de Bosch había sido cuidadosamente preparado por Haller en dos días de ensayos antes de la vista. Haller se aseguró de que el testimonio de Bosch cubriera a conciencia la teoría de la defensa de que Foster fue engañado con su propio ADN, obtenido por Ellis y Long mediante James Allen. Ellis y Allen estaban muertos y Long no estaba cooperando. Todo el peso recaía en Bosch.

Un nutrido público llenaba la sala. El caso había crecido hasta implicar siete homicidios además de la muerte justificada del agente del Departamento de Policía de Los Ángeles Don Ellis. Ocho muertes en total lo convertían en lo más importante que ocurría en los tribunales o en cualquier otro lugar de la ciudad y estaba atrayendo la máxima exposición en los medios. Periodistas locales, nacionales e internacionales llenaban los bancos de la tribuna. A ellos se les unían abogados e investigadores con partes tangenciales del caso y distintos observadores. La hija de Bosch estaba en la primera fila, detrás de la mesa de la defensa, después de tomarse libre uno de los pocos días de instituto que le quedaban para asistir. Estaba sentada al lado de Mendenhall, que también tenía un interés particular en el resultado de la vista. Una ausencia notable en la sala era la familia de Foster. El acusado le había dicho a Haller que no invitara a su mujer ni le hablara de la vista por miedo a que ella oyera el testimonio sobre el estilo de vida de su marido que pondría en riesgo su matrimonio. Probablemente sería imposible que no se enterara, pero al menos no estaría expuesta en una sala abarrotada cuando se airearan los detalles.

En la fila de detrás de la mesa de la acusación se encontraba el viudo, el agente del sheriff Vincent Harrick, con uniforme completo. Estaba sentado entre otros dos agentes uniformados, para mostrar apoyo a su colega y triplicar el mensaje al juez de que Harrick respaldaba sólidamente la investigación del Departamento del Sheriff que todavía señalaba a Da'Quan Foster.

En ocasiones, al mirar desde el estrado de los testigos, Bosch se preguntaba si Haller actuaba para el juez o para los medios. Tenía la costumbre de plantear una pregunta y cuando el fiscal protestaba, mirar primero al juez y luego a los miembros de la prensa reunidos en la galería.

El ayudante del fiscal del distrito asignado a ocuparse de la vista se llamaba Brad Landreth. Estaba sustituyendo a Ellen Tasker porque la vista del 995 coincidía con un juicio que ella estaba terminando. Sin embargo, entre bambalinas corría la voz de que la fiscalía veía el caso como un pájaro herido que no podría volar. Retiraron a una de sus mejores fiscales para mantener su registro de casos inmaculado. El nada envidiable trabajo de Landreth consistía en mantener el caso en marcha mientras el Departamento del Sheriff y la policía de Los Ángeles continuaban con el exasperantemente lento progreso de su investigación. Bosch veía a Landreth como un fiscal de talento y trabajador, pero que no iba a ser rival para Mickey Haller.

Con las múltiples objeciones de Landreth, que fueron desestimadas de forma rutinaria, Haller tardó casi dos horas en guiar a Bosch a través de su testimonio y la presentación de lo que ya se llamaba grabación Schubert. Como la vista era solo ante un juez, Haller adoptó una presentación informal y nunca se levantó durante el interrogatorio. Se quedó sentado detrás de la mesa de la defensa junto a Foster, que iba vestido con el mono azul de la prisión.

Haller y Bosch abordaron todos los detalles que habían planeado y revisado y luego Landreth tuvo la oportunidad del contrainterrogatorio. Se levantó de su asiento y se dirigió al atril, eligiendo la postura más formal, y tal vez más intimidante, para interrogar al exdetective de la policía.

En lugar de atacar la historia de Bosch por sus méritos, Landreth eligió acribillar los métodos de Bosch, su forma de eludir la legalidad y ocultar la verdad. Adoptó la estrategia trillada de atacar al mensajero cuando el mensaje era inexpugnable. Las preguntas y respuestas en relación con cada persona encontrada durante la investigación de Bosch se repitieron varias veces:

Landreth: ¿Le dijo a este individuo que era agente de policía?

Bosch: No, no lo hice.

Landreth: Pero ¿no es cierto que no le disuadió de creer que realmente estaba hablando con un agente de la ley jurado?

Bosch. No, no es cierto. No pensaba que yo fuera agente de policía, porque yo nunca le dije que lo fuera. No tenía placa, ni pistola y no dije que fuera policía.

La estrategia consiguió aburrir a todos los presentes en la sala, en especial al juez Sackville, que solo había consignado las horas de la mañana al juicio. Aceptaba las protestas de Haller antes de que este pudiera formularlas por completo. Ordenó repetidamente a Landreth que avanzara y por fin le dijo al fiscal que estaba desperdiciando el valioso tiempo del tribunal.

Landreth terminó por fin su contrainterrogatorio y Bosch pudo bajar y sentarse a la mesa de la defensa al lado de Haller. Sentarse allí le dio una sensación de inquietud a Bosch. Sentía que estaba en el lado malo de la sala, como si condujera un coche con el volante a la derecha.

Haller no se fijó en esa incomodidad. Tamborileó con los dedos en la mesa al contemplar su siguiente movimiento. El juez finalmente le apremió.

—Señor Haller, ¿tiene otro testigo?

Haller se inclinó hacia Bosch y le susurró al oído.

—Vamos a tirar los dados, a ver si podemos hacerles pisar el cepo. —Se levantó y se dirigió al tribunal—. No hay más testigos, señoría. La defensa está lista para presentar sus conclusiones.

Cuando Haller se sentó, Sackville volvió su atención a Landreth.

—¿La fiscalía va a llamar a más testigos? —preguntó.

Landreth se levantó.

—La fiscalía llama al detective del sheriff Lazlo Cornell.

Cornell se levantó de su sitio en la mesa de la acusación y caminó hasta el estrado de los testigos. Después de que el alguacil le tomara juramento, empezó su testimonio, con Landreth guiándolo a través de los pasos de su propia investigación del homicidio de Alexandra Parks.

Bosch se echó atrás un momento y miró a su hija. Se saludaron con la cabeza. Bosch miró entonces a Mendenhall y sus ojos se encontraron. Una pequeña sonrisa se dibujó en el rostro de la detective de Asuntos Internos. Antes, en el pasillo de fuera del tribunal, Bosch había presentado a Mendenhall a su hija como la mujer que le había salvado la vida dos veces. Eso había avergonzado a Mendenhall y tal vez también a Maddie, pero Harry estaba contento de haber hecho la presentación de ese modo.

Landreth usó a Cornell para recalcar el horror del asesinato de Alexandra Parks y el agotador detalle de la investigación de la escena del crimen y la posterior autopsia. Esto finalmente condujo al testimonio específico que detallaba la recolección de semen encima y en el interior del cuerpo de la víctima y a la opinión profesional de Cornell de que el ADN se había depositado durante una brutal agresión sexual y que no se había colocado.

Harrick permaneció en la sala durante todo ese testimonio, con el mentón levantado y firme, manteniéndose fuerte por su mujer. Su conducta no dejaba dudas de que creía que estaba sentado a solo tres metros y medio del asesino de su mujer. Las maquinaciones de la defensa no eran más que eso para él, un intento de manipular la verdad. Permaneció solidarizado con la línea oficial.

Landreth concluyó el testimonio de Cornell con unas preguntas fáciles sobre sus conclusiones finales.

—Creo en este momento y sobre la base de mi larga experiencia investigando violaciones y asesinatos que la señora Parks fue violada y que el semen hallado en su muslo, en las sábanas y en su vagina fue depositado por su agresor durante el asalto. No fue colocado después. No lo llevaron a la escena. Eso me parece absurdo.

Landreth cedió el turno a Haller.

—Detective Cornell, ¿alguno de los investigadores o personal del forense encontró un condón en la escena del crimen?

Cornell pareció burlarse de la pregunta.

—No —dijo—. Había una cantidad sustancial de semen recopilado y ninguna indicación de que se usara un condón en este crimen. El semen recogido del cadáver y las sábanas indicaba que no hubo condón. Fue el error del asesino.

—El error del asesino —repitió Haller—. El asesino del que ha dicho que acechó a su víctima, ¿es correcto?

—Es correcto.

—Y planeó cuidadosamente este homicidio, ¿es correcto?

—Correcto.

—Sabía que la víctima no tenía perro a pesar del cartel que había delante de su casa, ¿es así?

—Eso creemos.

—Y entró por la puerta de atrás mientras la víctima dormía, ¿correcto?

—Correcto.

—Así pues, su testimonio basado en su experiencia y conocimiento de este caso es que el asesino hizo todas estas cosas, que seleccionó cuidadosamente a esta víctima y la acechó, luego planeó con meticulosidad este homicidio y lo cometió, pero ¿se olvidó de traer un condón?

—Es posible que trajera un condón pero no lo usara. Es muy posible que en la locura del ataque olvidara utilizarlo.

—¿La locura? ¿Ahora está diciendo que fue un ataque frenético? Pensaba que había declarado que había sido cuidadosamente planeado.

—Lo único que sé es que es uno de los casos más brutales que he visto en catorce años en la unidad de homicidios. La brutalidad indicaba una pérdida de control durante la agresión.

El juez intervino en este punto y ordenó el receso de media mañana. Pidió a todos los participantes en la vista que volvieran en quince minutos, se levantó del estrado y desapareció por las puertas que daban a su despacho.

54

En cuanto la sala volvió a abrir la sesión y Cornell regresó al estrado de los testigos, Haller entró a matar.

—¿Examinaron los cuartos de baño de esa casa, detective Cornell? —preguntó—. Las tuberías del lavabo quiero decir, o el inodoro para ver si el asesino había tirado el condón y descargado la cisterna.

—No —dijo Cornell, con un tono de enfado en su voz—. Para empezar, eso es lo que ocurre en la tele. Si alguien tira un condón y tira de la cadena, se va. Pero no había necesidad. El semen del sospechoso estaba por toda la escena del crimen y la víctima. No buscábamos un condón.

—Reconozco mi error, pues —admitió Haller—. Este semen que estaba en todas partes, ¿qué hizo con él?

—Fue recogido por el equipo forense y luego entregado al laboratorio del Departamento del Sheriff para su análisis. De ahí se envió al Departamento de Justicia de California para compararlo con la base de datos de ADN del estado.

—Y así se relacionó con el señor Foster, ¿correcto?

—Es correcto.

—Bueno, acaba de mencionar unos análisis. ¿De qué clase de análisis estamos hablando?

—Se extrajo ADN del material entregado. Se analizan proteínas, grupo sanguíneo, características cromosómicas, varios factores diferentes. Todas estas características o marcadores se introducen en la base de datos.

Haller cogió una carpeta y por primera vez se levantó y fue al atril situado entre las mesas de la acusación y de la defensa. Los dientes del cepo acababan de morder la pierna de Cornell, solo que él todavía no lo sabía.

—Detective Cornell —intervino Haller—, ¿sus análisis de laboratorio incluyen la comprobación de IUC en el material de ADN que entregó de este caso?

Cornell sonrió como si estuviera aguantando una molesta inclinación en la cinta de correr con Haller.

—No —respondió.

—¿Sabe qué es IUC, detective? —preguntó Haller.

—Indicios de utilización de condón.

—Entonces ¿por qué el laboratorio no buscó IUC?

—Buscar IUC no forma parte del protocolo estándar de análisis de ADN. Es un extra. Si quiere eso, hay que enviarlo a un laboratorio externo.

—¿Y no lo querían?

—Como he dicho antes, no había ninguna indicación en la escena del crimen, la autopsia o en ningún otro lugar, de que se usara condón en la comisión de este crimen.

—¿Cómo iba a saberlo si no buscó un condón ni pidió al laboratorio que comprobara el ADN para eso?

Cornell miró a Landreth y luego al juez y levantó las manos con las palmas hacia arriba.

—No puedo responder a eso —dijo—. No tiene sentido.

—Lo tiene para mí —replicó Haller.

Actuando deprisa, antes de que Landreth pudiera protestar, Sackville advirtió a Haller de que no diera lecciones.

—Haga preguntas, señor Haller —le solicitó.

—Sí, señoría —aceptó Haller—. Detective Cornell, es consciente de que este tribunal ordenó a la fiscalía que compartiera con la defensa parte de ese ADN recogido para su propio análisis, ¿no?

—Sí —dijo Cornell.

Haller entonces presentó una moción para pedir al juez que permitiera presentar el informe de análisis de ADN de la defensa como objeto de prueba y permitir que Cornell lo leyera. Esto desencadenó una prolongada protesta de Landreth, que atacó el informe en dos niveles. En el primero, acusó a Haller de una violación de la exhibición de pruebas, porque el informe del laboratorio que deseaba presentar no había sido entregado previamente a la acusación. En el segundo ataque, Landreth objetó al deseo de Haller de que Cornell leyera un informe de laboratorio del cual no se había establecido el fundamento.

—Entra tan campante con este informe de laboratorio del que nunca habíamos oído hablar —dijo Landreth con sarcasmo—. Y hay que sumar a eso que no sabemos qué laboratorio lo hizo, qué técnico llevó a cabo estos análisis. El señor Haller no ha presentado ningún fundamento. Por lo que sabemos, podría haber cogido este informe en un Walmart esta mañana de camino al tribunal.

Landreth se sentó con orgullo después de suponer que había sacado la bola del estadio. De lo que no se dio cuenta era de que es difícil correr por las bases cuando arrastras un cepo en el tobillo.

Haller se levantó y regresó al atril. Primero se volvió y miró a Landreth.

—¿Walmart? —preguntó—. ¿En serio?

A continuación miró al juez y procedió a hacer trizas las objeciones de Landreth.

—Primero, señoría, me gustaría entregar al tribunal una copia de un mensaje de correo electrónico que muestra que hace dos días el informe de laboratorio que cuestiona el señor Landreth fue enviado a Ellen Tasker, que en ese momento (que la defensa sepa) era la fiscal asignada a este caso.

Haller levantó una copia impresa del mensaje de correo por encima de su cabeza, ondeándolo como una bandera. Landreth protestó, pero Sackville dijo que quería ver el documento. Haller caminó hasta el estrado del juez y lo entregó. Mientras el juez leía el mensaje de correo, Haller continuó su argumentación.

—El informe del laboratorio estaba en manos de la oficina del fiscal del distrito y la defensa no es responsable de los problemas de comunicación de esa oficina, señoría.

Landreth se levantó para protestar, pero Sackville lo cortó.

—Tomo nota de su protesta, señor Landreth —dijo—. Vamos al fundamento, ¿señor Haller?

—Señoría, esto no es un juicio —matizó Haller—. Es un cuestionamiento de las resoluciones del tribunal en una vista preliminar. En esa vista, el tribunal permitió a la fiscalía ofrecer testimonio de oídas por medio del detective Cornell, que presentó su informe de ADN sin establecer el fundamento mediante personal de laboratorio. La defensa simplemente desea disponer de la misma oportunidad.

Era cierto. Según la constitución del estado, las pruebas referenciales se permitían en una vista preliminar como medio de acelerar el proceso. La acusación podía presentar pruebas referenciales mediante sus investigadores, permitiéndoles resumir declaraciones de testigos y evitando los largos procesos de llamar a testigos individuales a declarar.

El juez enseguida tomó una decisión.

—Señor Haller, puede proceder —aceptó Sackville—. Siempre podemos rebobinar si no me gusta adónde vamos.

Haller se acercó y entregó copias del informe del laboratorio a Landreth, Cornell y el juez, luego regresó al atril. Después de conducir a Cornell a través de varias preguntas preparadas para identificar el informe y al laboratorio independiente que analizó el material de ADN, pidió al detective que leyera una sección subrayada del informe relacionada con el IUC. Cornell leyó la sección con el mismo tono enfadado que había modulado la mayor parte de su testimonio.

—Los análisis de tests de material genético entregados contenían pruebas de uso de condón incluidas partículas de licopodio y óxido de silicio. La citada combinación de materiales de IUC se encuentra en condones fabricados por Lessius Latex Products de Dallas, Tejas, y distribuidos en la marca llamada Rainbow Pride.

Haller permaneció unos segundos en silencio después de la lectura antes de continuar.

—Así pues, detective Cornell, ha declarado previamente que no buscó un condón en la escena del crimen porque ningún condón formó parte de este crimen. ¿Cómo explica los hallazgos de este informe?

—No lo hago —dijo Cornell—. No es nuestro informe. Es su informe.

—¿Está sugiriendo que este informe es falso, que los hallazgos son falsos?

—Solo estoy diciendo que no es nuestro informe y no estoy familiarizado con él.

Cornell estaba perdiendo su pose. Su tono ya era más preocupado que enfadado.

—Este caso sigue bajo investigación por un equipo conjunto que investiga todos los asesinatos con alguna posible relación con los agentes Ellis y Long, ¿es correcto?

—Sí, pero, como he testificado antes, no hemos encontrado ninguna prueba que los relacione con Alexandra Parks. El ADN de su cliente es la relación. Sigue siendo sospechoso.

—Gracias por recordárselo al tribunal, detective Cornell. Pero como parte de esa investigación conjunta, ¿ha visto pruebas, informes y fotos de todos estos casos? ¿O no se ha molestado en ello porque está convencido de que el señor Foster es su hombre?

—Hemos revisado todas las pruebas de todos los casos.

—Un momento, señoría.

Haller volvió a la mesa de defensa y buscó una bolsa bajo la mesa. Se la llevó al atril y sacó de ella un gran contenedor de plástico medio lleno de condones de colores diferentes envueltos individualmente. Cuando lo colocó delante del atril, Landreth se levantó y protestó.

—Señoría, ¿qué cree el letrado que está haciendo? —preguntó—. La fiscalía protesta ante esta exhibición fanfarrona y hostil.

—Señor Haller —dijo el juez con severidad—. ¿Qué es esta demostración?

Haller sacó otro documento de su carpeta.

—Señoría, este afidávit ofrece la declaración jurada de una persona llamada Andre Masters, que era amigo íntimo de la víctima de asesinato James Allen. Declara que este contenedor de condones Rainbow Pride fue recuperado de las pertenencias del señor Allen después de su asesinato. Se trata de pertenencias que los investigadores del homicidio no se llevaron. Es la misma marca de condones que el del IUC hallado en Alexandra Parks. Esto es un vínculo directo entre estos dos asesinatos y apoya claramente la teoría de la defensa de que los agentes Ellis y Long quisieron colgar este asesinato a Da'Quan Foster.

La respuesta de Haller estuvo puntuada por protestas de Landreth, pero Sackville no había impedido que Haller terminara su explicación. Después de una pausa, el juez respondió.

—Déjeme echar un vistazo a ese afidávit.

Haller llevó una copia al estrado del juez y luego le dio otra a Landreth. Durante los siguientes minutos juez y fiscal revisaron en silencio la declaración. Bosch había encontrado a Masters y había recuperado el contenedor de condones unos días antes, cuando finalmente volvió al Haven House y pagó al gerente cincuenta dólares por el número de móvil de Masters.

—Señoría —dijo Landreth—. Dejando de lado el extraño origen de esta declaración y la supuesta cadena de custodia de este…, este…, este contenedor de condones, la única prueba que tiene aquí es no fiable. Además, de nuevo tenemos una violación de la exhibición de pruebas. A la fiscalía no se le ha entregado este afidávit hasta este mismo momento. Por consiguiente, la fiscalía protesta que se incluya como objeto de prueba y solicita que no se autorice en el interrogatorio del detective Cornell. Una cortina de humo, señoría.

Cuando Landreth se sentó, Haller contraatacó.

—Señoría, dos cosas, muy deprisa. Primero, tengo aquí otra copia de un mensaje de correo a la fiscal previamente asignada a este caso. Este afidávit del señor Masters fue enviado también a ella, lo que significa que no hubo violación de la exhibición de pruebas por parte de la defensa. Y segundo, señoría, la defensa ofrece tres objetos probatorios del expediente de la investigación del caso James Allen del Departamento de Policía de Los Ángeles. Son fotografías de la escena del crimen realizadas por el Departamento de Policía de Los Ángeles que muestran claramente el contenedor de condones en la habitación del motel de la víctima el día que se descubrió su asesinato. Coincide con lo que ven aquí.

Haller entregó el mensaje de correo electrónico y las fotos al juez y luego volvió al atril. Bosch le vio guiñar un ojo a Maddie al volver.

El juez se tomó su tiempo con los documentos y las fotos que tenía delante. La sala estaba tan silenciosa que Bosch podía oír el aire acondicionado zumbando sobre el techo.

Finalmente, el juez apiló los afidávits y las fotos y se inclinó hacia su micrófono para hablar.

—El tribunal considera que las pruebas y los testimonios aportados por la defensa son convincentes y exculpatorios, mientras que el testigo de la fiscalía no es convincente. Por consiguiente, este tribunal, tras la revisión de nuevas pruebas, dicta la anulación de la causa de la vista preliminar. Los cargos contra el acusado son desestimados. La fiscalía es libre de restablecer los cargos si en algún momento es capaz de aportar una causa probable. Señor Foster, es libre para irse. Debería dar las gracias a su abogado por su meticulosidad y celo. Se levanta la sesión.

Y así acabó todo. El silencio se mantuvo en la sala cuando el juez bajó del estrado y salió por la puerta que daba a su despacho. Entonces un estallido de sorpresa y conversaciones se extendió a través de la sala. Haller se volvió hacia Bosch para estrecharle la mano en primer lugar.

—Lo has conseguido —dijo Bosch.

—No, lo has hecho tú —replicó Haller—. Formamos un buen equipo.

Haller se volvió entonces hacia su cliente y le pasó un brazo sobre el hombro al abrazarlo y felicitarlo. Bosch se sintió el bicho raro y por eso se volvió a mirar a su hija. Estaba radiante.

—¡Papá!

Bosch sonrió y asintió, incómodo con la victoria. Tenía que reconocer que estaba feliz, y era la primera vez que se sentía así después de oír que una acusación de asesinato era desestimada. Tendría que acostumbrarse.

55

En el pasillo exterior, Haller era el gran protagonista. Landreth no se quedó. Cornell y Harrick no se quedaron. Y Foster tenía que esperar el documento de puesta en libertad y no sería realmente un hombre libre hasta al cabo de al menos un par de horas más. Eso dejaba a Haller solo. Los medios de todo el mundo lo rodearon en un ondulante círculo de cámaras, grabadoras y micrófonos extendidos hacia su rostro. Era como el tipo que logra el *home run* definitivo en las Series Mundiales. Había una fila de tres por todos lados y Haller no paraba de moverse, mirando arriba y abajo, dando a todos la oportunidad de plantear preguntas y oír sus sabias y en ocasiones irónicas respuestas. Sacó del bolsillo una gruesa pila de tarjetas de visita y las repartió mientras hablaba, para asegurarse de que escribían su nombre bien. La mejor publicidad era la publicidad gratuita.

Bosch se apartó con su hija y observó el espectáculo.

—Esto es asombroso —dijo Maddie.

—Ni se te ocurra —le advirtió Bosch—. Con un abogado defensor en la familia basta.

—¿Te parece bien si me acerco a escuchar?

—Claro, pero ten cuidado de que no te coman esos tiburones. Son depredadores.

Maddie puso los ojos en blanco y fue a acercarse a los medios.

Bosch miró alrededor y vio a Mendenhall de pie a unos metros, en el segundo anillo de observadores del pasillo. Ella también estaba fascinada por el espectáculo de los medios. Bosch se acercó y hablaron mientras mantenían los ojos en el centro de la aglomeración.

—Gracias por venir hoy —dijo Bosch.

—No me lo habría perdido —admitió—. Por cierto, tu hija está muy orgullosa de ti. Se nota.

—Por ahora.

—No, para siempre.

Bosch sonrió y asintió. Eso esperaba.

—Espero que tu número no esté en la guía —dijo Mendenhall—. La gente va a llamaros a ti y a Haller. A los hombres inocentes del sistema.

Bosch negó con la cabeza.

—A mí no —replicó—. Una y no más.

—¿En serio? ¿Sí? —preguntó—. ¿Y ahora qué?

Bosch se encogió de hombros y pensó un momento. Entonces apartó los ojos del circo y la miró.

—Tengo una vieja Harley. Una de 1950 con motor Panhead que necesita un carburador. En realidad, necesita muchas cosas. Eso es lo siguiente. Es la misma moto que montó Lee Marvin en *Salvaje*. ¿La has visto?

—Creo que no.

—¿Montas en moto, Mendenhall?

Esta vez ella apartó los ojos del circo y lo miró.

—Hace mucho que no.

—Yo tampoco. Dame un par de semanas y te llamaré. Montaremos.

—Eso me gusta.

Bosch asintió, luego se apartó y caminó hacia su hija. Era hora de irse a casa.

Agradecimientos

El autor disfrutó de la compañía y ayuda de muchas buenas personas durante la investigación, escritura y edición de esta novela. Muchas gracias a los detectives de verdad —Tim Marcia, Rick Jackson, Mitzi Roberts y David Lambkin— por sus esfuerzos en hacer que Harry Bosch y su mundo sean lo más reales posible. Otros lectores cuya ayuda fue igual de importante son Daniel Daly, Roger Mills, Henrik Bastin, John Houghton, Terrill Lee Lankford, Jane Davis, Heather Rizzo y Linda Connelly. Además, gracias al investigador Dennis *Cisco* Wojciechowski. Tres buenos editores de alguna manera dieron sentido al caos y tengo con ellos la mayor deuda de agradecimiento: Asya Muchnick, Bill Massey y Pamela Marshall.

Muchas gracias a todos.